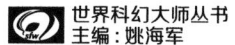

世界科幻大师丛书
主编：姚海军

计算中的上帝

CaLcuLating God

Robert J. Sawyer

[加拿大] 罗伯特·索耶　著｜张建光　译

四川科学技术出版社

Calculating God by Robert J.Sawyer

Copyright © 2000 Robert J.Sawyer

This edition arranged with The Lotts Agency Ltd.

through Andrew Nurnberg Associates International Limited

Simplified Chinese edition copyright:

2022 SCIENCE FICTION WORLD LTD

All rights reserved.

图书在版编目(CIP)数据

计算中的上帝 / [加拿大] 罗伯特·索耶　著；张建光　翻译.
-- 成都：四川科学技术出版社，2022.5

（世界科幻大师丛书 / 姚海军　主编）

书名原文：Calculating God

ISBN 978-7-5727-0527-4

Ⅰ.①计… Ⅱ.①罗… ②张… Ⅲ.①幻想小说 – 加拿大 – 现代
Ⅳ.①I711.45

中国版本图书馆CIP数据核字(2022)第064746号

图进字号：21-2015-129

世界科幻大师丛书

计算中的上帝

SHIJIE KEHUAN DASHI CONGSHU
JISUAN ZHONG DE SHANGDI

丛书主编　姚海军

著　　者　[加拿大]罗伯特·索耶

译　　者　张建光

出 品 人　程佳月

责任编辑　宋 齐　姚海军

特约编辑　贺子恒

封面设计　孙 容

版面设计　孙 容　甄沛佳

责任出版　欧晓春

出　　版　四川科学技术出版社
　　　　　成都市锦江区三色路238号 邮政编码 610023
　　　　　官方微博：http://e.weibo.com/sckjcbs
　　　　　官方微信公众号：sckjcbs
　　　　　传真：028-86361756

成品尺寸　147mm×208mm　　　印　张　10.125

字　　数　220千　　　　　　　插　页　2

印　　刷　成都市金雅迪彩色印刷有限公司

版　　次　2022年8月成都第一版

印　　次　2022年8月成都第一次印刷

定　　价　54.00元

ISBN 978-7-5727-0527-4

邮 购：成都市锦江区三色路238号新华之星A座25层　　邮政编码：610023
电 话：028-86361770

加拿大科幻"教长"——罗伯特·索耶

姚海军

时光飞逝,距我们出版第一部罗伯特·索耶的长篇小说已经二十年了。二十年来,索耶一直是中国读者最喜爱的科幻作家之一。2007年颁发的第18届中国科幻"银河奖",他被读者票选为"最受读者欢迎的外国作家"。当然,受欢迎的其实不仅是他的小说,还有他的博学、风趣与幽默。在活动现场,他是那种会引发听众尖叫的作家。2007成都国际科幻大会期间,他的精彩讲演以及与读者的频繁互动,和他的小说一样,提升了科幻文学的声誉。

索耶1960年生于加拿大首都渥太华,小时候梦想当科学家,特别是研究恐龙的古生物学家。但在高中快毕业的时候,他突然发现,世界上靠研究恐龙为生的人寥寥无几,而以写科幻小说为生的作家却成百上千,于是,科幻作家成了他的人生目标。

结果,索耶不仅成了科幻作家,还在世界范围内拥有广泛的知名度。在加拿大,他甚至被誉为"科幻界的教长"。他至今已经出版二十七部长篇科幻小说,发表短篇作品数十篇,作品被译成十五种语言。索耶不仅获得过世界级科幻大奖"雨果奖"和"星云奖",还是历史上唯一一位将美国、日本、法国、西班牙和中国五个国家的科幻最高奖项揽入囊中的科幻作家。

对任何作家而言,处女作都是解析其创作方向与风格的钥匙。索耶卖出的第一篇小说也是如此,这篇名为《动机》(*Motive*, 1979)的小说表明了索耶的创作观念,确立了他的写作特点——将科幻与悬疑推理紧密结合,创造出一种惊奇感与紧张感交织的雄壮旋律。

在写作生涯的最初几年,索耶主要创作非虚构类作品。他为加拿大和美国的各类杂志撰写了超过二百篇文章,包括从计算机到个人理财等诸多主题。此外,他还努力谋求在广播电视方面的发展,参加了美国哥伦比亚广播公司的《思想》节目的制作,并承担其中五期以科幻为主题的节目的撰稿和播音工作。在此期间,他采访了艾萨克·阿西莫夫、厄休拉·勒古恩等科幻大师。这些采访让他在快满三十岁时意识到,自己必须重拾科幻作家之梦。

1991年索耶出版了长篇处女作《金羊毛》(*Golden Fleece*)。该作涉及人工智能、外星文明、网络虚拟等诸多主题,不仅想象力惊人,整个故事也惊心动魄,获得了加拿大科幻最高奖"极光奖"。

1995年,《终极实验》(*Terminal Experiment*)出版,这部索耶最重要的长篇探讨了人类"灵魂"的真相以及意识上传引发的诸多问题,既有高科技小说的惊险曲折,又有一流科幻小说才有的对未来的深入思考,为索耶赢得了获得了世界科幻大奖"星云奖"和又一座"极光奖"奖杯。

2000年,《计算中的上帝》(*Calculating God*)出版,这部索耶本人最满意的作品探讨了困扰人类的终极谜题。它本是2001年雨果奖决选的热门作品,但最终获奖的却是J.K.罗琳的畅销作品

《哈里·波特与火焰杯》。提起此事,索耶火气十足,他说:"我六次进入雨果奖决选,六次空手而归。每次我都很失望,但只有《计算中的上帝》那次真把我气坏了。他们把奖颁给了《哈里·波特与火焰杯》!那是一本好书,但它不是科幻小说!"经过二十多年时间的涤荡,《计算中的上帝》至今仍是科幻迷最喜爱的科幻作品之一。

2002年,"尼安德特人"三部曲首部《原始人》(*Hominids*)出版。这部试图将尼安德特人宇宙与人类宇宙相连的大胆作品终于让索耶如愿以偿,捧得了"雨果奖"最佳长篇奖杯。

除了科幻创作,索耶还热心科幻文化的推广与传播。他教授科幻写作,发表演讲,在1992年促成了美国科幻与奇幻作家协会加拿大分会的成立,后又短暂担任美国科幻与奇幻作家协会主席(1998—1999)。2007年劳伦斯大学授予索耶荣誉文学博士学位,2014年温尼伯大学授予索耶荣誉法学博士学位。

意识上传、外星智慧和人工智能是索耶最热衷的三大主题,他总是试图在宗教与科学之间找到平衡。综合来看,索耶的科幻小说主要有如下特点:

一是想象壮阔雄奇。在《星丛》(*Starplex*, 1996)中,人类通过外星人建造的超时空"捷径"深入宇宙,一睹宛如星球般巨大的生命体的"芳容";在《计算中的上帝》中,自私的古老文明为防止宇宙中新文明对其生活的干扰,竟然将猎户座一等星引爆成了超新星。这些大气磅礴的想象,给读者带来巨大惊奇感的同时,也带来观念上的冲击。

二是融合悬疑推理。索耶不仅是科幻作家,也是一位悬疑推理小说家。他1993年的短篇科幻小说《宛如旧时光》(*Just Like Old Times*)在获得"极光奖"的同时,还获得了加拿大最高推理小说奖"亚瑟·埃利斯奖"。他的长篇多可以当作悬疑推理小说来读，其中展现出的逻辑推理能力，让很多同行望尘莫及。比如其长篇处女作《金羊毛》，开篇就是一场精心策划的谋杀。在《计算中的上帝》中，外星人来到地球，目地就是与人类一起破解文明周期性毁灭之谜。抛开科幻不谈，整部小说完全可以说是人类与外星人围绕这一任务展开的缜密推理。在《终极实验》中，主人公霍布森需要在自己的三个电子化分身中找出杀人凶手。而他晚近的作品《红星蓝调》(Red Planet Blues, 2014)，则完全可以称为一部火星背景的侦探小说："我"不仅要解决当下的麻烦，还要破解几十年前火星上的一起谋杀案。大量悬疑、推理小说手法的应用，非常有效地提升了索耶小说的可读性。

三是兼顾人物人情。索耶的作品大多属于硬科幻，有着扎实的科学理论基础与逻辑支撑，但除了科学气息，他的小说中还随处可见生活之色。换句话说，索耶是那种能够让宏大想象与现实大地完美融合的作家。比如，在《星丛》中，他塑造了凯斯·兰森这样一个典型形象。这是个迟疑不决的人，生活中如此，工作中也是这样：不想伤害妻子和婚姻，在其他女人的诱惑下又把持不住；面对桀骜不驯的异族下属，既想维护自己的尊严，又担心引发种族冲突。索耶特别善于把握这类中年男人的心理，《终极实验》中的彼得·霍布森、《计算中的上帝》中的托马斯·杰瑞克都属于这一类型。这些人物在生活中面临的困境与宏大格局中人类遇到的问题纠缠在一起，堪称宏大与渺小最完美的衬映。

有关罗伯特·索耶先生的最新消息是，他已经成为成都2023世界科幻大会的主宾。为此，我们特别推出他最重要的五部代表作的精装本，欢迎索耶再来中国。我相信，喜欢索耶作品的读者朋友们也在期待这一天的到来，听一听索耶先生对未来的新预见。

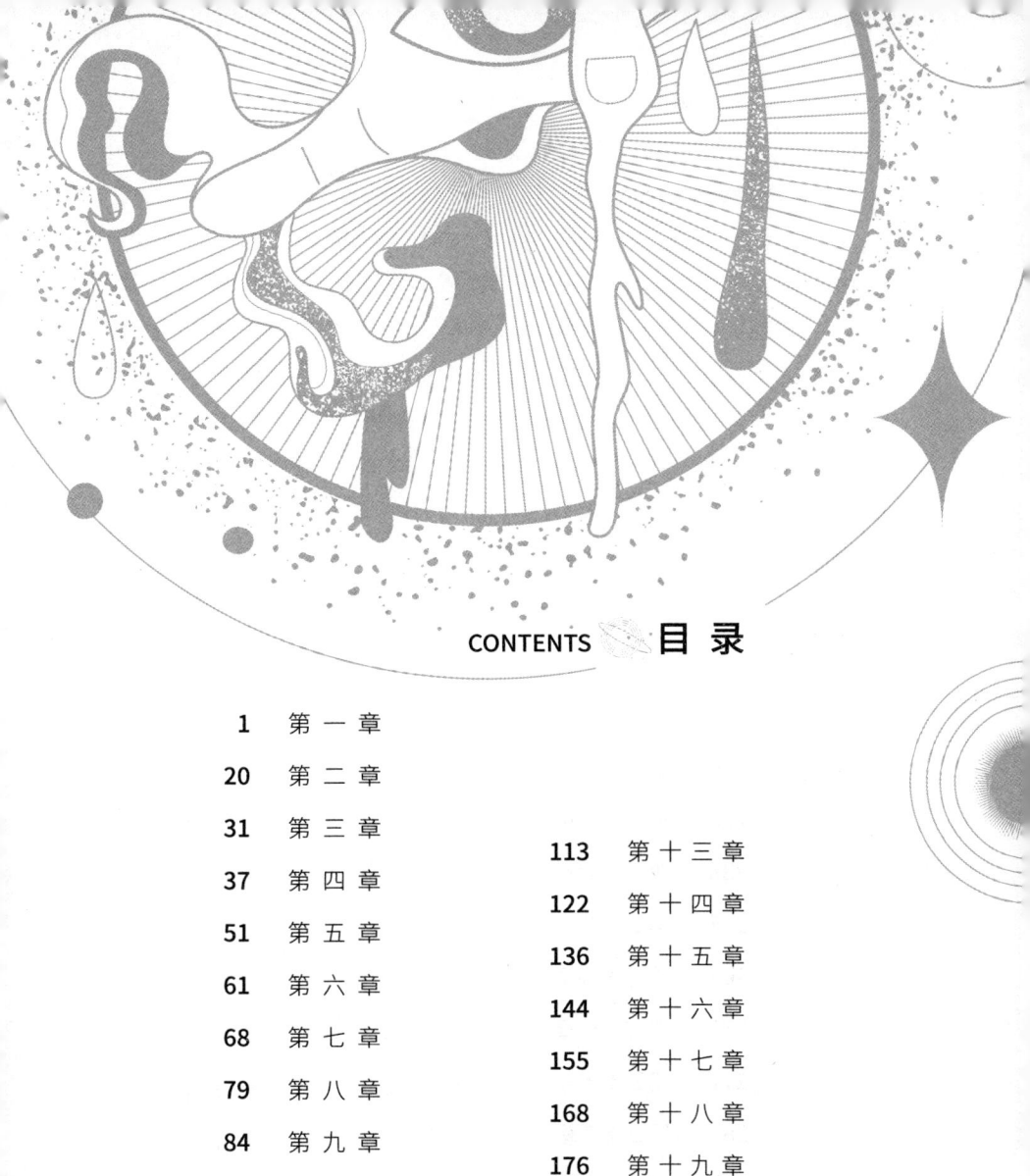

CONTENTS 目 录

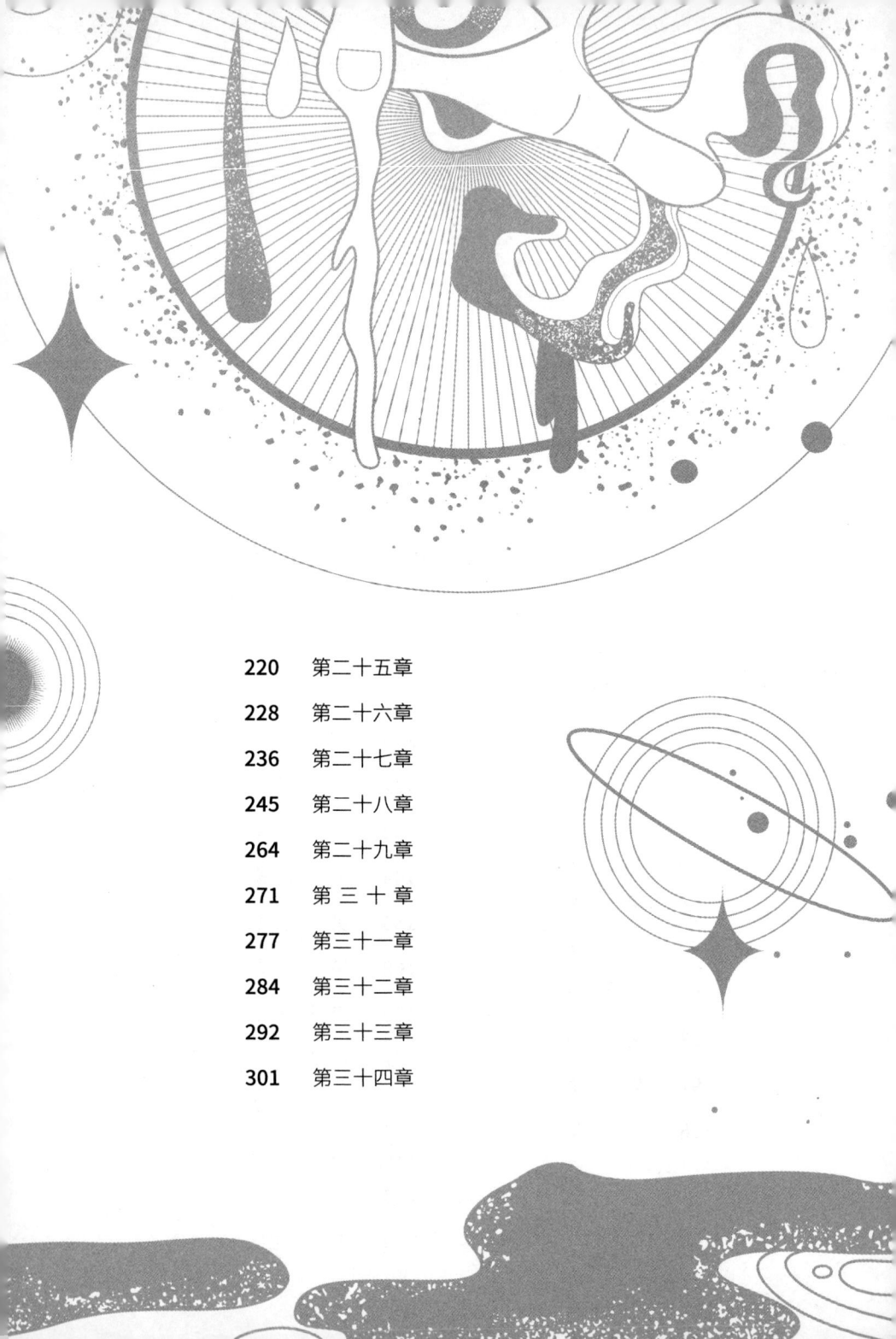

第一章

　　我知道，我知道——外星人已经到了多伦多的说法听上去有点疯狂。当然，这个城市很受旅游者欢迎，但大家普遍认为来自其他世界的生物应该首先造访联合国，也可能去华盛顿。在罗伯特·万斯的电影《地球停转之日》中，克拉图不就是直接去了华盛顿吗？

　　当然，有人可能怀疑，执导《西城故事》的同一位导演能拍出什么像样的科幻片来。实际上，既然想起这个问题来，我才发现，万斯总共拍了三部科幻片，一部比一部无聊。

　　跑题了。近来我经常犯这种错误，抱歉。但是我声明，我还没老，我才五十四岁呢，只是有时候身体疼痛，集中不起注意力。

　　我讲的是外星人的事儿。

　　还有他为什么会来多伦多。

　　故事是这样开始的……

　　外星人的飞船降落在一幢建筑物前，那幢建筑曾经是麦克拉夫林天文馆，紧靠安大略皇家博物馆——我上班的地方。我说曾经，是因为安大略省的小气鬼省长麦克·哈里斯取消了对天

1

文馆的财政补贴。他认为加拿大的孩子没有必要了解太空。真是个"目光远大"的人哪,这个哈里斯。天文馆关了之后,整幢建筑曾出租给《星际旅行》电视剧做宣传,里头原来是星空展馆的地方搭了个经典的舰桥。虽然我很喜欢《星际旅行》,但要评价加拿大的教育,没有比这个例子更惨的了。在那以后,各种各样私人企业都租用过这个地方,但现在它里头是空的。

虽然外星人参观天文馆这一搭配显得颇为合理,结果发现他真正想去的地方是博物馆。这值得庆幸,想象一下:首次接触发生在我们的土地上,但当外星生命敲门的时候,屋里却空空荡荡一个人都没有。真出了这种事的话,加拿大岂不显得傻到家了。外星人之所以选择那块地方降落,因为戴着个巨大圆形屋顶的天文馆远离街道,前面空出一大块水泥地,非常适合降落一艘小型飞船。

虽然当时我就待在隔壁,我并没有亲眼看见飞船降落。好在有四个人——三个游客和一个本地人——把整个过程拍了下来。接下来的许多天,你可以在世界各地的电视频道中翻来覆去看这段录像。飞船是个窄窄的楔形,就像装模作样节食的人吃的那种薄片奶油蛋糕。它通体乌黑,看不到明显的尾气,无声无息从天而降。

飞船大约有三十英尺①长。(我知道,我知道——加拿大是个公制国家,但我出生在1946年。我不认为我这一代的人,哪怕跟我一样是科学家,会习惯使用公制度量单位;尽管如此,我会努力做得好些。)自从《星球大战》问世以来,所有电影中出现的宇宙飞船都覆盖着一层乱七八糟的东西,但正在降落的这一艘却披着完全平滑的外壳。飞船着地之后,门紧接着打开了——

---

① 1 英尺＝0.3048 米。

长方形的门,宽度大于高度。它自下而上滑开,此特征明显表明乘客并非人类。人类很少将门设计成这样,我们的脑袋太容易被砸碎了。

片刻之后,外星人走了出来。他看上去像个巨大的金棕色的蜘蛛,拖着海滩气球般大小的球形躯干,躯干上面长着朝四面八方乱伸一气的腿。

天文馆前的马路上,一辆蓝色福特撞上了前头的奔驰车,而驾驶员却仍在呆呆地看着眼前奇景。很多人刚巧路过,但是他们似乎光顾着目瞪口呆,连害怕都忘了——当然也有少数人的确通过在天文馆前的两个入口向下逃进了博物馆地铁站。

巨型蜘蛛走了一小段路,接近了博物馆。由于天文馆曾经是安大略皇家博物馆的一个下属部门,因此这两个建筑的二楼被一座高架人行天桥连接着,但在地面它们却被一条小巷隔开。博物馆在1914年建成。那个年代人们还没意识到应该给残疾人提供方便——刚建成时只有通过九级宽大的台阶才能走到六扇玻璃正门跟前。很多年之后人们才加修了一条轮椅通道。外星人在台阶底下停了一会儿,或许他在考虑走哪条路。最后他选择了台阶,可能轮椅通道对于他到处乱伸的腿来说太狭窄了。

走到台阶尽头,外星人再次陷入困惑。他或许生活在一个典型的科幻世界中,那儿所有的门都能自动开启。而他现在面对的是一排外层玻璃门,只能通过管状把手拉开。不过看样子他不懂这个窍门。就在这时,一个小孩跑了出来,他是想瞧瞧外面发生了什么。可当他一眼看到这位外星生命时,他所做的只是发出一声惊恐的尖叫。外星人趁机用他的一肢稳稳当当抓住已经打开的门——他用六个肢走路,将剩余的两个当作手臂

——并且成功地挤进门廊。正对他的前方是第二层玻璃门，两层玻璃门之间的门廊像气密室，有助于博物馆控制内部温度。外星人俨然已经成为开启地球之门的熟手，他拉开内层玻璃门，匆匆走进博物馆的八角形大厅。这个近似圆形的大厅是安大略皇家博物馆的象征，我们的会员季刊就以它命名。

大厅左手边是葛菲尔德·韦斯顿展室，专用于一些特别展览。在我的安排下，里头正在举办布尔吉斯页岩动物群展。安大略皇家博物馆和史密森学会分别收藏着世界上最好的布尔吉斯页岩动物化石，但一般公众无缘得见。我设法暂时集中了这两个机构的收藏，首先在此地展出，然后再送去华盛顿展览。

大厅的右翼曾经是地质学陈列室。令人伤感的是它已经消失了，取而代之的是几家礼品店和一家食品店——在克里斯蒂·多罗迪的管理下，安大略皇家博物馆正在努力变得"更具亲和力"，这就是众多让步和牺牲之一。

唉，管不了那么多了。此时，那个外星生物已经迅速地走向大厅的远端，到达了收费口和会员服务台之间。我声明我仍未亲眼见到这一幕，但好在监控摄像头录下了整个过程，否则没人会相信这整件事。外星人横着身子接近一位穿着鲜亮蓝色制服的保安——拉尔布，一个已经在博物馆工作了一辈子，两鬓斑白、和蔼可亲的锡克教徒——并且用标准的英语说："打扰了，我想拜见一个古生物学者。"

拉尔布瞪大了棕色的眼睛，但他很快又放松了。事后他说他当时认为这只是个玩笑。现在每年都有很多电影选择在多伦多制作，不知出于什么原因，在这儿拍摄的科幻电视连续剧就更多了，包括经年在此的吉恩·罗登佩里的《地球：终极冲突》和改编后的《黎明地带》。所以他认为这玩意儿只不过是穿着特型戏服的人或是个电动道具。"什么样的古生物学者?"他面无表情地问,仿佛在配合剧情。

外星人球形的躯干震动了一下,"我想,一位好相处的吧。"

在录像上你应该可以看到老拉尔布绷着脸忍住笑,做得不是太成功,"我是说,你想见无脊椎的还是有脊椎的?"

"难道你们的古生物学家不全都是人类?"外星人问道。他说话的方式很奇怪,但我将来会习惯的。"他们不应该都是有脊椎的吗?"

我向上帝发誓,这些情景全都在录像带上。

"当然,他们全都是人类。"拉尔布说。一小堆游客已经围了过来,在监控摄像头视域之外,二楼内阳台上也站着很多人,向下注视着大厅。"但有些研究无脊椎生物,有些研究有脊椎的。"

"哦,"外星人说道,"对我来说这种分类方法太生硬了。谁都行啊。"

拉尔布拎起电话拨了我的分机号。远在医药中心,躲在让人看了瞠目结舌说不出话来的国际铝业公司赞助的地球科学陈列室后面——这可是克里斯蒂眼中博物馆的精华所在——在我的办公室中,我拿起电话,"我是杰瑞克。"我说。

"杰瑞克博士,"拉尔布的声音带着他独特的口音,"这儿有人想见你。"

会见古生物学家跟拜访财富500强公司的CEO完全不是一回事。我们当然希望你能事先约好,但是谁让我们是人民的公仆呢——我们为纳税人工作。所以我只能问道:"是什么人?"

拉尔布顿了一下,"我想最好还是你自己下来看看,杰瑞克博士。"

好吧,菲尔·考利刚从特瑞尔送来的伤齿龙的头骨反正已经耐心等待了七千万年了,它应该不会在乎再多等一会儿。"我马上就来。"我离开办公室,走向电梯。途中经过国际铝业的陈列室,里头是卡通装饰壁画、巨大的仿制火山、会震动的地板。我不禁暗暗诅咒:上帝,我恨这破玩意儿。我下了电梯,穿过卡瑞利展室,来到大厅,然后——

然后——

天啊。

我的上帝。

我呆住了。

拉尔布或许无法分辨真实肌肤与橡皮衣之间的区别,但我却一清二楚。那个在收费口旁耐心等待着的东西肯定是个真正的生物体。我百分之百确定我的判断是正确的。他肯定是某种生命形式——

而且——

而且我的工作就是研究地球生命,从最早期的一直到前寒武纪。我经常能看到代表新"科"的化石,但我从未见过任何一种代表全新"门"的大型动物。

直到现在。

那个生物无疑是某种生命形式,而且,可以肯定的是,他不是在地球上进化的。

我先前说过他看上去像个大蜘蛛;那只是在天文馆附近的人得到的初步印象。他比蜘蛛复杂多了。尽管表面上他和节肢类动物有相似之处,但是很明显这个外星人身体内部长着骨架。他的肢被发达的肌肉组织包裹着,肌肉外面覆盖着一层长满泡囊的皮肤。这些肢的模样和节肢类动物纺锤形的腿可大不一样。

地球上所有的脊椎类动物都有且只有四个肢(或者,比如蛇或鲸,是从有四个肢的动物进化来的),而且每一肢的末端的趾都不会超过五个。然而,这个生物的祖先肯定从别的世界的海洋中爬出来的:他有八个肢,呈放射状排列在中心躯干两侧。其中两个专职手的功能,它们的末端长着六根手指,每根手指都有三个骨节。

我几乎忘了呼吸,心怦怦地跳着。

一个外星生物。

而且,可以肯定地说,一个有智慧的外星生物。他的球形躯干隐藏在衣服之后——那件所谓的衣服看起来像是一长条淡蓝色的织物,在躯干上来来回回缠了好几道,每道都从不同的肢之间穿过,不妨碍各肢自由活动。他的两臂之间有一个镶着宝石的圆盘,缚住织物的两头。我从来不习惯打领带,但还是学会了它的系法,到了现在不看镜子也能打得像模像样。这位外星人每天早上缠布的过程应该不会比我打领带更麻烦。

织物缠成的道道之间的缝隙中还伸出两根细长的触角,触角末端可能长着眼睛——两个闪闪发光的球体,每个都被一层硬硬的水晶模样的东西包裹着。触角缓慢地左右舞动,有时互相接近,有时又彼此分开。我不禁好奇,眼球之间的距离不固定,这位外星人眼里的世界会是什么模样。

不管是我的出现还是博物馆里其他人的围观,似乎都没有引起外星人的警觉。不过他的躯体始终起伏不止,我希望那不是由于他的私人领地被侵犯而发出的警告信号。实际上,他的躯体运动几乎有某种催眠作用:六条腿交替绷紧放松,他的躯体也随之缓缓收起放下,同时眼柄也不断聚拢、分开。当时我还没看到外星人和拉尔布的谈话录像,所以我认为他这番舞蹈可能是一种交流方式，是一种肢体语言。我试着弯下我自己的膝盖，凭借四十多年前在夏令营学会的技巧，成功地使我的眼珠做起了相向运动，时而靠近鼻梁呈斗鸡眼状，时而两只眼珠彼此远离。摄像头把我俩的一举一动都拍了下来——万一我猜错了，在随后播出的新闻中，全世界观众都会把我当成个大笨蛋。但是为了交流，我还是豁出去了。随后，我又举起右手，手心向外，给他行了个问候礼。

外星人当即重复了这个动作，一条肢的关节一弯，肢端六趾伸直。就在此时，令人难以置信的事发生了。最前面两条腿的上半截分别出现了一条竖着的裂口，其中一个发出"你"这个音节，另一个以稍低沉的音调发出了"好"音。

我吃惊得下巴都掉了下来，不知不觉放下了手。

外星人仍旧震动躯体，挥动眼睛。他又开始说话了，这回说的是法语。左前腿处传来"你"，右前腿发出"好"。

这个推测很有道理，博物馆内的标识多数为英法双语。我无意间摇了摇头，仍旧不敢相信眼前的事实。我打算开口，虽然还没想到说什么。不等我的话出口，外星人再次说话了。音节还是由两条腿交替发出，活像乒乓比赛中的乒乓球。不过他这回说的是德语，"Auf""Wie""der""sehen"。

突然间我迸出了一句话："其实，Auf Wiedersehen 是再见的意思，不是你好。"

"哦。"外星人说。他举起另外两条腿，像人类耸耸肩，随后又开始两腿交替发音，"德语不是我的第一语言。"

我应该笑一笑的，可我实在是太震惊了。好在我已经感觉到自己相对而言正逐渐放松，尽管我的心脏仍旧挣扎着想跳出胸腔。

"你是个外星人。"我说。十年大学教育啊,就换来这么一句?

"正确。"腿上的嘴回答道。他的声音听上去很有阳刚气,特别是右腿的声音,简直就是个男低音,"为什么非用毫无特色的通称呢? 我的种族叫弗林纳,我本人名叫霍勒斯。"

"嗯,很高兴见到你。"我说。

他的眼柄来回挥动,期待着。

"哦,请原谅。我是人类。"

"是,我知道。你们的科学家将你们称为智人。但你个人的名字是?"

"杰瑞克。托马斯·杰瑞克。"

"托马斯的昵称是汤姆吗?"

我震惊了。"你是怎么知道人类姓名的? 你怎么会说英语?"

"我一直在研究你们的世界,这也是我来这里的原因。"

"你是个探险家?"

他的眼柄相互靠拢,停在某个位置上。"不是。"霍勒斯说。

"那你来干什么? 你不会是个入侵者吧,是吗?"

两只眼柄做出了个S形运动,他在笑吗?"不。"他张开双臂,"请原谅,但你们没什么我和我的同胞想要的东西。"霍勒斯停顿了一会儿,似乎在考虑着什么。随后他用一只手做了个旋转动作,像示意我转身。"当然,如果你真想的话,我可以给你做个肛门检查。"

大厅内越聚越多的人群中发出一阵惊呼。我则试图扬了扬早已不复存在的眉毛。

霍勒斯的眼柄又做了个S形运动,"对不起,开个玩笑。你们人类某些关于外星生命造访的传说纯属想象力过于发达。事实上,我不会伤害你们或你们的牲畜。"

"谢谢。"我说,"嗯,你说你不是探险家?"

"不是。"

"也不是入侵者?"

"不是。"

"那你是干什么的? 旅游者?"

"差得太远,我是个科学家。"

"你想见我?"我问道。

"你是个古生物学家?"

我点了点头,随后意识到他可能不知道点头的意思,又说明道:"是的。确切地说,是个研究恐龙的古生物学家。"

"那就对了。是的,我想见你。"

"为什么?"

"有什么我们可以私下谈谈的地方吗?"霍勒斯问道,他的眼柄转了一圈,把围着我们的人看了个遍。

"嗯,有。"我说,"当然有。"我晕晕乎乎带着他走进博物馆内部。一个外星人,真正的外星人。真奇妙,太奇妙了。

我们经过一对楼梯,它们各自环绕着一根巨大的图腾柱。尼斯加柱在右边,高达八十英尺——对不起,二十五米,从地下室一直杵到三楼的天窗;左边较短的海达柱的基座就在这一层。随后我们穿过卡瑞利展室,它里头是过分简单的东方展,属于雷声大雨点小的那种。现在已经是四月份了,博物馆内的游人不多,而且幸运的是,在我们回医药中心的路上没有碰到学生小组。不过一路上还是有游客和警卫在盯着我们看,其中一些人在我和霍勒斯经过时发出各种怪叫。

安大略皇家博物馆几乎是在九十年前开张的。它是加拿大最大的博物馆,也是世界上为数不多的大型全学科博物馆之一。就像大门旁石灰石镌刻所声称的——霍勒斯几分钟前才从那里走过——它的任务是保存"古老的自然记录"和"人类长久以来的艺术"。安大略皇家博物馆分别为古生物学、鸟类学、哺乳动物学、爬虫学、纺织学、古埃及学、希腊罗马考古学、中国手工艺、拜占庭艺术和一些其他学科开设了单独的展室。博物馆建成后,整幢建筑有很长一段时间一直维持着H形,但在1982年H形上下两个部分被封上了,北面竖起了一个六层楼的新展区,南面建了个九层楼的医药展中心。部分原来的外墙因此成为内墙,造成的结果是原建筑华丽的维多利亚式石墙与新建筑朴素的黄石墙毗邻,人们本以为这种搭配会造成视觉错乱,但事实上它却显得很漂亮。

我们上了电梯。由于心情激动,我的手不停地哆嗦着。以前,博物馆的无脊椎古生物部和脊椎古生物部是两个独立的部门,但麦克·哈里斯的经费削减迫使我们不得不合并。恐龙给博物馆带来的游客显然比三叶虫带来的要多得多,所以原先的无脊椎古生物部主任琼斯现在只能在我手下工作了。

值得庆幸的是当我们从电梯里出来时,走廊里没有人。我匆匆忙忙将霍勒斯带进我的办公室。一进到里面,我一屁股坐在办公桌后的椅子上。虽然我已经不害怕了,但是我的腿仍然有点不听使唤。

霍勒斯看到了我办公桌上的伤齿龙头骨。他走上前,一只手轻轻拿起它,把它凑近眼柄。他的眼柄停止了摇摆,锁定眼前的物体。趁他检查头骨时,我又仔细将他观察了一遍。

他的躯干没有我双手环抱粗。我刚才便注意到他的躯干上包裹着一条长长的蓝色织物,但是他的六条腿和两只胳膊却暴露在外。他的皮肤看上去像是张泡泡包装充填纸,表面每个泡泡的大小不尽相同。泡泡里似乎充满了气,可能起隔热作用。这表明霍勒斯是温血动物。地球上的哺乳动物和鸟类利用毛发或羽毛困住贴近它们皮肤的空气来保温,同时也能通过竖起汗毛或整理羽毛把热空气放出去。不知覆盖着泡泡的皮肤如何才能起到散热作用,或许泡泡可以放气?

"一个""神奇的""头骨。"霍勒斯说,现在他的嘴已经以词为单位交替说话了,"它""有多少""年了?"

"大约七千万年。"我说。

"我就想看""这一类的""东西。"

"你说你是个科学家。一个古生物学家? 像我一样?"

"部分是吧。"外星人说,"我最先的研究方向是宇宙学,但最近我的研究领域变得更广泛了。"他停了一会儿,"我和我的同事已经对地球研究了一段时间——足以了解你们的主要语言,并从电视和广播中研究了你们的文化。这是个令人沮丧的过程。我懂得了太多毫无必要的流行音乐和烹饪技巧,当然,我对自动通心粉制作机还是感兴趣的。此外我还看了许多体育节目,这辈子都够了。但有关科学的信息太难获得了。你们的科学论坛节目所涉及的领域太过狭窄。我觉得我对于某一类主题懂得太多,对其他方面却一无所知。"他又停了一会儿,"有些信息不可能从你们的媒体或是我们对地球的秘密访问直接得知。对于稀有的东西来说,比如说化石,信息缺乏的问题尤为严重。"

他的声音在嘴之间来回乱窜,我听得有点头大。"所以你想看看我们博物馆的样本?"

"就是这么回事。"外星人说,"对我们来说,在不与人类直接接触的情况下研究你们的现代动植物还比较容易。但你要知道,保存完好的化石是非常稀有的。要满足我们的好奇心,了解这个世界的生物的进化过程,最好的方法是研究现有的化石收藏。就像俗语所说的拿来主义。"

虽然我还没有从整件事情的冲击之中清醒过来,但我似乎发现不了什么理由可以拒绝他的请求。"当然,欢迎你研究我博物馆的样本。这儿经常有访问学者。你有什么特别感兴趣的领域吗?"

"是的。"外星人说,"我对在大范围的物种灭绝之后出现的进化转折点特别感兴趣。你能跟我说说吗?"

我耸了耸肩,那可是个很大的题目。"据我们所知,地球上共发生了五次大规模的物种灭绝。第一次是在奥陶纪末期,大约在四亿四千万年前。第二次发生在泥盆纪晚期,三亿六千五百万年前左右。第三次,也是最大的一次,是在二叠纪的末期,二亿二千五百万年前。"

霍勒斯挥动着眼柄。他的两只眼珠有时会碰到一起,而这时水晶状的外壳就会发出轻微的喀喀声。"请你详细说说这一次。"

"在此期间,"我说,"大约有百分之九十六的海洋生物彻底消失了,四分之三的陆地脊椎动物灭绝了。我们在三叠纪的晚期还有一次大规模物种灭绝,大约在二亿一千万年前。我们损失了四分之一的生物种类,包括所有的迷齿亚纲动物。这一时期可能对恐龙的出现至关重要,你手里拿的那个家伙就是其中之一。"

"是的。"霍勒斯说,"请继续。"

"最著名的一次发生在六千五百万年前,在侏罗纪末期。"我再次指着伤齿龙头骨,"所有恐龙、翼龙、沧龙和菊石,还有其他一些生物都灭绝了。"

"这个生物的体型应该不会很大。"霍勒斯说,举起手里的头骨。

"正确。从嘴到尾梢不超过五英尺,一米半。"

"它有体形较大的亲戚吗?"

"噢,有。事实上它们是曾经存在过的最大的陆地动物,但它们都在那次物种灭绝中死光了,为我们这一类的生物——我们称之为哺乳动物——接管地球铺平了道路。"

"不""可""思""议。"霍勒斯说。有时他以词为单位在两嘴之间传递,而有时却以单音节。

"为什么这么说?"

"你们是怎么判断物种灭亡年代的?"他问道,对我的问题避而不答。

"我们认为地球上所有的铀和地球是同时形成的,然后我们分别测量铀-238和它的衰变物铅-206的比例,还有铀-235和它的衰变物铅-207的比例。测量结果告诉我们地球的年龄大约有四点五亿年。然后我们……"

"好。"他的一个嘴说着,接着另外一个嘴又肯定了一声"好"。"你们的年代测定应该是正确的。"他稍稍停顿了一下,"你还没有问我是从哪儿来的。"

我觉得自己是个不折不扣的白痴。他是对的,按照常理,那应该是我的第一个问题。"对不起。你是从哪儿来的?"

"我来自你们叫作Beta Hydri恒星系的第三颗行星。"

我在攻读地质学本科学位的时候选过几门天文学课,我还学过拉丁语和希腊语,这些知识对于古生物学家来说是非常有用的工具。Hydri是Hydrus的所有格,后者是南星空的长蛇星座的名称。至于Beta，它是希腊字母表中的第二个字母。所以Beta Hydri应该是从地球上观察长蛇星座所能看到的亮度为第二的恒星。"那儿离地球有多远？"

"二十四光年，你们的年。"霍勒斯说，"但我们不是直接从那儿来的。我们已经旅行了一阵子了，在来此之前我们已拜访了其他七个恒星系。到目前为止我们的总旅程共有一百零三光年。"

我下意识地点着脑袋，不敢相信他的回答。随后我意识到自己又点头了。我说："我的头像这样上下移动是表明同意或继续的意思。"

"我知道。"霍勒斯说，他的眼睛搭在了一起，"我们用这个姿势表达。"一阵沉默之后，他继续道，"包括你们和我们自己的在内，我已经去过九个恒星系了，但我只在其中的三个上面发现了高等智慧生命，你们是其中之一。第一个当然是我们自己，还有一个在Delta Pavonis恒星系的第二颗行星上，离这儿有二十光年，但离我们的世界只有九点三光年。"

Delta Pavonis应该是孔雀星座中亮度为第四的恒星。我依稀记得它和长蛇星座一样只能在南半球看到。"知道了。"我说。

"在我们的行星上也发生过五次大规模物种灭绝。"霍勒斯说，"我们的年比你们的长，但以地球上的年为单位计算，它们分别大约发生在4.50亿年、3.65亿年、2.25亿年、2.10亿年和0.65亿年前。"

我再一次怔住了。

"而且，"霍勒斯继续着，"孔雀星座第四–Ⅱ（Ⅱ表示第二颗行星）上也发生了五次。他们的年比你们的稍短，但是以地球年计的话，它们也发生在4.50亿年、3.65亿年、2.25亿年、2.10亿年和0.65亿年前。"

我的脑袋嗡嗡作响。和一个外星人说话本来已经够难以置信的了,更何况他还时不时冒出些让人无法接受的胡话。"那不可能是真的。"我说,"我们知道物种灭绝是和本地的自然现象相关。二叠纪末期那一次很有可能是由全球范围的冰川引起的,侏罗纪末期的则是由来自太阳系小行星带的一颗小行星撞击地球造成的。"

"我们也曾认为我们行星上的物种灭绝是由本地因素引起的,吕特人——我们对孔雀星座第四-Ⅱ上智慧生命的称呼——也把灭绝现象解释为由他们当地的自然环境导致的。但令人震惊的是我们两个行星上的物种灭绝时间如此一致。一两次时间重合可能是出于巧合,但所有五次都在同一时间发生几乎是不可能的,除非我们先前对于物种灭绝的解释是不正确的或是不完全的。"

"所以你来这儿想确定地球的历史是否和你们的一致?"

"这是原因之一,"霍勒斯说,"现在看来是一致的。"

我摇了摇头,"这怎么可能?"

外星人小心翼翼地把伤齿龙的头骨放在桌子上,看样子他是个处理化石的能手。"我们刚开始也和你一样不敢相信。"他说,"但至少在我们和吕特人的世界中,相同的绝不只是时间,还有很多东西也是一致的,比如对于生物圈的影响。这三个世界中最大的一次物种灭绝都是第三次——在地球上是二叠纪末期。从你刚才对我说的来看,所有三个世界的生物圈在那个时代几乎都灭绝了。

"还有,你说的在三叠纪末期发生的物种灭绝导致某类动物占据了食物链的顶端:在这儿是恐龙,我们那儿是五足类动物。

"至于最后一次大灭绝,就是你说的发生在侏罗纪末期的那次,则把原先占有统治地位的物种抛弃了。在这个世界是你这样的哺乳动物取代了恐龙。在长蛇星座第二-Ⅲ上,八足类取代了五足类。在孔雀星座第四-Ⅱ上,胎生动物挤掉了原先占绝对优势的卵生动物。"

他继续道:"至少,根据你刚才提供的信息,目前我能得出的结论大体上就是这样。但我希望我能有机会研究你们的化石,以确定我的结论的可靠性。"

我还未从震惊中清醒过来,"我实在想不出有什么理由能说明为什么多个行星上的进化史是相同的。"

"有一个很明显的理由。"霍勒斯说。他往旁边挪了几步,可能他对长时间负担自己的体重感到有点累了,但我不能想象他能坐在什么样的椅子上。"进化之所以会这样是因为上帝希望如此。"不知道为什么,听到外星人这样谈论上帝令我惊诧万分。几乎所有我认识的科学家,他们要么是无神论者,要么就是把自己的信仰当作私事,不会在公众场合谈论——霍勒斯的确说过他是个科学家。

"那可以成为其中一个解释。"我小声地说。

"但它是最明智的。最简单的也就是最有效的,你们人类不也遵循这一原则吗?"

我点了点头,"我们叫它奥坎式简化原则。"

"上帝操纵着一切,这一个原因就解释了所有三个行星上的物种灭绝。这种解释最简洁且有效。"

"或许吧,如果……"该死,我本该礼貌些,点着头,面带微笑,就像偶尔在恐龙馆碰上宗教狂热分子时一样,那些人跟我搭话,问我诺亚方舟和大洪水与恐龙灭绝的关系。每当这种时候我都点头微笑。我发现我很难把这句话说完。"……如果你信仰上帝的话。"

霍勒斯的眼柄似乎分开到了极限,好像他从左右两个方向同时观察我。"你是这儿级别最高的古生物学家吗?"他问道。

"是的,我是部门主管。"

"没有其他更有经验的古生物学家了吗?"

我皱了皱眉,"有个叫琼斯的,无脊椎古生物高级研究员。他几乎和他研究的化石一样老。"

"或许我应该和他交流?"

"如果你喜欢的话。我说错了什么吗?"

"我从电视上得知,地球上你们这一地区的人,至少是普通大众,对上帝有一种既爱又恨的复杂情绪,但我还是很惊讶一个在你这种职位上的人居然不相信上帝的存在。"

"如果是那样的话,琼斯不是你想要的人。他是SCICOP的董事。"

"空中警察[1]?"

"超自然现象科学调查委员会。他肯定不信仰上帝。"

"我很震惊。"霍勒斯说。他把眼睛从我身上移开,开始观察我办公室墙上的宣传画—— 一张古彻的,一张柯瑞克斯的还有两张吉什的。[2]

"我们倾向于将宗教信仰看成是个人的事。"我轻声说,"没人确切知道信仰究竟是什么。"

"我说的不是信仰。"霍勒斯说,眼睛又回到我身上,"我说的是可验证的科学事实。任何不怎么笨的家伙都会接受这一事

---

① SCICOP和Sky Cop(空中警察)的发音相似,外星人听错了。

② 三人都以能根据古生物化石复原动物假想图成名。

实:我们生活在一个被创造出来的宇宙之中。"

我丝毫没有被冒犯的感觉,只是觉得很诧异。以前我只从所谓的创世论科学家那儿听到过类似说法。"你能在博物馆内找到很多宗教人士,"我说,"例如拉尔布,你刚在楼下大厅碰到的。但即使是他也不会说上帝的存在是个科学事实。"

"那么只好由我来教教你了。"霍勒斯说。

"如果你认为有必要的话。"

"应该说如果你能协助我工作的话。我的观点不属于少数派。上帝的存在是构建长蛇星座第二和孔雀星座第四上整个科学系统的基本原理。"

"大部分人类认为这个问题不属于科学的范畴。"

霍勒斯再次注视着我,仿佛我刚刚考砸了什么考试。"没有什么东西在科学的范畴以外。"他一字一顿地说。事实上我同意他这种说法,但是很快我们之间又有分歧了。"现代科学的主要任务,"他继续道,"是要发现为什么上帝会做这些事,以及他在工作时使用了何种方法。我们不相信他只是挥了挥手,用意念创造了世界。我们生活在一个物质化的宇宙之中,因此他必定使用了能够量化的物理过程来实现他的想法。如果他的确控制了我们三个行星上的进化大熔炉,那么我们就必须问:他怎么做的?为什么?他想得到什么?我们要——"

就在此时,我办公室的门突然开了,一头银发,长着一张长脸的克里斯蒂·多罗迪,博物馆馆长,出现在门口。"那是个什么鬼玩意儿?"她说,并举起一根瘦骨嶙峋的手指指着霍勒斯。

第二章

克里斯蒂一下子把我问住了。一切都发生得这么快,我根本来不及去思量整个事件的重大性。首次已确认的外星生物造访地球就发生在眼前,我不赶紧通知有关部门——连我的老板克里斯蒂也不理会——却干坐在这个生物旁边,高谈阔论只有大学生夜聊才会提及的无聊话题。

但在我回答之前,霍勒斯已转身面对多罗迪博士。他通过依次移动六条腿来实现转身这一动作。

"你好。"他说,"我""叫""霍""勒斯。"他在报自己的名字的两个音节时,声音稍稍有点重合,一张嘴在另一张还未完全闭上时已开始发音。

克里斯蒂现在是全职管理人员。多年前当她还是个专职研究员时,她的研究方向是纺织学,因此霍勒斯的非地球形态可能没有引起她的注意。"这是个玩笑吗?"她说。

"根""本""不""是。"外星人答道,用着他那种奇怪的立体声式的音调,"我是"——他扫了我一眼,仿佛表示他正在引用我先前的说法——"把我当成个访问学者吧。"

"从哪儿来的?"克里斯蒂问道。

"长蛇星座第二。"霍勒斯说。

"那是什么地方?"克里斯蒂问。她长着张大大的马嘴,必须时刻留意才能闭上嘴唇不露出牙齿。

"那是另外一个恒星系。"我说,"霍勒斯,这位是克里斯蒂·多罗迪博士,博物馆的馆长。"

"另外一个恒星?"克里斯蒂说,打断了我的回答,"别闹了,汤姆。警卫给我打电话说有人在搞恶作剧,并且——"

"你没看到我的飞船吗?"霍勒斯说。

"你的飞船?"克里斯蒂和我同时问道。

"我降落在那个圆屋顶建筑的前面。"

克里斯蒂从霍勒斯旁挤进了屋子,按下桌上电话的免提键,拨了个分机号。"巩瑟尔?"她说。巩瑟尔是员工入口处的警卫,他的岗位位于博物馆和天文馆之间的小巷中。"我是多罗迪博士。帮我个忙:到外头去看看,告诉我在天文馆前你能看到什么。"

"你是指飞船吗?"巩瑟尔的声音从扬声器内传出,"我已经看过了。那儿现在围了一大堆人。"

克里斯蒂忘了说再见就挂上了电话。她看着外星人,毫无疑问她能看到他呼吸时躯体一起一伏的样子。

"你……你想干什么?"克里斯蒂说。

"我在做一些古生物学研究。"霍勒斯说。奇怪的是,"古生物学"这个词连母语是英语的人说来都很拗口,他却没有把这个词分在两张嘴里说。我弄不懂究竟是什么原则控制着他嘴之间的转换。

"我必须得跟谁说一声,"克里斯蒂说,像是在自言自语,"我必须向当局报告。"

"在这种情况下,我们该向哪个部门报告呢?"我问。

克里斯蒂看着我,好像奇怪我听见了她的话。"警察局? 皇家骑警? 外交部? 我不知道。糟糕的是他们把天文馆关了,要不然那儿可能会有人知道。或许我可以问问陈?"唐纳德·陈是博物馆的天文学家。

"你可以向任何人报告。"霍勒斯说,"但不要在我周围制造麻烦。会影响我的工作。"

"目前你是地球上唯一的外星人吗?"克里斯蒂问,"还有其他像你一样的外星人在别的地方访问吗?"

"现在在地球表面只有我一个。"霍勒斯说,"但不久会有更多的人下来。我们的母船正在地球的同步轨道上,那上面共有三十四个人。"

"与什么同步?"克里斯蒂问,"多伦多?"

"同步轨道必须在赤道上方。"我说,"不可能定位在多伦多上空。"

霍勒斯把他的眼柄转向我,可能他增加了对我的好感。"对。但因为博物馆是我们第一个目标,所以母船定轨在与多伦多同一经线的位置上。我认为我们的正下方是厄瓜多尔。"

"三十四个外星人?"我说,仿佛在消化这个信息带来的刺激。

"正确。"霍勒斯回答,"半数是像我一样的弗林纳人,另外一半是吕特人。"

一阵兴奋传过我的全身。有机会研究一种来自不同生态系统的生命形式已经足够让人惊喜的了,更何况一下子来了两种。前几年我身体还行的时候,我在多伦多大学教过一门有关进化的课,但我们的所有进化知识都仅仅来自一类样本。如果

22

我们能——

"我不知道该给谁打电话。"克里斯蒂说,"见鬼,如果我真的打了电话,我都不知道谁会相信。"

我的电话突然响了。我拿起听筒。是英迪拉·萨拉姆,克里斯蒂的助理打来的。我把电话给了她。

"什么事?"克里斯蒂对着话筒说,"不,我就待在这儿。你能把他们带来吗?好的,再见。"她把电话递还给我,"多伦多警察来了。"

"多伦多最棒的什么①?"霍勒斯问。

"是警察。"我说,把听筒放了回去。

霍勒斯什么也没说。克里斯蒂看着我,"有人打电话给警察,报告了飞船降落,外星人进了博物馆。"

很快,两个穿着制服的警察在英迪拉带领下走了过来。三个人都站在门口,目瞪口呆。两个警察中的一个骨瘦如柴,另一个却结实健壮——警察部队中强壮型和瘦弱型的代表,肩并肩站在我的办公室里。

"肯定是个假货。"瘦警察对他的同伴说。

"为什么所有人都这么想?"霍勒斯问道,"你们人类似乎擅长忽视明显的证据。"他两只水晶般的眼睛望着我。

"你们哪位是馆长?"壮警察问道。

"我是。"克里斯蒂说,"克里斯蒂·多罗迪。"

"嗯,女士,你认为我们该怎么办?"

克里斯蒂耸了耸肩,"飞船阻碍了交通吗?"

"没有。"壮警察说,"它整个都在天文馆的场地上,但……"

"怎么了?"

---

① 原文中为finest,既有最棒的意思,也有警察的意思。外星人理解错误了。

"但，你知道，像这样的事应该上报。"

"我同意，"克里斯蒂说，"但向谁？"

我桌子上的电话又响了。这次是英迪拉的助手——他们不能继续资助天文馆，但是连助理都有助理——"你好，派瑞，"我说，"请稍等。"我把电话递给英迪拉。

"什么事？"她说，"我知道了。嗯，稍等一下。"她看着她老板，"城市电视台的人来了。"她说，"他们想采访外星人。"城市电视台是个本地台，宣扬的是"你身边的新闻"，它的口号是"无处不在"！

克里斯蒂转向两个警察，看他们反不反对。他们互相看了一眼，做了个小小的耸肩动作。"好吧，我们不可能把所有的人都请到这儿来。"克里斯蒂说，"汤姆的办公室容不下。"她转向霍勒斯，"你介意再去一次大厅吗？"

霍勒斯上下跳跃着，我不认为那是个表示同意的信号。"我想尽快开始我的研究工作。"他说。

"你总得在什么时候对大家说点什么。"克里斯蒂回答道，"不如趁这个机会说一下。"

"好吧。"霍勒斯说，听上去万般无奈。

壮警察冲着他肩膀上的麦克风说了几句，可能是向局里汇报。同时我们一伙人沿着走廊拥向电梯。我们必须分成两队，霍勒斯，克里斯蒂和我先下楼；英迪拉和两个警察随后。我们在一楼等到他们，随后一起走向博物馆著名的大厅。

城市电视台把它的摄像师——都是些年轻好动的家伙——称为"电视制作人"。现在就有那么一个等在大厅里，另外还有一堆观众围在那儿。那位电视制作人是个加拿大原住民，一头黑发扎成马尾辫。他快步奔过来。克里斯蒂向来就是个政客型,立刻占据了镜头前的有利地形。可他却只想从各个角度拍摄外星人——城市电视台名声不好,我的小舅子称它为身体偷窥器。

我看到两个警察中的一个把手放在了枪套上,我希望他们的长官已明令他们要不惜一切保护外星人。

终于,霍勒斯的耐心耗尽了。"够""了。"他对城市电视台的那家伙说。

外星人会说英语震撼了人群。我和霍勒斯在大厅里说话时,他们中的大多数还没有出现。突然间电视制作人开始用问题轰炸外星人。"你从哪儿来? 你的任务是什么? 你来这儿花了多长时间?"霍勒斯尽量回答,但他没有提到上帝。几分钟之后,两个穿着深蓝色西服的人,一个黑人和一个白人,进入了我的视野。他们观察了外星人一小会儿,随后那个白人走上前来。"打扰了。"他有魁北克口音。

很明显,霍勒斯没听见。他继续回答电视制作人的问题。

"打扰了。"那人又开口了,声音响了许多。

霍勒斯往旁边让了让。"对不起,"外星人说,"你想过去?"

"不。"那人说,"我想和你说话。我们是加拿大安全情报局的。请你跟我们走一趟。"

"到哪儿去?"

"去个更安全的地方,在那儿你能和合适的人对话。"他停顿了一下,"针对这类事,我们专门有个行动指南,但是我们得花点时间才能找到。总理已经在去渥太华机场的路上,我们很快会通知美国总统。"

"不,请原谅。"霍勒斯说。他的眼柄转了一圈,看了看八角形的大厅和厅里所有的人,最后又回到情报官员身上。"我来这儿是做古生物研究的。我将很乐意问候你们的总理,前提是如果他愿意来这儿小坐一下的话。我现身的唯一原因只是为了和这里的杰瑞克博士交流。"他用一只手指了指我,电视制作人赶紧把镜头对准我,我受宠若惊。

"对不起,先生。"来自情报局的加拿大籍法国人说,"但我们必须这么做。"

"你没有听我的话。"霍勒斯说,"我拒绝跟你走。我来这儿有重要的工作,我不希望被打断。"

两个情报局官员相互看了一眼。最后那个黑人说话了,他略有点牙买加口音。"按照常理你应该对我们说,'带我去见你们的领袖。'你应该主动求见我们的权力机关。"

"为什么?"霍勒斯问道。

探员又相互看了一眼。"为什么?"那个白人重复道,"因为事情就应该是这个样子。"

霍勒斯的两只眼都聚焦到那人身上。"我想对于此类场合我比你更有经验。"他轻声说。

白人官员掏出一把小手枪。"我不得不坚持这么做。"他说。

这时警察们走上前来。"我们得看看你们的证件。"壮警官说。

黑人探员服从了。我不知道安全局的证件是什么样子,但警察们似乎很满意,退了下去。

"现在,"黑人说,"你得跟我们走。"

"我确信你不会使用那个武器。"霍勒斯说,"所以如果没什么事的话,我得告辞了。"

"我们有命令。"白人探员说。

26

"你当然有,并且你的上级也会知道你无法完成。"霍勒斯指着电视制作人,那人正手忙脚乱地换着带子。"录像带会表明你们坚持了,我拒绝了。事情就这样结束了。"

"不应该这样对待客人。"人群中有位妇女叫出声来。可能这是多数派观点,马上又有几个人表达了他们的支持。

"我们想保护外星人。"白人情报局探员说。

"骗人。"一位博物馆游客说,"我看过《X档案》。如果你把他带走,普通人再也不会见到他了。"

"不准带走他!"一个欧洲口音的老头加了一句。

探员们看了看电视制作人,那个黑人又给白人指了指监控摄像头。毫无疑问他们不希望被录下来。

"一句话,"霍勒斯道,"你们不会成功的。"

"好吧,但你不会拒绝我们给你安排个保镖吧?"黑人探员说,"以确保你不会受到伤害。"

"我对此不感兴趣。"霍勒斯说。

克里斯蒂这时凑了上来。"我是博物馆的馆长。"她对两个情报局探员说。接着她又转向霍勒斯,"我相信你能理解我们想对你的造访做个连续记录。如果你不介意,我们想在你和杰瑞克博士身边至少安排一个摄像师。"城市电视台的那个家伙立刻奔过来,明显很乐意来个自告奋勇。

"但我的确介意。"霍勒斯说,"杰瑞克博士,在我们的星球上,只有罪犯才会时刻受到监视,你能同意在你工作的时候,旁边有人一直盯着你吗?"

"我只是——"克里斯蒂说。

"我也不会同意。"霍勒斯说,"我对于你的盛情很是感谢,但是——你,请过来。"他指着电视制作人,"你代表了媒体,请允许我做个请求。"霍勒斯停了一会儿，等着那个原住民调整摄像机角度，"我希望无条件接触任何一个综合性化石收藏场所。"霍勒斯响亮地说，"作为交换，我会在恰当的时机公平地和你们共享我们那儿的生物学知识，如果有其他的博物馆能满足我的要求，我将很乐意前往，只要——"

"不，"克里斯蒂冲了过去，"不，完全没有那个必要。当然我们会尽一切可能予以配合。"

霍勒斯把他的眼柄从摄像机镜头前移开。"那么我可以在我能够接受的条件下开始研究工作了？"

"是的。"她说，"你想什么时候开始都行。"

"加拿大政府仍要求你——"白人探员又开始了。

"我可以随时去美国，"霍勒斯说，"或是欧洲，或是中国，或是——"

"让他干他想干的事。"一个中年游客道。

"我不想使你们为难。"霍勒斯说，看看两个探员中的一个，随后又把目光移向另一个，"但我对成为名人、配备安全警卫没有兴趣。"

"可是我们的命令确实没有任何可以变通的地方。"白人探员说，"你只能跟我们走。"

霍勒斯的眼柄向后弓着，被水晶包裹着的眼睛向上看着大厅高高的圆形屋顶上的镶嵌图案。图案是由成百万块威尼斯玻璃砖拼成的。他的动作可能是弗林纳人翻白眼的方式。屋顶最高处的方砖上刻着"所有的人都知道他的创造"这几个字——我听说这句话引自《约伯记》。

过了一会儿，他的眼柄又移向前方。两个眼柄中的一个对准黑人探员，另一个对准白人探员。"听着，"霍勒斯说，"我在轨道上花了一年的时间来学习你们的文化。我不会傻到以一种能对我自身构成威胁的方式来到这儿。"他把手伸向躯干部织物折叠处——刹那间,另一个原本手上没枪的情报局探员也拔枪在手——掏出一个高尔夫球大小的多面体。随后他走向我,把那个多面体递给我。我接过来掂了掂,分量比我想象中的重。

"那个装置是全息投影仪。"霍勒斯说,"它刚刚采集了杰瑞克博士的生物信息,现在它只有在他手中才能工作。请你们务必相信,我有能力在它里面加入自爆功能,如果其他人操作它的话,爆炸的场面将蔚为壮观。所以我建议你们不要从他身上拿走这个装置。还有,投影仪只能在我指定的地方工作,例如说这个博物馆内。"他停了停,"我只是个投影,"他说,"真正的我仍然在外头的飞船上。我到地球表面的唯一原因是为了监视投影仪的交付过程,现在它已经到了杰瑞克博士手中。投影仪通过全息技术造成我在这儿的幻象,力场显微操纵术允许我搬运实物。"这时,霍勒斯,或是他的幻影,突然一动不动地僵住了,似乎真正的霍勒斯正在忙于应付其他事情。"再见,"他说,"我的着陆舱正载着真正的我返回轨道。"

一些人立刻冲出博物馆的玻璃门廊,想瞥一眼离去的飞船。"你们不能强迫我,也不能对我造成身体伤害。我不想太没礼貌,但人类和我们之间的接触得由我们控制,而不是你们。"

我手中的多面体哔哔响了两声,霍勒斯的投影晃动几下,随后消失了。

"你必须把那个东西交给我们。"白人探员说。

我有一种被侵犯的感觉。"对不起,"我说,"但你们也看见了,霍勒斯直接把东西给了我。我不认为你对它有任何所有权。"

"但那是外星人的东西。"黑探员说。

"那又怎么样?"我说。

"我是说它应该在官方手里。"

"我也为政府工作。"我挑衅地说。

"我是说它应该在更安全的地方。"

"为什么?"

"嗯,因为……"

我不会将我那六岁儿子的"因为"开头的话看成什么像样的论据,所以我也不会在这儿接受什么"因为"。"我不会把它交给你们的——你们听见霍勒斯说它会爆炸的。我想霍勒斯已经交代得非常清楚了,他并没有给你们两位先生安排角色。所以,"我看着那个有法国口音的白人说,"adieu①。"

---

① 法语中"再见"的意思。

第三章

始于八个月前,最初只是咳嗽。

我没有重视它。像个白痴一样,我忽略了摆在面前的症状。

我是个科学家,我本应该察觉到的。

但我告诉自己它不过是由于飘满灰尘的工作环境引起的。我们用牙医钻磨去附在化石上的岩石。当然干活时会戴上口罩——大多数情况下(我们也会带上护目镜——也是大多数情况下)。尽管安装了空气过滤系统,空气中还是飘浮着大量微小的石质颗粒。你能在书上、纸上,或是长久未用的仪器上看到一层灰尘。

除此之外,还因为它始于去年八月的酷热之中。当时一个逆流层在多伦多空中悬停了很长时间①,政府还为此发布了空气质量警告。我以为一旦离开城市到我们的乡间小屋去度假,咳嗽就会不治而愈。事实上我们去乡下时它确实停了。

但当我们再次回到南部,咳嗽又回来了。可是我仍然没把

---

① 在对流层大气中,一般大气温度随高度升高而降低,因此我们将温度随高度增加的现象称为逆流层。它导致气流无法向上对流,导致污染物无法向上扩散。

它当回事。

直到有一天我咯血了。

尽管只有一点点。

我在冬天擤鼻子时，经常会有血丝掺杂在鼻涕中，这是因为空气太干燥了。但现在是多伦多闷热的夏天，我也没有擤鼻涕。血混杂在痰里，它来自胸腔深处，经过上腭，从我的舌尖滑落到面巾纸上。

带有血丝的痰。

我注意到了。但是接下来的两个星期它没有再出现过，所以我很快又把它忘了。

直到九月底它再次发生。

如果我稍微重视点的话，我本该发现我的咳嗽越来越频繁了。我是古生物学部门的主任，我本该向后勤部门的家伙抱怨一下空气太干燥，到处飘浮着矿物灰尘。

这一次我的痰里有很多血。

而且第二天更多。

然后是第三天。终于我定了个时间去见纳古奇医生。

霍勒斯的幻影在下午四点左右离开。我一般工作到五点，所以我走——用跌跌撞撞可能更贴切些——回我的办公室，坐了下来，愣了几分钟。电话响个不停，我只好把线拔了。似乎全世界的媒体都想采访我这个和外星人单独相处过的人。我让部门助理黛纳将我的电话统统转到多罗迪博士的办公室。克里斯蒂擅长应付媒体。随后，我意识到必须保留一份材料来记录所有我看到的和听到的。我打开电脑开始录入。狂敲键盘将近一小时后，我从工作人员出口离开了博物馆。

博物馆外面已经聚起了一大堆人——但走运的是,他们都等在大门附近,离工作人员出口有半条街。我匆匆寻找今天早些时候飞船降落的痕迹,可是那儿什么都没留下。随后我急急忙忙顺着水泥楼梯下到贴着令人作呕的米黄色瓷砖的博物馆地铁站。

上下班高峰期,大多数人都会乘开往北面郊区的车。我却跟往常一样登上往南去的地铁,先到学院路,在那儿沿环线到联合车站,最后顺着扬基线一直往北到北约克中心。这显然不是一条直路,但却能保证我一直有座位。我的症状太明显,人们通常会给我让座,但我和布兰奇·杜布瓦[①]不同,不愿意依靠陌生人的帮助。我的包里带了张 Zip 盘,里头存着和工作有关的文件。我想顺便读读手头一些样稿,却发现自己根本看不进去。

一个外星人来过多伦多。一个真正的外星人。

真让人难以置信。

趁着四十五分钟的地铁之旅,我又把整个过程理了一遍。眼看身边无数张脸——不同肤色、不同种族、不同年纪,这是多伦多的真实写照——我不禁想到,今天的经历对人类历史会产生多大冲击。我不知道我和拉尔布两人究竟谁会被载入百科全书。外星人是来找我的——至少是我这个位置上的人——但他第一句话(我已经抽空看过了监控录像带)却是对拉尔布说的。

很多人在联合车站下车,在布拉站下得就更多了。地铁到整条线的倒数第二站北约克中心时,车上每个想坐下的人都可以找到座位。但总有小部分乘客站了差不多整个旅程之后,对出现的空座视而不见,显得我们这些找到地方放臀部的人属于体弱一族。

---

① 电影《欲望号街车》中的女主人公。

我出了地铁站。这儿的墙上贴着白色瓷砖，对胃部的刺激比博物馆站那儿小多了。我就出生在这里。当时北约克还是个小镇，后来变成区，接着变成城市，最后随着哈里斯政府一声令下，它和其他卫星城镇一起被并入大多伦多地区。我走过四个街区——两个往西走，两个往北走——从北约克中心到了我们位于爱丽舍街的家。篱笆上的番红花已经探出了脑袋，白天明显的变长了。

与往常一样，在西帕德莱斯利的一间公司做会计的苏珊已经到家了，还从课后儿童看护中心接回了里奇。她正在做晚饭。

苏珊娘家姓科瓦斯基，她父母在"二战"结束后不久从波兰一个难民营移民到了加拿大。她有棕色的眼睛，高高的颧骨，小巧的鼻子，上门牙间有一条惹人爱的小缝。我们刚在一起的时候，她的头发是深棕色的，我很高兴她一直保持着那种颜色。在六十年代，我们都爱听"妈妈爸爸""西蒙和加冯克尔""彼得、保罗和玛丽"。现在我们一起听新乡村音乐，包括黛安娜·卡特、玛蒂娜·麦克布莱德和莎莉亚·特万。我到家时收音机里正放着莎莉亚的最新歌曲。

我别无所求，我享受这样的生活：回到家，听着收音机里传来柔和的音乐，闻着烹调晚餐的味道，看着里奇在楼梯上蹦着从地下室上来，等着苏珊从厨房里出来给我一个吻——她现在正亲我呢。"你好，亲爱的。"她说，"今天过得怎么样？"

她还不知道。她还没有听说。我知道她的老板帕苏德不让员工上班时听收音机，而且苏珊在车里不听收音机，只听录在磁带上的书。我看了眼手表，五点五十分，离霍勒斯离开还不到两小时。"挺好的。"我说，脸上洋溢着无法抑制的窃笑。

"你笑什么？"她问。

我不再克制笑容,"你会知道的。"

里奇过来了。我弯腰拂了拂他的头发。他长着一头金发,跟我在他这个年纪的时候一样,真是个不错的巧合。我的头发在青春期时变成了棕色,后来等我到五十岁时又变成了灰色。但直到几个月前我倒是没怎么秃。

苏珊和我婚后一直推迟要孩子——后来证明我们等得太久了。我们在里奇只有一个月大的时候收养了他,替他取名理查德·布莱恩·杰瑞克。有时不知道内情的人会说他的眼睛像苏珊,鼻子像我。他是个典型的六岁男孩——瘦瘦的膝盖,纤弱的四肢,细细的头发。而且,感谢上帝,他是个聪明孩子。我不喜欢运动,苏珊也是,我们靠脑子吃饭。如果他不怎么聪明的话我不知还会不会对他产生感情。里奇很懂礼貌,与别人处得很好。但上星期有个大个子好像在他上学的路上打了他一顿。他不明白这种事怎么会发生在他身上。

我也不明白这种倒霉的事怎么会发生在我身上。

"晚饭很快就好。"苏珊说。

我去楼上的卫生间洗了一下。洗手池上方有面镜子,我强忍着没有看它。我没关卫生间的门,里奇跟在我后面进来了。我帮他洗了手,检查洗干净了没有。随后我和我儿子一起走去楼下饭厅。

我一直有长胖的趋势,但多年来饮食得当,体重控制得一直挺好。不过最近我读到本小册子,那上面写着:

如果你吃不下太多食物,那么有一点很重要,你得保证你所吃的富于营养,含有尽可能多的卡路里。你可以通过以下途径增加你的卡路里摄入量:往食物里加黄油或人造黄油;在听装奶油汤里混入牛奶；喝奶昔；在蔬菜里加奶油和乳酪；吃些坚果、籽、花生酱和饼干之类零食。

我以前非常爱吃这些东西，但过去的几十年为控制体重我一直避免享用它们。现在我应该多吃点——但我发现它们对我已经没有吸引力了。

苏珊炸了些裹着面包粉的鸡腿，她还准备了豆角和奶油拌的土豆泥，另外单独给了我一小碗融化的奶油让我倒在土豆泥上。她还调了巧克力奶昔，那是我的必备品、里奇的小甜点。我知道让她一个人做饭是不公平的。本来我们轮着来的，但我现在干不了了，我实在是受不了那股味道。

我又看了看手表，马上到六点了。我们家有个规矩：虽然从饭厅可以轻易地看到起居室里的电视，但吃饭的时候电视总是关着的。不过今晚是个例外。我从餐桌旁站起来，走过去把电视调到城市新闻六台。我的妻子和孩子目瞪口呆地看着，电视里正播放家用摄像机拍的外星人飞船降落时的情景，随后还播出了电视制作人采访我和霍勒斯的片段。

"我的上帝。"苏珊不停叫着，眼睛瞪得大大的，"我的上帝。"

"太酷了。"里奇说，他目不转睛地盯着电视制作人在大厅里手拍的那些摇摇晃晃的镜头。

我笑着看了看儿子。他说得太对了。确实很酷，要多酷就有多酷。

第四章

　　地球上的各个大人物都很不高兴，但是外星人似乎对访问联合国、白宫、欧洲议会、克里姆林宫、印度议会，以色列议会或者是梵蒂冈——它们都迫不及待地向外星人发出了邀请——不感兴趣。到第二天一早，另外八个地外生命——或者是他们的全息投影化身——来到地球，都是弗林纳人。

　　其中一个参观西弗吉尼亚州的精神病院。他明显地被人类反常的精神现象所吸引，对精神分裂症尤为关注。（这个外星人最初出现在一家位于肯塔基州路易威尔的相同性质的机构，但他不满意那儿的态度，所以做了霍勒斯在博物馆威胁过要做的事——他离开了，去了一个能给他提供更多方便的地方。）

　　另外一个去了布隆迪，和山上的一群猩猩生活在一起。猩猩们似乎很快就接受了他。

　　第三个把自己当成了出庭律师，出现在一系列审讯中。

　　第四个在中国，和一个偏远农村种稻子的老农共同生活。

　　第五个在埃及，和一队考古人员在阿布辛贝尔挖掘。

　　第六个在巴基斯坦北部，研究花和树。

还有一个在不同的地方走动，从德国的死亡集中营到科索沃的废墟等等。

值得称幸的是最后一个出现在布鲁塞尔，接受全世界媒体的采访。他似乎精通英语、法语、日语、汉语（普通话和广东话）、印地语、德语、西班牙语、荷兰语、意大利语、希伯来语，还有更多。以英语为例，他还能根据不同的提问者模仿英格兰、苏格兰、布鲁克林、得克萨斯、牙买加和其他地方口音。

尽管如此，想和我通话的人还是络绎不绝。苏珊和我的电话没有公布在电话簿上——多年以前我和创世主研究所的杜万·基斯进行了一场公开辩论，自那以后一些疯子经常给我和苏珊打骚扰电话——但是自从新闻播报后，电话还是响个不停。我们不得不把线拔掉。发生了这件事之后，令我既奇怪又高兴的是，我竟然设法睡了个好觉。

第二天早上九点一刻，我从地铁口出来时，博物馆门口已经聚集了一大群人。博物馆还得等四十五分钟才会对公众开放，这些人显然不是什么游客。他们举着各式各样的牌子，牌子上写着"欢迎到地球来！"，"把我们带走！"和"外星人力量！"等等。

人群中有个人看到了我，他叫了起来，用手指着我。人群开始向我这边移动。幸运的是，地铁口离博物馆员工入口很近，在他们能搭上话以前我就已经溜进博物馆。

我匆匆走进办公室，把高尔夫球大小的多面体投影仪放在了办公桌的中央。大约五分钟之后，它哔哔叫了两声，随后霍勒斯——或是他的全息投影——出现在我面前。今天他的躯干上缠的织物不一样：今天这一块是肉色的，表面点缀着黑色的六边形，凭借一根银别针而不是宝石盘系住。

"我很高兴能再次见到你。"我说。我本来担心他永远不会回来了，尽管他昨天说得挺好。

"如""果""允""许""的""话，"霍勒斯说，"我""将""每""天""在""这""时""出""现。"

"那太好了。"我说。

"你得明白，确定在三个有生命的星球上发生的五次物种灭绝的时间完全重合只是我的初步工作。"霍勒斯说。

我想了想，然后点点头。即使有人能接受霍勒斯关于上帝的理论，多个世界上同时发生的物种灭绝只不过说明了霍勒斯的上帝脾气不好，发了几次火而已，并不能进一步揭示事物的本质。

弗林纳人继续道："我想研究与物种灭绝相关的进化发展，研究其中的各个微小细节。表面看来每次物种灭绝都被设计成能指引剩余生物的进化方向，但我希望能确认这个假说。"

"那么我们应该从研究每次灭绝前后的化石变化入手。"我说。

"完全正确。"霍勒斯说，他的眼柄急切地挥动着。

"跟我来。"我说。

"如果你要我跟着的话，你必须带上投影仪。"霍勒斯说。

我点了点头，拿起了那个小装置。这时我还不太适应全息成像。

"即使把它放在口袋里，它也能正常工作。"他说。

我照办了，随后把他领到位于医药中心大楼地下室的巨大的古生物学部门收藏室。去那儿我们不需经过任何对公众开放的地方。

收藏室内到处是铁柜子和开放的架子，上面放满了已经打磨的化石，还有无数石膏盒，其中的一些半个世纪前就被送来了，但迄今为止还未被打开。我打开一个抽屉，里头放的是一些奥陶纪无颌鱼的头骨。霍勒斯小心翼翼地拿着它们，仔细检查着。全息仪投出来的力场有着很强的厚重感，幻影看上去和真正的血肉之躯没什么区别。当我们挤进收藏室几条狭窄的过道时，相互之间碰了几下，给他递化石时我的手也碰到他几次。每次他的影像碰到我的皮肤时，我总能感觉到一阵静电刺了我一下——这是唯一的迹象，表明他不是真实的血肉之躯。

他研究那种奇特的头骨时，我说了句它们看上去很像来自外星。霍勒斯似乎很惊讶于我的评论。"我""对""你""关""于""外""星""人""的""概""念""很""好""奇。"他说。

"我还以为你早就知道呢。"我回答道，笑着，"诸如肛门检查之类的事。"

"我们已经看了一年你们的电视节目。我想，你可能不会有比我以前看过的更有趣的东西了。"

"是什么？"

"一部讲一个大学老师和他家庭的戏，他们都是外星人。"

我过了一会儿才反应过来。"噢，"我说，"那是《太阳系的第三块岩石》。只是一出肥皂剧而已。"

"个人观点不同罢了。"霍勒斯说，"我还看过一个讲两个联邦探员追踪外星人的节目。"

"《X档案》。"我说。

他把眼睛搭在一起表示同意，"这部片子看得我云里雾里。他们一直在谈论外星人，但从来没看到过。还是那部讲青年人的比较形象，能提供更多的信息。"

"哪部片子，提示我一下。"我说。

"人物中有一个叫卡特曼。"霍勒斯说。

我笑了。"《南方公园》。我奇怪看完之后你们怎么没有直接打点行装回家。当然,我可以给你提供一些更好的例子。"我朝收藏室四周看了看。屋子另一端有个研究生正翻弄着上新世的化石。"艾达斯!"我喊着。

年轻人抬起头来,大吃一惊。我招手让他过来。

"什么事,汤姆?"他到我们跟前说,视线却停在霍勒斯身上,不在我这儿。

"艾达斯,你能去帮我租点带子回来吗?"研究生很多事都能派上用场。"留好收据,黛纳会给你报销的。"

这要求显然怪异到足以让他把眼睛从外星人身上移开。"嗯,当然,"他说,"没问题。"

我告诉他我想租的片子,他转身走了。霍勒斯和我继续研究奥陶纪的化石,一直到中午,然后我们回到我的办公室。我觉得无论在宇宙何处,智能可能都伴随着快速的新陈代谢。尽管如此,我还是担心这个弗林纳人会因为我需要吃午饭而感到不高兴(可能更会让他不高兴的是,停下手头工作之后,我几乎没吃什么)。好在我吃饭的时候,他也开始进餐——但他其实是在母舰上享用午餐,而母舰则飞行在厄瓜多尔上空的轨道上。看上去很奇怪:他的幻影重复着他真实身体的每个动作,反复把食物送到进食口——躯干顶端的织物缠绕的空隙处有一个水平走向的裂口。他用于进食的嘴和用于说话的嘴分在不同地方。但是食物本身却看不见,这使得霍勒斯看上去像是外星马歇·马叟[1],正在表演进餐。

和他不一样,我需要真正的食物。苏珊给我准备了一听草莓香蕉营养液、两只昨晚剩下的鸡腿。我喝下黏稠的营养液,吃

---

[1] Marcel Marceau(1923—2007),法国默剧艺术家。

了两只鸡腿中的半只。我真希望我的午餐不是鸡腿。在一个外星人面前用牙齿将肉从骨头上撕下来显得有点原始和野蛮,尽管霍勒斯告诉我说,他正在往他的食道里塞着类似活老鼠的东西。

趁着吃饭的工夫,霍勒斯和我一起欣赏艾达斯租来的录像带。我让科教部送了台电视录像一体机到我的办公室。

第一部片子名叫《竞技场》,是《星际旅行》的一集。当史波克先生的画面出来时,我一下子把它定格住。"看见了吗?"我说,"他是个外星人,一个弗肯人。"

"他""看""上""去""就""是""个""地""球"人。"霍勒斯说。他吃饭和说话可以同时进行。

"注意看耳朵。"

霍勒斯的眼柄停止了挥动,"那样就让他变成个外星人了?"

"是这样。"我说,"当然,他是由一个地球人演的——一个名叫莱昂纳多·尼穆的家伙。耳朵在这儿用来象征外星特征。你知道这部戏的预算很小。"我顿了顿,"实际上,史波克只是半个弗肯人,他一半是地球人。"

"那怎么可能?"

"他的母亲是地球人,他的父亲是弗肯人。"

"根本不符合生物学原理。"霍勒斯说,"人类和草莓杂交成功的可能性似乎还大些,至少他们都在同一个星球上进化。"

我笑了。"相信我,我懂。但请等一下,这一集里还有个外星人。"我快进了一段,随后又摁下播放键。

"那是格恩。"我说,指着一个长着复眼、穿着束腰衣、没有尾巴的爬行动物。"他是另一艘星际飞船的船长。模样挺不错吧,我一直喜欢这家伙——让我想到恐龙。"

"确实。"霍勒斯说,"同时,我必须再次指出,他的外表太地球化了。"

"哎,那不过是个穿着戏服的演员罢了。"我说。

霍勒斯的眼睛看着我,好像把我当成了个爱胡说八道的家伙。

我们看着格恩四处乱转了一会儿,随后我弹出带子换了盘《贝比星之旅》。我没有快进,而是让戏慢慢展开。"看见他们了吗?"我说,"他们是史波克的父母。萨瑞克是纯种弗肯人,而阿曼达,那个女人,是个纯种的地球人。"

"令人震惊。"霍勒斯说,"人类当真相信这种杂交的可能性?"

我稍微耸了下肩。"嗨,不过是个科幻节目罢了。"我说,"只是娱乐。"我快进到外交官招待会那一幕。一个强壮的长着猪鼻子的外星人在和萨瑞克搭话。"你!"他咆哮着,"你选哪一方,弗肯的萨瑞克?"

"那是个泰拉莱特人。"我说。忽然间我想起了他的名字,"他叫盖夫。"

"他看上去像是你们的一头猪。"霍勒斯说,"还是太地球化。"

我将带子往前快进了一点。"那是个安东林人。"我说。屏幕显示着一个男性人形生物,长着蓝皮肤,白头发,头顶还支出两根粗粗的一节一节的天线。

"他叫什么?"霍勒斯问。

他叫希拉斯,但不知为什么,我为能记住这么多角色的名字而感到尴尬。"我忘了。"我说,接着又换了一盘带子:《星球大战》特别版。我迅速快进到小酒吧那场戏,霍勒斯喜欢格里得人

——贾巴的狗腿子,对抗汉·索罗,还有锤头人和其他一些外星人,但他还是认为人类缺乏准确描绘外星人的能力。我不得不同意。

"尽管如此,"霍勒斯说,"你们的电影制作人还是搞对了一件事。"

"什么事?"

"外交官招待会,还有酒吧的那场戏。所有的外星人似乎都处于同一科技水平。"

我皱着眉头,"我一向认为那是最不可信的部分。我是说宇宙已经有一百二十亿年历史了——"

"确切地说,是一百三十九点三四二二亿年。"霍勒斯说,"地球上的年。"

"好吧。宇宙已经存在了一百三十九亿年,而地球只有四十五亿年历史。肯定有比我们古老得多的行星,也有比我们年轻很多的。我认为有的智慧生命要比我们先进几亿年,或至少是几百万年。当然也有比我们原始的。"

"一个只比你们落后几十年的种族不可能有无线电和宇宙飞船,因而也不能被侦测到。"霍勒斯说。

"正确。但我还是认为会有很多种族比我们先进很多——举例来说,你们自己。"

霍勒斯的眼柄互相对望——是表示惊奇?"我们弗林纳人并不比你们先进多少——最多一个世纪左右,不会更长。我认为几十年之内你们的物理学家就会有重大突破,发明出新的核聚变燃料,可以经济有效地将飞船的速度提升到十分接近光速的水平。"

"真的吗?嗬。但——长蛇星座第二有多少年历史了?"如果它和地球一样,那可是个非常偶然的巧合。

"大约有二十六亿地球年。"

"是我们Sol的年纪的一半。"

"Sol?"

"我们对太阳的另一种称呼,用于同其他恒星区别开来。"我说,"但如果长蛇星座第二这么年轻,我奇怪你们的世界中怎么会有脊椎动物,更别提智慧生命了。"

霍勒斯思索了一阵这个问题,"地球上什么时候开始出现生命的?"

"我们确定在三十八亿年前地球上就有生命了——有化石可以证明——也可能在四十亿年前。"

外星人听上去不很相信。"第一种有脊椎骨的动物出现在五亿年前,是吗? 那么说从原生动物到脊椎动物花了差不多三十五亿年?"他躯体震动着,"我们的世界形成后三亿五千万年就出现了生命,在此之后十八亿年出现了脊椎动物。"

"我不明白为什么我们这儿就需要这么长时间?"

"就像我跟你说的。"霍勒斯说,"上帝控制着我们两个世界上生命的发展。有可能他或她的目的是让多种生命同时出现。"

"噢?"我怀疑地说。

"退一步说,如果那不正确,"霍勒斯说,"还有个理由可以解释为什么不同的种族处于差不多的科技水平。"

我的记忆中突然冒出个东西,卡尔·萨根曾在电视上解释过:德瑞克方程。它有几个条件,包括恒星形成的速率,拥有行星的恒星的比例等等。把所有的条件乘起来,你就能大致推测银河系中目前智慧生命的数量。我不能回忆起所有的条件,但我肯定记得最后一个——因为萨根谈论它时我感到一阵阵寒意。

最后一个条件是技术文明的寿命：从无线电广播到种族灭绝之间的年数。人类在20世纪20年代开始第一次广播；如果当时的冷战变成热战，我们作为技术物种的年份只有短短三十年。

"你指的是文明的寿命？"我说，"到它自我毁灭之间的时间跨度？"

"我认为那只是其中的一个可能。"霍勒斯说，"当然，我们自己也曾有过一段学习正确使用原子能的困难时光。"外星人停顿了一会儿。"我了解到很多地球人都有精神问题。"

我对话题的突然转换一下子转不过弯来，"嗯，是的。我想你可以这么说。"

"很多弗林纳人也有同样的问题。"霍勒斯说，"这是另外一个值得关注的地方：当技术发达时，毁灭整个种族的能力变得越来越容易取得。最终，这种能力不仅处于政府的掌握之中，很多个体也能轻易拥有——而且他们中的某些人有精神问题。"

这是一个令人震惊的想法。德瑞克方程中的新条件：狂人率——某个种族中疯子的比例。

霍勒斯的幻影移近了我，"但那还不是主要问题。我告诉过你我的种族，弗林纳人，在与你们见面前已经接触过其他的技术种族——吕特人。确切地说，我们差不多是六十年前第一次碰到他们——前往孔雀星座第四，发现了他们。"

我点了点头。

"我还告诉过你在来地球之前，除了吕特人的星球，我的母船马莱卡斯还去过其他六个恒星系。但我没有告诉你的是，那六个恒星系中的每一个，在某段时间，都曾经出现过各自的智慧生命：你们所称的 Epsilon Indi, Tau Ceti, Mu Cassiopeae A, Eta Cassiopeae A, Sigma Draconis, 和 Groombridge 1618，它们都曾经是智慧生命的家园。"

"但现在已经不是了?"

"正确。"

"你们发现了什么?"我问,"爆炸后的遗迹?"我的脑子里装满了各种样子奇特、被原子弹爆炸扭曲、熔化并烧焦的外星建筑。

"不是。"

"那究竟发现了什么?"

霍勒斯张开双臂,鼓动着肚子,"被遗弃的城市,有些非常古老——太老了,被深埋在地下。"

"被遗弃?"我说,"你是说居民搬到其他地方去了?"

弗林纳人两只眼睛搭在一起,表示同意。

"去了哪儿?"

"那还是个谜。"

"关于其他种族,你还知道些什么?"

"知道很多。他们留下了很多人造物品和记录,有时还能发现化石化的尸体。"

"还有什么?"

"还有,在他们最后的日子,所有种族都处在同一科技水平。没有一个种族造出过任何我们不懂的机器。不可否认,他们身体形态的多样性令人着迷,但他们都是——你们人类有句话叫什么? ——'如吾所知的生命。'他们都是基于碳元素的DNA生命形式。

"真的吗? 你们和吕特人也是基于DNA的吗?"

"是的。"

"真是奇妙啊。"

"或许没么妙。"霍勒斯说，"我们相信DNA是唯一可以启动生命的分子。其他物质都没有自我复制、存储信息和极度压缩的能力。DNA可以压缩进微小空间的能力使得它能存在于生物的细胞核中，尽管完全展开后每个DNA分子可超过一米。"

我点头同意，"在我教过的进化课上，我们讨论过除了DNA外，是否还有其他物质可以完成相同的工作。我们没能找到一种哪怕是稍微合适的替代物。所有外星人的DNA都使用相同的四对碱基吗？ 腺嘌呤、胸腺嘧啶、鸟嘌呤和胞核嘧啶？"

"是这四个吗？"霍勒斯说。突然他的全息仪投出了四行化学符号，泛着绿光飘浮在我俩之间。

$$C_5H_5N_5$$
$$C_5H_6N_2O_2$$
$$C_5H_5N_5O$$
$$C_4H_5N_3O$$

我向它们瞥了一眼。未接触生物化学已经有一段时间了。"嗯，是的，就是这四对。"我回忆了一会儿之后说。

"那么，这就能肯定了。"霍勒斯说，"所有我们发现的DNA都用这四对碱基。"

"但我们在实验室里已经发现DNA也可以使用其他碱基；我们甚至用六对，而不是四对做出了人造DNA。"

"毫无疑问，取得那个结果得采用非常规的实验手段干涉。"霍勒斯说。

"我不知道。我猜是吧。"我试着整理着我的思路。"六个新的世界。"我说，并在脑海中想象它们的样子。

外星人的行星。

死去的行星。

"六个世界，"我又说了一遍，"都被遗弃了。"

"正确。"

我在寻找确切的形容词。"……太可怕了。"

霍勒斯没有反对。"在环绕 Sigma Draconis II 的轨道上，"他说，"我们发现了像是一群星际飞船的东西。"

"你认为是入侵者灭绝了本地人吗？"

"不。"霍勒斯说，"很明显，制作飞船的，和建造下面星球上废弃建筑的人同属一个种族。"

"他们造了飞船？"

"是的。"

"而且他们都离开了自己的星球？"

"很明显。"

"但没有用飞船，把船都撂下了？"

"就是这样。"

"这……很神秘。"

"当然。"

"这些星球上的化石记录是什么样子？它们上面有没有发生和我们重合的物种灭绝？"

霍勒斯的眼柄动了一下。"很难说。如果有人能不经过几十年甚至上百年的搜索，轻而易举就可以读懂化石记录，那我根本没有必要在你面前现身。但就目前掌握的情况来看，它们中没有一个曾在 4.40 亿年、3.65 亿年、2.25 亿年、2.10 亿年，或是 0.65 亿年前发生过物种灭绝。"

"这些文明中有重叠吗？"

霍勒斯说英语很熟练，但是他偶尔也有听不懂的时候。"你说什么？"

"他们中有同时存在的吗？"

"没有。最古老的一个似乎在三十亿年前就已经结束了；最近的一个，在 Groombridge1618 第三颗行星上，大约在五千年前。但是……"

"什么？"

"但就像我说过的，这些种族都处于同一个技术水平。虽然建筑形式千奇百怪。但是，给你举个例子，我们的工程师详尽分析了 Sigma Draconis II 轨道上的飞船中的一艘。虽然他们在几个细节上使用的解决方法和我们不同，但是他们并不比我们的先进很多——也就是比我们先进几十年。所有遗弃了自己的世界的种族都一样：他们仅比我们弗林纳人，或是吕特人，或是地球人先进一点。"

"你认为这会发生在所有的种族上？他们发展到了一定阶段就会离开自己的家园？"

"是的。"霍勒斯说，"或者，有人——可能就是上帝自己——过来把他们带走了。"

第五章

霍勒斯的到来被博物馆的会员部到处宣扬（"请支持博物馆，它吸引了世界各地的游客——还有世界以外的"）。游客人数在弗林纳人到来的第一个星期也有显著上升。但后来随着时间一天天过去，外星人飞船再也没有降落，外星人也没有出现在人行道上，或是爬上博物馆的台阶，或是在博物馆的大厅里荡来荡去。因此，慢慢地，游客数量又回到了正常水平。

我再也没碰到情报局的探员。总理克雷蒂安倒是亲自来到博物馆会见了霍勒斯。克雷蒂安把这次会面变成了现场摄影会。一些记者要求克雷蒂安做出个人承诺，保证外星人的工作不会被中断——麦克林民意调查显示多数加拿大人都希望如此。他明确给予了保证，但我还是怀疑情报局的工作人员就在周围，躲在我们的视野之外。

在霍勒斯到达多伦多的第四天，他和我再次去了医药中心地下收藏室。我打开铁抽屉，给他看一片保存得非常好的广翅鲎页岩。我把页岩放在工作台上。霍勒斯的右眼柄对着一台装在灵活的机械臂上的巨型放大镜。一圈荧光管围绕着透镜。我有些好奇地想象着其中的物理现象：放大后的影像被一个虚拟的眼睛观察着,然后信息不知怎么的被传送到了真实的霍勒斯那儿,而他此刻正盘旋在厄瓜多尔上空的轨道上。

我知道,我知道——我原本应该忘了它的。但是见鬼,自从霍勒斯说过之后,它使我彻夜难眠。"你是怎么知道的,"我终于开口了,"宇宙有个创世主?"

霍勒斯的眼柄弯向我。"宇宙很明显是被设计出来的。如果它是件作品,那么肯定有个创作者。"

我挤了挤前额的肌肉,在过去这是个抬眉毛的动作。"对我来说,宇宙看上去很随机。"我说,"我是说,星星看上去不像是按几何图形来排列的。"

"在这些随机之中存在惊人的和谐。"霍勒斯说,"但我要说的是更基本层面的设计。这个宇宙有一些基本参数,它们被微调到几乎是小数点后面无穷位,使宇宙能够支持生命。"

我十分确信我知道他所说的参数是什么,但我还是问道:"什么参数?"我猜他可能知道一些我不懂的东西——随后的事实表明的确如此,而且令我大为震惊。

"你们的科学家知道四种基本力——实际上应该有五个,但是你们还未发现第五个。你们知道的四个是万有引力、电磁力、弱核力和强核力;第五个是一种作用距离极长的排斥力。这五种力的强度差别很大,而且如果它们的强度值与它们的当前值有一丝差别的话,我们所处的宇宙将不复存在,生命也无从谈起。以万有引力为例:如果它稍强一点,宇宙早就坍塌了;如果它稍弱一点,恒星和行星就不可能形成。"

"可能是吧。"我回应着。

"就上述这两种情况而言,答案是非常肯定的;我说的是这几个强度值。你想听一个更好的例子? 很好。恒星的万有引力会引起自身塌陷，而电磁力会将光和热向外喷发，二者之间必须维持精巧的平衡。只有一个非常狭窄的取值范围能保证这两种力达到一个长久的平衡点，使恒星能够生存。在此范围内的一个极点附近产生的是蓝巨星，另一个极点附近则产生红巨星——两者都不会支持生命。幸运的是，几乎所有的恒星都处于这两种极态之间——明显是由于自然界的基本力在数值上的某种巧合而造成的。如果，举个例子来说，万有引力在强度上变化一丁点儿——让我想想，我必须将数字转化成你们的十进制——分之一，这个数值平衡就将被打破，随后所有的恒星都会变成红巨星或是蓝巨星，不会再有黄色的恒星照耀着像地球般的世界。"

"是吗？只是十的四十次方分之一？"

"是的。与此相同的是，原子中带正电的质子相互排斥，而强核力却将各个核子束缚在一起。如果强核力的强度只比实际值弱一点，原子就不会存在——质子间的斥力会把原子撑开。如果它比实际值稍大，那么世界上所有的原子只可能是氢原子。无论出现哪种情况，宇宙中都不可能出现恒星、行星及生命。"

"你是说有人选择了这些值？"

"是的。"

"你怎么能保证它们不是唯一值呢？"我说，"它们之所以如此这般可能是因为它们只能取这些值。"

外星人圆形的躯干跳动着。"有趣的猜想。但我们的物理学家已经证明，在理论上另外一些值也是可行的。而且出现目前的五个值组合的概率是一除以六后面跟着无数个零，这些零的数目如此之多，即使你在宇宙中每个质子和中子上都刻上一个零都不能将其完全表达。"

我点了点头,我以前也听到过类似的说法。现在该是我出王牌的时候了。"或许这些常数所有可能出现的值实际上都存在。"我说,"但它们可能存在于不同的宇宙之中。世上可能同时并存着无数个平行宇宙,不过它们的物理特性可能不适合产生生命。如果我的说法成立的话,那么我们的宇宙就没什么特殊的,它其实是无数个宇宙中的一个,只不过碰巧适合生命产生罢了。"

"噢,"霍勒斯说,"我明白了……"

我得意地把双臂环抱在胸前。

"我明白了,"霍勒斯说,"这就是你误解的根源。在过去,我们的科学家也犯过同样的错误,他们要么是无神论者要么就是不可知论者。我们很早以前就知道了宇宙是各种力之间微妙平衡的结果。我觉得你们也或多或少知道这一点。然而弗林纳过去的科学家用同样的假设——可能存在无数个宇宙,由宇宙常数的其他可能的量值构成——否决了创世主的存在。正如你所说,如果所有可能的数值组合都存在,那么我们这个出于某一组合之下的宇宙就没什么特殊的。

"但是,我们后来发现了世上根本就没有与我们这个宇宙同时长期并行的平行宇宙。我们世界上的物理学家已经完成了你们现在正在探索的:即大统一场理论,一个融合所有现象的理论。我在你们的电视或广播上很少能得到关于人类宇宙观的信息,但是如果你真的相信你刚才所说的,那么我猜你们的宇宙学家目前正处于这一阶段:即认为炽热膨胀的大爆炸模型是最有可能的宇宙起源。是这样吗?"

"是的。"我说。

霍勒斯跳了起来。"直到新的相互作用——第五个基本力——被发现之前，弗林纳的物理学家一直非常钟爱大爆炸理论，很多人的名誉都建在它之上。第五个基本力的发现导致了能源生产上的突破，我们由此可以将飞船加速到十分接近光速，尽管相对论指出当物体接近光速时，它的质量会变得十分巨大。"

霍勒斯在六条腿之间转换了重心，然后继续他的话。"大爆炸模型成立有个必要条件：要求宇宙是扁平的——既不是开放的也不是封闭的，而且能几乎无限地持续存在。这个模型确实允许平行宇宙的并存。但在导入第五种基本力之后，为了保证对称，必须对原模型进行修改。在改进模型的过程中，我们发现了和谐的大统一场理论，一种融合了所有基本力，包括万有引力在内的量子理论。大统一场理论有三个重要法则：

1. 这个宇宙不是扁平的，而是封闭的：它确实开始于一场大爆炸，并在此之后膨胀好几百亿年，但最终它会在大收缩中塌陷为一个原点。

2. 目前这一轮循环之前发生过不超过八次的大爆炸／大收缩振动。我们的宇宙不是一直存在的，它只不过是到目前为止存在过的少数几个宇宙中的一个。"

"真的？"我说。我已经习惯于接受宇宙学家向我灌输"无限"和"唯一"等概念。"八"在此听上去实在是个不寻常的数字，因此我禁不住发问。

霍勒斯通过离地高的那个关节弯下了腿。"你在我面前提过陈——你们的天文学家。去和他谈谈。他很有可能会告诉你，即便承认宇宙是扁平的，你们的大爆炸模型也只能允许数目非常有限的前期振动，而且极有可能会说振动从未发生过。我觉得他不会相信目前这个宇宙只是少数几个存在过的宇宙中的一个这种说法。"

霍勒斯停了一下，随后又开始了。"大统一场理论的第三个法则是：没有与我们现在这个宇宙，或是以前的，或是以后的，并存的平行宇宙。某些特殊量态下，一些由相同的物理常数构成的同质宇宙，会从现在的宇宙之中分离出来，但在极短的时间内，它们又会融合到现在的宇宙中去。

"用于证明上述理论的数学无疑是非常深奥的，但好笑的是，吕特人仅仅凭着直觉就构造了相同的模型。统一场理论问世后我们用它做了很多预测，每个预测都被实验证实了。它迄今为止还未令人失望过。当我们发现我们再也不能接受目前这个宇宙只不过是众者之一这种说法时，我们的思路集中到了创世学说。由于目前这个宇宙只不过是存在过的不超过九个宇宙中的一个，而它却拥有概率实际为零的宇宙常数组合，这不得不令人相信它是被一个大智慧创造出来的。"

"即使如果，我是说如果，这四种——对不起，五种——基本力的组合概率近乎为零，"我说，"那也只不过是五个独立的巧合，虽然概率是低了点，但你也不能完全否认五次巧合在九次循环中随机出现的可能性。"

霍勒斯蹦了起来。"你有惊人的韧性。"他说，"可是你得知道，并不只是这五种基本力的量值是人为设计的，宇宙很多其他的特性看上去也是被精心调校过的。"

"举个例子？"

"你我都是由重元素组成的，碳、氧、氮、钾和铁等等。事实上在宇宙刚诞生时,只有氢和氦这两种元素,它们之间的比例大致为三比一。但在恒星的原子炉中,氢被熔合成更重的原子,生成碳、氧等等并沿着元素周期表一路上升。所有组成我们身体的元素都是在很久前就已熄灭的恒星的内核锻造而成的。"

"我知道。就像卡尔·萨根经常说的,'我们都是星星'。"

"正是这样。你们和我们的科学家都称你我为碳基生命。但实际上碳原子中核子间的谐振对于能否在恒星内部形成碳原子起着决定性作用。要生成碳原子,两个氦原子核子必须先结合在一起,然后再由第三个氦原子的核子轰击核子对——三个氦原子的核子提供了组成碳原子的原料:六个中子和六个质子。如果碳原子的谐振能量降低4%,那么这种中间态的核子对就不会发生,也不可能生成碳原子,使得生物化学不复存在。"他停顿了一下,"当然,仅仅能够生成碳和其他重元素是远远不够的。这些重元素能够出现在地球上是因为某些恒星——叫什么?很大的恒星发生爆炸?"

"超新星爆炸。"我说。

"对。那些重元素之所以会在这儿是因为有些恒星变成了超新星,爆炸把它们内部的物质喷向了太空。"

"你是在说有些恒星会变成超新星也是上帝设计的?"

"事情远没有这么简单。"—— 一个停顿,接着——"你知道如果这附近有个恒星变成了超新星,地球会变成什么样吗?"

"如果它足够近的话,我想我们会被烤熟的。"在20世纪70年代,戴尔·罗素曾认为近距的超新星爆炸是白垩纪末期物种灭绝的原因。

"很对。如果在过去的几十亿年内任一时段发生过本地超新星爆炸的话,你现在根本就不会在这儿。事实上,我俩都不会存在,因为我的世界和你的靠得很近。"

"所以不应该有太多超新星,而且——"

"正确。但也不应该太少。正是超新星爆炸后的冲击波使得原本围绕在其他恒星周围的尘埃凝聚成行星系统。换句话说,如果你们的太阳附近没发生过超新星爆炸,那么围绕太阳旋转的十大行星就不会形成。"

"九个。"我说。

"十个。"霍勒斯坚决地重复道,"继续找。"他的眼柄挥动着,"看到棘手的地方了? 有些恒星必须变成超新星才能提供组成生命的物质,但太多的超新星又会灭绝生命;另一方面,超新星太少的话,就形成不了多少行星系。就像基本物理常数和碳原子的核子谐振一样,超新星形成的比例是在一个非常狭窄的可能范围内严格挑选的。一个小小的量值飘移就会导致一个没有生命或是行星的宇宙。"

我仍然在努力维持我的观点。我的头渐渐疼了起来。"也可能只是个巧合。"我说。

"它要么是巧合之上的巧合,"霍勒斯说,"要么是有意这么设计的。还有更多;举个例子,水。所有我们知道的生命都起源于水,都需要水来进行生理活动。虽然水的化学结构看上去很简单——两个氢原子绑在一个氧原子上——但实际上它是一种非常特别的物质。你知道,几乎所有的物质都有热胀冷缩的性质。水也有,但那是在马上要变成冰之前。快要结冰时,它的表现非常特别:它开始膨胀,尽管温度越来越低。所以当水凝固时,它的密度反而比液态时要小。这就是为什么冰会浮在水面上的原因。我们太习惯于看到这个现象了,无论是浮在饮料上的冰块或是覆盖在池塘上的冰面,习以为常,以至于我们不去深究个中原因。然而其他的物质却不这么表现:凝固的二氧化碳——你们称之为干冰——会沉入液态的二氧化碳;铅锭会沉入熔化的液态铅中。

"但是冰会浮在水上——如果不是这样的话,生命就不可能存在。如果湖或是海从底部开始结冰,而不是自上而下的话,除了赤道圈外,湖底或海底的生态圈就不会存在。事实上,当水一旦开始凝固,水体会变成固体,并且会永远保持固态。正是在冰下自由流动的水在春天促进了冰的融化——这就是为什么冰川能够在靠近水源的陆地上存在好几千年的原因,它们底下没有水。"

我把广翅鲎的化石放回抽屉,"我同意水有特性,但——"

霍勒斯的眼睛搭在一起。"但水的热力学特性并不只是凝固前的膨胀。实际上,它有七个不同的热力学参数,在化学界中它们都是或者几乎都是独特的。还有,每一个特性都是生命存在的必要条件。水所表现出来的特性出现的概率必须是这七个独特参数各自出现的概率的乘积。这个概率值几乎为零。"

"几乎。"我说,但我自己都听出来我的声音不怎么自信。

霍勒斯没有理睬我。"水的其他表现也非常独特。在所有物质中,只有液态硒的表面张力比它的大。正是水的高强度表面张力使得它能深入到岩石的缝隙中,并且,正如我们知道的那样,它在凝固时体积增大并把岩石崩裂。如果水的表面张力较小,土壤形成的过程就不会出现。还有:如果水的黏性稍大一点,循环系统就不可能进化——你我体内的血浆只不过是海水,但很难想象有什么生理活动能支持心脏长时间地驱动一种更黏的液体。"

外星人停住了。"我还可以继续,"他说,"列出很多明显精心设计过的、使得生命成为可能的参数。事实很明显：如果它们中的任何一个——整条长链中的任何一个环节——稍有变化，宇宙中就不会有生命。要么是我们幸运到了极点——比你每星期都赢六合彩头奖，一直赢上一个世纪还要幸运——要么就是整个宇宙和它内部的物质是经过精心设计的，从而让生命能够在其内部产生。"

我感到胸腔内一阵刺痛，但我没有理会。"那些也只不过是上帝存在的非直接证据罢了。"我说。

"你很清楚，"外星人说，"甚至在你自己的种族内，你也只是属于一个很小的团体。根据我看过的CNN的一个节目，这个星球上只有二亿二千万无神论者——总人口为六十亿。只占百分之三。"

"科学事实不是什么少数服从多数的问题。"我说，"大多数人没有良好的逻辑思维能力。"

霍勒斯听上去很失望，"但你是个受过逻辑训练的科学家，并且我已经用数学语言向你解释了上帝为什么存在——或至少曾经存在过，他的真实性在科学范畴内不容置疑。尽管如此，你仍然拒绝承认他的存在？"

我胸腔内的刺痛在不断加剧。

"是的。"我说，"我拒绝承认上帝的存在。"

第六章

"你好,托马斯。"纳古奇医生开始决定我的命运了。那是去年十月的一天,我到他办公室去商谈我的检查结果。他总是叫我托马斯而不是汤姆。虽然我们已经认识多年了,相互之间早已熟到了可以互叫昵称的程度,但他还是喜欢用正式称呼,保持着那种你是病人我是医生的架势。"请坐。"

我坐下了。

他没有打任何伏笔,"是肺癌,托马斯。"

我的心跳陡然加速,张着嘴愣住了。

"对不起。"他说。

我的脑中仿佛开锅了一般。他一定是弄错了。那一定是别人的病历。我怎么才能对苏珊开口呢?我的嘴巴刹那间干涩起来。"你确定吗?"

"你痰中的组织已经被确诊了。"他说,"毫无疑问,是肺癌。"

"能做手术吗?"我最后问道。

"那还有待于决定。如果不行,我们可以试着给你做放射或是化疗。"

我的手立刻放到头上,摸着我的头发。"有用吗?"

纳古奇笑了，他是在安慰我。"某些情况下，它的效果很好。"

听上去像是"可能"——而我不喜欢听到"可能"。我需要的是确定。"器官移植有用吗？"

纳古奇的声音很柔和，"每年没有那么多肺可以用。捐献者太少了。"

"我可以去美国。"我试着说。人们一直可以在《多伦多星报》上读到，尤其是在哈里斯削减了医疗系统的经费后：加拿大人去美国看病。

"不会有用的。到处都存在肺短缺。并且，它也可能根本没什么好处，我们得确认癌细胞是否已经扩散。"

"保持乐观的态度。"纳古奇继续说，"你在博物馆工作，对吗？"

"嗯。"

"那你应该有很不错的福利。你的保险包括处方药吗？"

我点了点头。

"好。有些药对你有好处。它们不便宜，但你有保险，所以你不用担心。但是就像我说过的，我们必须确认癌细胞是否已经扩散了。我将把你转交给一位圣马克的癌病专家。她会照顾你的。"

我点了点头，感到整个世界在我面前崩溃了。

霍勒斯和我回到我的办公室。"你的意思是，"我说，"人类和其他的生命生活在一个宇宙中非常特殊的地方。"

长得像蜘蛛的外星人挪动着他巨大的躯体到了屋子的另一端。"我们确实占据着一个特殊的地方。"他说。

"好吧，霍勒斯，我不知道在长蛇星座第二-Ⅲ上的科学是怎样发展的,但在这儿我们一直遵循着这样一个模式:即不断地把我们从特殊的地位废黜。我们曾经认为地球是宇宙的中心,但后来发现那是错误的。我们还以为上帝按照他的样子造出了人类,但后来也证明是错的。每次当我们相信我们人类——或是地球,抑或是太阳——中的某样东西是特殊的,科学总是揭示我们错了。"

"但类似我们这样的生命确实是特殊的。"弗林纳人说,"举个例子,我们的体形都差不多。在所有智慧生命中,包括那些已经遗弃了自己世界的,成熟的个体的体重都平均在50公斤和500公斤之间。我们身体最长的一个维度,或多或少平均都是两米左右——确切地说,有智慧的生命不太可能小于1.5米。"

我再次试着抬起眉毛,"那我们为什么会是这样呢?"

"在哪儿都是这样,不仅仅在地球上,因为最小的可持续燃烧的火堆的直径大约为五十厘米,为了控制火,你得比它大一点。没有火,当然也就没有冶金术,因而也没有复杂的科学技术。"——一个停顿,然后是一个蹦跶——"你不明白吗?我们都进化成适合用火的体形——并且这体形刚好是宇宙的对数中心。宇宙最大端的物质比我们大四十个数量级,而在最小端的物质比我们小四十个数量级。"霍勒斯看着我,上下跳动着,"如果你四下看看的话,我们确实处在创造的中心。"

当我刚开始在博物馆工作时,博物馆大楼二层的整个前半部分都属于古生物学部。它的北翼,就在礼品店和零食店上方,曾经一直是脊椎动物展——"恐龙馆"——的天下,南翼曾经是无脊椎馆。即使到了现在,"古生物博物馆"几个字还刻在南翼那堵墙的上方。

但是很久以前无脊椎馆就被关了。随后在1999年,这个地方被改成了"探索馆",重新向公众开放。新馆和克里斯蒂·多罗迪的"寓教于乐"的想法不谋而合:里头配备了大量专为孩子们准备的互动展览,但是实际上从中学不到多少东西。贴在地铁里的新馆广告上有一句口号:"想象一下一个由八岁孩子管理的博物馆"。

在脊椎古生物馆,我们所有的骄傲和欣喜都来自一座属鸭嘴龙类的似棘龙的骨架。它的头部长有一根怪异的、长约一米左右的棒状棘。你在世界上任何角落所看到的似棘龙模型都是以它为原型复原的。事实上,甚至在探索馆里都有一头似棘龙的模型躺在地上。孩子们整天用木棒槌和木凿子敲打它,大部分敲击都落在了它引人注目的脑袋上。

就在古生物馆的正前方有个内阳台,在那儿可以向下看到大厅。大厅的大理石地面上画着精细的星爆图案。在这个阳台的对面还有个内阳台,就在探索馆的正前方。在这两个阳台之间,位于玻璃正门的上方,立着三扇彩色玻璃窗。

在博物馆向游客开放前,我带着霍勒斯参观了脊椎古生物馆。我们有世界上最好的鸭嘴龙化石。还有一头很有意思的黑齿龙,个子很大的升角龙,两头活动的异龙复原模型,一头很棒的剑龙,外加一个更新世的哺乳动物展,一堵布满了灵长类和原始人遗骨的墙,拉·布里亚柏油井化石展,一个马类动物进化的标准过程展,还有一个壮观的白垩纪晚期水下生物立体模型,里面有蛇颈龙、蜥蜴龙和菊石。

我还带着霍勒斯参观了讨厌的探索馆。那儿有一个霸王龙的模型,从高处盯着那头可怜的、被钉在地板上的似棘龙。霍勒斯似乎对所有的化石都着迷。

　　除此之外,我还给霍勒斯看了很多恐龙的复原图,还让艾达斯租了盘《侏罗纪公园》给霍勒斯看。

　　我们还花了很多时间在琼斯老头儿身上,把无脊椎古生物化石过了一遍。琼斯的三叶虫也露脸了。

　　但我觉得公平交易就应该公平。霍勒斯在开始时说过要和我们分享他们收集到的信息。现在到了他履行诺言的时候了。我让他给我介绍一下他那个世界上的生命进化史。

　　我本以为他会送本书下来,但后来的事实表明他做得更多。

　　多很多。

　　霍勒斯说他需要更多的空间才能更好地演示,所以我们一直等到了博物馆关门。他的幻影在我办公室内晃动了几下然后消失了。我们已经发现与其让幻影和我一起穿过博物馆的走廊,还不如就由我带着投影仪直接走向目的地,因为几乎所有的人——研究员、研究生、清洁工、游客——都会找借口把我们拦住然后和外星人说话。

　　我乘电梯下到一楼,顺着环绕尼斯加图腾柱的宽大楼梯走进地下室。大厅的正下方是我们称之为下厅的地方。这块漆着像奶油番茄汤般颜色的大空场地是博物馆剧院的后台。博物馆剧院则位于礼品店的下方。

　　我让后勤人员用三脚架支起五部摄像机,用于拍摄霍勒斯将要演示的东西。我知道他不愿意有人从他八只肩膀后面偷窥他干活,但他应该能够体谅,我们必须记录下他播放的信息,这是他付给我们的合作款。我把投影仪放在地板中央,敲了敲它的外壳,召唤弗林纳精灵。霍勒斯再次出现了,随后我第一次听到了他自己的语言。他正忙着向投影仪发出各种指令。他的语言听上去像是一首歌,而霍勒斯正在给自己配上和弦。

"当然,这只是个模拟。"霍勒斯说,"但我们认为它很准确,尽管它里面动物的颜色是我们推测出来的。这就是在七千万地球年前我们星球上的样子,当时离我们最近的一次物种大灭绝正要爆发。"

突然间,我的心跳声像轰鸣的雷声冲击着我的耳膜。我跺了跺脚,下厅结实的地板令我稍稍踏实了一点。这地板可能是我仍旧位于多伦多的唯一证据了。

模拟的天空如同地球上空一般蔚蓝,天空上飘着积雨云。看来,一个由氮和氧组成并富含水蒸气的大气无论到哪儿都会显示出相同的物理特性。地表由起伏平缓的小山包构成。在应该是尼斯加图腾柱基座所在的地方,有一个巨大的湖,湖边点缀着沙滩。那儿的太阳和我们的一样,也是淡黄色的,看上去大小也跟从地球上看我们的太阳差不多。

我曾经从参考书上查过长蛇星座第二:它的直径是我们太阳的1.6倍,亮度为2.7倍,因此弗林纳人居住的行星肯定在一个比地球的行星轨道要大的范围内运行。

植物都是绿色的——叶绿素,另一种被霍勒斯用来证明上帝存在的物质,无论在哪个世界,没有其他化学物质能比它更胜任它的工作。起着叶子作用的那些玩意儿呈正圆形,并被它们底部的一根中央茎支撑着。不像地球上的树都长着树皮,眼前的树干上包着一层半透明的东西,就像包着霍勒斯眼睛的水晶一样。

我还能看到霍勒斯,他就站在我旁边。在模拟世界中,我看到的动物中很少有像他这样的体形分布。即使偶尔出现那么几个,它们的八条腿也还没有分工:都用来行走,没有用来当作手臂的。大部分动物都有五条腿——可能就是霍勒斯以前说过的变温五肢类动物——而不是八条。一些五肢类有非常长的腿，把它们的躯干抬得很高。另一些则长着短而粗的腿，躯干都拖在了地上。我惊奇地看着一个五肢动物用五条腿将一个八肢动物踢晕，随后把它的躯干贴在那个倒霉蛋身上，显然它的嘴在躯干正面。

天空中没有飞着的东西，尽管我看到了我戏称为"阳伞"的一种五肢类动物。它们的五肢之间有一层膜。"阳伞"们从树上滑翔降落，在降落过程中似乎能通过收缩或张开某一肢来控制下滑的方向。它们的目的是要降落在五肢类或八肢类动物的后背上，然后用腹部毒刺将它们杀死。

我看到的动物都没有霍勒斯那样的眼柄。我怀疑眼柄是否是为了专门对付"阳伞"的降落袭击而在后期进化出来的。进化不过是一场水平相当的赛跑。

"这太奇妙了。"我说，"一个完全的外星生态系统。"

"我刚来地球的时候也是这种感觉。虽然在此之前我已经见识过其他生态系统，但是，没有比接触一类全新的生命形式并了解它们如何互动更令人兴奋的事了。"他停顿了一下，"这就是我的世界在七千万地球年以前的样子。当下一次物种灭绝发生时，整个五肢类动物都消失了。"

我看着一个中等大小的五肢类正在攻击一个体形稍小的八肢类。它流出的每滴血都像地球动物身上的一样红。垂死的生物惨叫着，虽然惨叫声是从两张嘴里交替发出的立体声，但是听上去一样令人毛骨悚然。

不愿死去看起来是另一个宇宙常数。

第七章

我还记得去年十月从纳古奇医生那儿得知初诊结果后我怎样回的家。我把汽车停在车道边。苏珊已经到家了。在我为数不多开车去上班的日子，我俩中先回到家的会把门廊的灯打开，以此告诉对方已经有一辆车停在车库里了。为了去远在费曲滩的纳古奇医生的办公室拿检查结果，我今天开车上班了。

我下了车。风刮着落叶飞过我们的车道和草坪。我打开前门走进屋子。我能听到收音机里传来 Faith Hill 的《这个吻》。我比平常到家要晚，苏珊正在厨房忙着——我能听到锅碗瓢盆的轻碰声。我仿佛脚踩着棉花，走过铺着硬木的门厅，来到客厅。我通常会在小书房停一下，看看我的邮件——如果苏珊比我先到家，她会把我的邮件放在小书房门内矮柜的顶上——但今天我脑子里已经装了太多东西了。

苏珊从厨房出来给我一个吻。

她太了解我了——过了这么多年，她怎么会不呢？

"出了什么事吗？"她说。

"里奇在哪儿？"我问。我必须也得告诉他，但先跟苏珊说会让事情变得容易些。

"在胡家。"胡家是我们隔着两个门的邻居,他们的儿子鲍比和里奇一样大。"出了什么事?"

我扶着楼梯的栏杆,感到自己仍处于初诊后的震惊中。我示意她和我一块儿坐到沙发上。"苏,"坐下来之后我说,"我今天去见了纳古奇医生。"

她看着我的眼睛,试图从里面读到点信息,"为什么?"

"我的咳嗽。我上星期去过一次,他做了些检查。他让我今天去拿结果。"我在沙发上向她靠了靠,"我什么也没问就去了,看起来不过是常规检查——没什么好问的。"

她扬起了眉毛,一脸关切,"然后?"

我寻找着她的手,抓住了它。她的手在颤抖。我吸了口气,充满我的烂肺。"我长癌了,"我说,"肺癌。"

她一下子瞪大了眼睛。"我的上帝,"她说,全身不停哆嗦着,"现在……现在该怎么办?"

我微耸了一下肩,"更多的检查。现在的诊断是根据我的痰得出的,但他们要做切片和其他一些检查来确定……确定癌细胞扩散的程度。"

"怎么会这样?"她颤抖地说。

"我怎么得的?"我耸了一下肩,"纳古奇认为可能是因为这些年我一直在吸入矿物粉尘。"

"上帝,"苏珊喃喃着,全身晃个不停,"我的上帝。"

唐纳德·陈在麦克拉夫林天文馆关闭前已经在那儿工作十年了,但和他的同事不同,他没有被解雇。他被内部调整到博物馆的教育项目部,但由于博物馆缺乏天文学方面的永久设备,所以唐整天都没什么事干——尽管每次流星出现,电视台都会采访这位中国裔加拿大人,让他的笑脸出现在电视屏幕上。

博物馆所有的职员都称陈为"活死人",因为一,他可怕的苍白的肤色——天文学家的职业病;二,看起来迟早他也会被博物馆辞退。

虽然博物馆内所有的工作人员都对霍勒斯感兴趣,但唐纳德·陈的兴趣显得尤其大。事实上,他对一个外星人不去找天文学家而去见什么古生物学家有一肚子怨气。陈原来的办公室在天文馆,他的新办公室则在医药中心,也就比竖着的棺材稍大一点儿——但他总能找到理由与我和霍勒斯套近乎,我已经习惯听到他的敲门声了。

这次霍勒斯替我打开了门。他现在对付门很在行,还学会了用一只脚去拧门把手,这样他就不必每次都转动身体了。就在门外的椅子上坐着的是拳击手——那是埃尔·布鲁斯特的绰号。自从霍勒斯来了之后,这位笨重的保安现在全天供职于古生物学部。在他旁边站着的是唐纳德·陈。

"Nihaoma?"霍勒斯对陈说。我曾幸运地在二十年前参与了一个加拿大 - 中国的联合恐龙项目,因而我的普通话的水平还可以,所以我不反对霍勒斯说中文。

"Hao。"陈说。他溜进我的办公室,关上身后的门,没忘了冲拳击手点了一下头。他换成了英语说:"你好,杀手。"

"杀手?"霍勒斯说,他看了看陈,又看了看我。

我咳嗽了一阵。"我的绰号。"

陈转向霍勒斯。"汤姆一直在领导着我们与本届博物馆管理层之间的斗争。《多伦多星报》称他为吸血鬼杀手。"

"潜在的吸血鬼杀手。"我更正了他,"大多数情况下还是多罗迪取胜。"陈带着本古书。从它金黄色封面上的字来看,它应该是用中文写成的。虽然我能说这种语言,但要想读懂稍微深点的东西却很难。"那是什么?"我问。

"中国历史。"陈说,"我一直在和康争论。"康是近东和亚洲文明馆的路易斯·赫利·斯通名誉馆长,这个馆又是个在哈里斯削减预算之后产生的合成物。"这就是我要见霍勒斯的原因。"

弗林纳人把眼睛搭在一起,准备帮忙。

陈把这本厚书放在了我桌子上。"在1988年,一群工作于德国马克斯·普朗克空间物理研究院的天文学家宣布发现了超新星爆炸的残余物——也就是一颗巨大的恒星爆炸后剩余的东西。"

"我知道超新星爆炸。"霍勒斯说,"实际上杰瑞克博士和我最近讨论过这个问题。"

"很好。"陈说,"那些家伙发现的残余物离这儿很近,大约有650光年,位于船帆座。他们叫它RXJ0852.0-4622。"

"很好记。"

陈没什么幽默感。他继续着,"公元1320年左右,在地球上应该可以观察到产生那些残余物的超新星爆炸。它应该比月亮更亮,而且白天也可以看到。"他停了下来,等着看我们中的一位会不会驳斥他。见我们没有反驳,他又继续下去。"但是世上没有关于它的历史记录,从来就没发现过相关的记录。"

霍勒斯的眼柄挥动着,"你说它是在船帆座?对你我两个世界来说,那是南星空。但我记得地球的南半球上当时没什么人口。"

"是这样。"陈说,"事实上,在地球上我们仅有的关于这次超新星大爆炸的证据来自北极积雪中的硝酸钾峰值变化。同样的峰值伴随着其他超新星爆炸。但是我祖先的土地上可以看到船帆座,你可以从中国南部清晰地看到它。我想如果有人记录了它的话,那他一定是中国人。"他合上了书,"但什么都没有。当然,公元1320年中国正处于元朝中期。"

"哦,"我卖弄地说,"元朝。"

陈看着我,好像我是个没有教养的人。"元朝是由忽必烈汗在北京建立的。"他说,"中国政府通常对天文学研究很大方,但在那时候,科学也倒退了。"他喘了口气,"跟现在在安大略发生的差不多。"

"至少不是更惨,不是吗?"我说。

陈耸了耸肩。"那是我唯一能想到的为什么我的祖先没有记录这次超新星爆炸的原因。"他转向霍勒斯,"从长蛇星座第二上看这次爆炸应该和从我们这儿看没什么分别。你们有什么目击记录?"

"让我查一下。"霍勒斯说。幻影停止了移动,甚至他的躯干也不再一起一伏。我们等了大约一分钟,随后大蜘蛛又活了过来,霍勒斯又重新操控了他的幻影。"没有。"他说。

"没有650年前的超新星爆炸记录?"

"不在船帆座。"

"你该知道,这些是地球年。"

霍勒斯似乎被他可能弄错了这一暗示冒犯了。"当然。弗林纳人和昌特人观察到的最近一次肉眼可见的超新星爆炸发生在50年前,在大麦哲伦星云。在此之前,我们两族还在你们的十七世纪早期看到过一次,在你们称之为巨蛇的星座中。"

陈点点头。"开普勒超新星爆炸。"他看着我,"我们这儿在1604年之后就能看到。它应该比木星亮,但在白天只能勉强看得见。"他咬着嘴唇,思索着,"这很奇妙。开普勒超新星爆炸离地球,或是长蛇星座第二,或是孔雀星座第四都很远,但三个世界都看到了并做了记录。1987A超新星爆炸,甚至不在银河系里,我们也都记录了。但船帆座的这一次却非常近,我一直认为会有人看到。"

"有可能当时被星际尘埃挡住了?"

"从现在来看我们之间并没有尘埃。"陈说,"而且要有的话,这片尘埃要么离爆炸的恒星很近,要么大得足以挡住地球、长蛇星座第二和孔雀星座第四的视线。应该会有人看得到这东西。"

"真是个谜。"霍勒斯道。

陈点了点头,"一点没错。"

"我乐意向你提供我们的人收集到的超新星爆炸的信息。"霍勒斯说,"或许能给你的研究带来些许光明。"

"那太好了。"陈说。

"我会从母舰上送些东西下来。"霍勒斯说,眼柄来回摇摆着。

我十四岁时,博物馆为对恐龙感兴趣的孩子举办了个竞赛。得胜者可以领到各种和古生物有关的奖品。

如果是个恐龙琐事竞赛,或是考察你的恐龙科普知识,或者要求你辨认化石,我应该可以赢,我很有把握。

但它不是。它是个最佳木偶恐龙比赛。

我知道什么龙最合适:似棘龙,博物馆的标志性化石。

我打算用橡皮泥、泡沫塑料和木头销钉做一个。那是一场灾难。顶着根长棘的头常常会掉下来。我一直都没能完成。一个胖小孩赢得了比赛。他领奖时我就在下面坐着。奖品中有一头蜥脚龙,他却说:"真棒,雷龙。"我感到恶心:甚至在20世纪60

年代,任何稍具恐龙知识的人都不会把它俩搞混。

但我的确学到了东西。

我知道了你无法选择你被测试的方式。

唐纳德·陈和霍勒斯可能痴情于超新星大爆炸,但我还是对我和霍勒斯以前谈论的话题更感兴趣。唐刚刚离开,我就开口了,"霍勒斯,你们这帮家伙好像很懂DNA。"

"可以这么说。"外星人说。

"你们——"我结巴了一下,我咽了口唾沫,试着继续说,"你们对DNA出现的问题有研究吗?比如复制过程中的错误?"

"你知道那不是我的研究范围。"霍勒斯说,"但我们船上的医生,莱布鲁克,应该是这一行的专家。"

"这、这位莱布鲁克……"我咽了口唾沫,"……这位莱布鲁克对疾病有没有研究,比如说癌?"

"癌的治疗在我的星球上是一项专门的学科。"霍勒斯说,"当然莱布鲁克也懂一些,不过——"

"你们能治愈癌症吗?"

"我们用放射和化疗。"霍勒斯说,"有时有用,但经常没用。"他听上去很悲伤。

"噢。"我说,"地球上也和你们差不多。"我安静了一阵子,显然我期待的是一种不同的答案。哎,管他呢。"说到DNA,"最后我终于开口了,"我在想你是否能给我点你自己的样本,如果我的要求不算过分。我想对它做些研究。"

霍勒斯伸出一只胳膊,"请便。"

我几乎忍不住想去摸它,"你不在这儿,这只不过是个投影。"

霍勒斯放下了胳膊,眼柄做着S形运动。"请原谅我的幽默感。当然,如果你想要DNA样本的话,随时欢迎。我会让飞船送点下来的。"

"谢谢。"

"我可以告诉你将会看到些什么。你会发现我的存在和你一样是极小概率事件。一个高等生命的复杂程度决定了它是不可能随机产生的。"

我深深地吸了口气。我不想和外星人争论,但该死的是,他是个科学家。他的头脑本该更清醒些。我转动椅子使我面对计算机。计算机放在我以前刚上班时放打字机的地方。我有一个漂亮的微软垂直分体式键盘。在雇员委员会开始抱怨应增加腕部职业病保险金后,博物馆不得不把它们发给每一个开口要的人。

我计算机上的操作系统是Windows NT,但我打开了一个DOS界面并输入了一行命令。一个程序启动了,它在屏幕上画了个象棋棋盘。

"这是个标准的人类棋盘。"我说,"我们在上头玩两种棋:象棋和跳棋。"

霍勒斯把眼睛搭在一起。"我听说过前者。我知道你们过去认为能精通它是人类最伟大的智慧成就之一——直到计算机战胜了棋艺最高超的大师。你们人类的确有将智慧定义成模糊概念的倾向。"

"我猜是吧。"我说,"但是,我想和你说的是类似跳棋的东西。"我按下一个键,"这是随机分布的种子。"六十四个方格中大约有三分之一的表面冒出了圆形的居住者,"现在看好了:每个被占据的方格有八个邻居,包括对角线上的在内,对吗?"

霍勒斯又把眼睛搭在一起。

"现在,加入三个简单的法则:如果一个方格有且仅有两个相邻的方格被占据,那么它将保持原状态不变——无论是被占据或空置。如果一个被占据的方格有三个被占据的邻居,那么它将保持被占据状态。在所有其他的条件下,如果这个方格不为空,那么它将会变空,如果它已经是空的,它将保持空置状态。明白吗?"

"是的。"

"好。现在,让我们把棋盘扩大。用400×300代替原来8×8的方阵。用2×2的像素来代表在显示器上的每个方格。被占据的方格用白色像素显示,空置的方格用黑色像素表示。"

我敲了一个键,棋盘一下子往后退去并同时延伸到了屏幕的各个角落。在当前的分辨率下,格子已经看不见了,但一个个亮的或暗的像素点还是隐约可见。

"现在,"我说,"让我们把三个法则加上去。"我敲了下空格键,点阵的形状开始变化。"再来。"我说,又按下了空格键,点阵又发生了变化。"再来一次。"又一次敲键之后,屏幕上显示了变化后的点阵。

霍勒斯看了看屏幕,然后看着我。"那又能说明什么呢?"

"说明这个。"我说。我敲下了一个不同的键,然后点阵开始自动不断重复变化:运用三个法则确定盘上的每一点,然后显示新图案,然后再次运用法则,再显示新图案,并不断重复着。

仅仅过了几秒之后第一个滑块出现了。"看到那一组共五个像素点了吗?"我说,"我们叫它滑块,哈,又出现一个。"我触到屏幕,把它指了出来,"又一个。看它们怎么移动的。"

它们看上去确实在动,互相连着成为一组,在显示器上不断变化着位置。

"如果这个模拟程序运行的时间足够长的话,"我说,"你可以看到各种生物般的形状。事实上这个游戏就叫'生命'。它是由一个叫约翰·康威的数学家在1970年发明的。我在多伦多大学教进化论的时候就用过它。康威被这三个简单的法则所能产生的效果震惊了。在经过几轮之后,一种叫作滑块枪的东西会出现——它会有规律地喷射出新滑块。而且滑块枪能由十三个或更多的滑块撞击生成,所以在某种意义上说,滑块在复制后代。你还能看到食块,它能把经过的物体打散,同时自己也会有一定程度的损毁,但它能在几轮之后自我修复。仅仅因为在最初随机生成的点阵上加了三个简单的法则,游戏就能产生运动、复制、消亡、修复,还有更多内容。"

"我不知道你想说明什么?"霍勒斯说。

"我说的是生命——及所有有关它的复杂系统——可以用非常简单的法则生成。"

"那么你现在在这几轮中用的法则又代表什么?"

"嗯,物理原理,像是……"

"没人反对秩序可以从简单的法则中产生。但又是谁规定了这些法则呢? 就这个你刚刚演示的宇宙来看,你说了一个名字——"

"约翰·康威。"

"是的。约翰·康威就是这个宇宙的上帝,他的模拟程序所证明的不过是任何宇宙都需要一个上帝。康威是个程序员,上帝也是个程序员。他发明的物理法则和物理常数就是我们这个宇宙的源程序代码。我推测我的上帝和你的康威之间的区别是,在康威编好程序并运行之前,他并不知道他的源代码能产生什么,随后又对它的结果感到震惊。而我们的创造者很清楚他要的结果并据此写下源代码。应该承认的是,事情并没有完全按照设计来发展——大规模物种灭绝暗示了这一点。但不管怎样,宇宙是上帝有意创造的,这一点毋庸置疑。"

"你真的相信上帝吗?"我问。

"是的。"霍勒斯说,他看着越来越多的滑块在我的屏幕上移动,"我相信。"

第八章

当我还是个小男孩时，我在安大略皇家博物馆的星期六上午俱乐部内活动了三年。对一个像我这样对恐龙、蛇、蝙蝠、鳄鱼还有木乃伊之类东西充满好奇的孩子来说，那是一段非比寻常的经历。在学期内的每个星期六上午，我们赶在博物馆对游客开门前就到了那儿，聚集在博物馆剧院——那还是在某些高价咨询师建议我们把它改称为"剧院博物馆"之前。它在那时候还挺丑的，整个被装饰成黑色。后来又被重新装修过。

每个早晨，俱乐部的负责人柏林夫人会让我们观看一段16毫米影片，通常是一些加拿大国家电影协会的短片，这是第一项活动。然后我们就会在博物馆里待上半天，时间不仅仅花在展室，还有一些花在幕后。我爱我花在这里的每一分钟，并下定决心有朝一日要在这个博物馆工作。

记得有一天我们在欣赏现场演示，操作者是专门负责复原博物馆内各种恐龙的艺术家。他问我们这一队人他手里拿着的尖锐的锯状牙齿是属于哪种恐龙的。

"暴龙。"我立刻说。

艺术家惊奇了。"很对。"他说。

但后来另一个孩子反驳了我。"那是食肉龙，"他说，"不是暴龙。"

暴龙当然是正确的称呼：它是对于包括暴龙科在内的一族恐龙的学名。大多数孩子都不知道，大多数成年人也不清楚。

但我知道。我在博物馆恐龙馆里的张贴上读到过。

当然，是原来的恐龙馆内。

与现在的立体模型不同，那时馆里放的是化石样本，你可以从它们旁边走过，四周有天鹅绒绳子防止游客走得太近。每个样本都有长长的说明，它们被印在木板上，需要四五分钟才能读完。

老馆的亮点是一个两腿直立站着的盔头龙，属鸭嘴龙类的一种。那时博物馆还有点挺了不起的加拿大精神，尽管当时我没有意识到。它当时的招牌展品是个食草动物，不像美国的博物馆，动不动就是贪婪的霸王龙，要么是装备精良的刺龙。事实上，直到1999年博物馆才在小孩的探索馆里展出了霸王龙。但当时盔头龙化石的拼装方式是错误的。我们现在知道鸭嘴龙几乎不可能像那样子站着，它们绝大多数时候是四足动物。

孩提时代，我每次去博物馆时都会仔细观察骨架、阅读说明，想方设法记住其中的生词，尽量不虚度时光。我从中学到了很多知识。

那个骨架还在博物馆，但已经被拖到了白垩纪的阿尔伯塔省立体展里。说明板已经不见了，取而代之的是一小块有机玻璃，仍在顽强地注释着它的错误姿态，除此之外没有其他说明：

盔头龙
一只头上长着冠的鸭嘴龙正警觉地直立着。

上白垩纪(距今大约七千五百万年)
小沙山河,斯蒂文威尔,阿尔伯塔省。

实际上,"新"恐龙馆已经有25年历史了。它在克里斯蒂·多罗迪上台前就开张了,但她认为它是我们这儿所有展馆的模范:不要让观众感到无聊,不要让他们考虑事实。就让他们呆呆地看着。

克里斯蒂有两个女儿。她们现在长大了。但我常常这样想象,如果她们还是孩子的话,克里斯蒂可能会对自己在博物馆工作而感到尴尬。有可能她会说:"玛丽,那是一头霸王龙,它生活在一千万年以前。"而她的女儿——或者更糟,一个像当时的我那样自作聪明的孩子——用从说明板上学来的知识指出她的错误。"那不是霸王龙,它也不是生活在一千万年前。其实它是一头蜥脚龙,生活在一千五百万年前。"不管出于什么原因,克里斯蒂就是不喜欢说明板。

我希望我们能有资金重新设计恐龙馆。我来这儿工作时它就已经是这副样子了。但现如今钱是十分稀有的东西。伸向天文馆的斧子绝不仅仅只砍一下了事。

尽管如此,我还是常常幻想恐龙馆究竟会激起多少孩子的兴趣。

我幻想——

但我不会想到里奇。对他来说这个要求太高。他还处在想成为消防员或是警察的阶段,对科学没有太大兴趣。

但当我看着其他成千上万的学龄儿童每年来博物馆参观时,我禁不住会想象他们中有多少将会追随我的成长历程。

霍勒斯和我陷入了对生命游戏不同解释的僵局,我趁机抽身去了趟厕所。就像我经常干的那样,我打开了所有三个洗手池上的水龙头,用以制造背景噪声。博物馆中所有公共厕所的水龙头都由电子眼控制,但在员工专用厕所中我们无须忍受这种不体面。流水发出的哗哗声掩盖了我在其中一个坐便器前的呕吐声。由于那些化学药物,我大约每星期都得吐一次。这令我难以忍受,我的胸腔和肺本来就够疼的了。我在那儿跪了一阵子,恢复一下体力,随后我站起来,冲了坐便器,走向洗手盆洗了手,最后关上所有龙头。我在博物馆内放了瓶漱口水并带进了厕所。我含着漱口水来回打转,想以此来冲淡嘴里的酸臭味。最后我回到古生物学部,向拳击手笑了笑,就好像什么也没发生。我打开办公室的门走了进去。

使我震惊的是,我进去时霍勒斯正在读一张报纸。他看的是我那份放在桌上的多伦多《太阳报》。报纸拿在他那两只六指手上,当他读文章时,他的眼柄从左至右一起协调移动着。我本以为他能立刻发现我回来了,但可能幻影的感觉没那么灵敏。我清了清嗓子,感觉到喉头仍有一股恶心的味道。

"欢""迎""归""来。"霍勒斯说,眼睛看着我。他合上报纸,将头版对准我。太阳报那条几乎占据了整个头版的标题宣布,"堕胎医生被杀"。"我在你们的媒体上看到过很多关于堕胎的消息。"霍勒斯说,"但我承认我不懂那是什么意思。这个名词像旗帜似的飘在报纸上,却没有注释——甚至在与之相关的文章中都没有。"

我走向我的椅子,深吸了一口气,整理我的思路,想着应该从哪里开始。今天早上来上班的路上我已经读过了整个故事。"嗯,有些时候人类的妇女会在没有心理准备的情况下怀孕。有种手段可以打掉胎儿终结怀孕，它叫作堕胎。但它，嗯，有某种争议性，因此它通常是在一些特殊的诊所而不是普通医院完成的。原教旨主义者坚决反对堕胎——他们认为这是种谋杀——有些极端分子曾经用炸弹炸毁了几个堕胎诊所。上个星期，在边境那边纽约州布法罗的一个诊所就发生了爆炸。昨天在多伦多艾土比库克又有一次。经营诊所的医生爆炸时刚好在里面，他被炸死了。"

霍勒斯看了我很长时间。"这些——你叫他们什么？原教旨极端分子？这些原教旨极端分子认为杀死一个未出生的胎儿是错误的？"

"是。"

想从霍勒斯的口中探知他的语气十分困难，因为他的声音总是在两张嘴之间传递。但最后我还是听出了他有点怀疑。"所以他们杀死其他的成人来表达他们的不满？"

我点了点头，"很明显是这样。"

霍勒斯安静了一阵子，他的圆形腹部缓缓起伏着。"在我们那儿，"他说，"我们有个概念叫"——他的两张嘴发出一串不和谐的声音——"它表示不调和的意思，指那些与意图相反的事情。"

"我们有同样的概念。我们叫它黑色幽默。"

他的眼睛又回到报纸上，"很明显，并不是所有的人类成员都了解这个概念。"

第九章

我从不吸烟,为什么会得肺癌呢?

但事实上它在我这一代的古生物学家、地质学家及矿物学家中还是比较普遍的。从某种意义上说,我将我的咳嗽归咎于满是粉尘的工作环境还是有一定道理的。我们经常将石头磨成粉,产生大量粉尘,然后——

虽然肺癌的潜伏期很长,可我已经在古生物实验室工作了三十年了。现在我总是戴着个口罩。我们已经提高了警惕,几乎所有的人干那种活时都会戴上一个。尽管如此,过去的几十年里,我已经吸入了太多超过正常水平的岩石粉末,更别提在做模型时吸入的石棉和玻璃纤维。

所以现在我在还债。

苏珊和我的朋友说我们应该起诉博物馆或是安大略省政府(我的最终雇主)。当然我的工作环境本该更安全些,当然我本该接到更详细明确的安全说明,当然——

这是一种自然反应。应该有人为这种不公平付出代价。汤姆·杰瑞克:他是个不错的家伙,一个好丈夫、好父亲,向慈善机构捐款……或许没有他应该捐的那么多,但好歹每个月都捐一些,并且他总是帮人搬家或是油漆房子。但现在好人老汤姆得了癌症。

是的,他们认为必须有人对此负责。

但我最不想干的事就是把时间浪费在诉讼上。所以,我不会起诉。

可是肺癌不会因此消失,我还得对付它。

这也可以称得上是黑色幽默。

部分霍勒斯所说的用以证明上帝存在的言论对我而言并不陌生,我在进化课上学到过。至少表面上看,他说对了一点,宇宙似乎是专门为了生命的诞生而设计出来的。正如弗雷德·霍伊爵士在1981年所说的:"一个符合常理的解释表明存在着一个大智慧在指挥着物理学,以及化学和生物学。除他之外自然界中的其他力量都不值得关注。人们收集起的证据是如此具有说服力,以至于上述结论几乎没有疑义。"这位弗雷德爵士还提出过很多科学界一直设法回避的观念。

霍勒斯和我继续谈话时,他提到了纤毛。纤毛是处于能从事节奏运动的细胞末端的毛状延伸物。它们在人类的很多类细胞中存在,在弗林纳人和吕特人身上也能发现。相信宇宙和生物都是由某种智慧体设计的这种假说的人经常会提到纤毛。驱动纤毛的小电动机异常复杂,而且智慧设计说的鼓吹者认为其复杂性具有不可还原和不可拆分的特性,它们不可能由几个简单的累进步骤进化而成。像捕鼠器一样,纤毛的每个部件都是必需的,拿走任何一个,它整个就成了一堆废物。正如拿走弹簧或是板子,或是锤子,或是钩子,一个捕鼠器就什么也干不了了。我们认为进化的过程是累积而来的,但用累积进化的理论的确很难解释纤毛。

在支气管壁的单层细胞上也能发现纤毛。它们一起节律运动,将黏液送出肺部。黏液里含有不小心吸入的异物,纤毛能在异物引发病症前将其移出。

如果纤毛被石棉、烟草或是其他物质损毁了,肺就再也不能保持干净。只剩下唯一一种能将异物排出肺部的机制:咳嗽,持久的痛苦的咳嗽。但此种咳嗽的效率不及纤毛。致癌物质在肺里待的时间更长了,肿瘤逐渐在此基础上形成。持久的咳嗽有时会破坏肿瘤的表面,所以痰中会夹杂血丝。就像我所经历的那样,这种血丝经常是肺癌的第一个症状。

如果霍勒斯和与他观点相同的人是对的,那么纤毛确实是由聪明的工程师设计的。

如果真是这样的话,那个该死的设计者应该来清除我肺里的痰。

"我在大学的朋友已经完成了你DNA的初检报告。"我告诉霍勒斯。那是在他送来样本几天之后。我再次错过了飞船降落。一个弗林纳人,但不是霍勒斯,把样本连同霍勒斯答应给唐纳德·陈的弗林纳人有关超新星爆炸的数据交给了拉尔布。"然后呢?"

总有一天,我会问问他,他在说单个字时用哪张嘴究竟取决于什么。

"她不相信它是属于外星生物的。"

霍勒斯在六条腿之间交换重心。他总是觉得我的办公室太拥挤了。"它当然是。我承认那不是我的,是莱布鲁克从她自己身上抽取的,但她也是弗林纳人。"

"我的朋友分析了数百条基因。它们似乎和地球生物的没什么区别,比如说生成血色素的基因。"

"能被用来在血液中携带氧气的化学物质的数目是非常有限的。"

"我猜她期待看到的是某些更——更外星化的东西。"

"我可能是你能碰到的最外星的生物了。"霍勒斯说,"就是说,你我之间身体形态的差异大于我们见过的任何生物。有实用工程原理限制,我们的身体再怪也有个限度。再说,甚至连"——他举起一只六指手做了个弗肯人的敬礼动作——"你们的电影制作人都无法想象出足够怪异的形态。"

"我想是吧。"我说。

霍勒斯跳动着,"生命所需的基因数量至少是三百条。"他说,"但这个数量只能满足最原始的生物。大多数染色质细胞都使用同一组核心基因,三千条左右——你能在所有生物中找到它们,从单细胞到我们这样的高级动物。而且无论在哪个世界上,它们都是或几乎都是相同的。在这一基础之上还有四千条其他基因,所有多细胞生物都要用这些基因来进行蛋白质编码,负责细胞间的互相支持及传递信息。长有内部骨架的动物更多出了一千余条。在此之上,温血动物又多了另外一千余条。当然,如果你的朋友继续查下去,她会发现弗林纳人的基因中有上万条和地球生物的不同,尽管给相同的基因配对要比寻找不同的基因困难得多。但我要强调的是,对于生命所提出的问题而言,只有少数几个可行的解答,在各个世界上都是如此。"

我摇了摇头,"我不认为长蛇星座第二上的生命会和地球上的使用同一种基因代码,更不用说相同的基因了。我是说,甚至连我们这儿的代码都存在着变异:在六十四个基码中,其中的四个在线粒体和细胞核中分别有着不同的作用。"

"所有我们检查过的生命形式都共用同一种基因代码。这一现象在开始时同样使我们惊奇。"

"但这不符合常理。"我说,"氨基酸有两种异构体,左体和右体,但地球上的生物只使用左异构体。对于两个生态系统来说,它们都使用左异构体的概率是50%,而地球人、弗林纳人和昌特人都使用它的概率是25%。"

"是这样。"霍勒斯说。

"即使假设只有左异构体,仍然存在超过一百种的氨基酸,但地球上的生物只使用其中的二十种。其他世界上的生物使用这同样二十种的概率是多大?"

"非常小。"

我朝霍勒斯笑了笑。我本以为他会给我一个确切的统计学答案。"的确非常小。"我说。

"问题是,这种选择不是随机的,是上帝设计成这样的。"

我长叹了一口气。"我就是不能相信。"我说。

"我知道。"霍勒斯说,听上去他似乎对我的无知很失望。"听着,"过了一会儿,他说,"我不是个神秘主义者。我相信上帝是因为它符合科学道理。而且,我觉得正是因为科学才使得上帝存在于这个宇宙中。"

我的头开始疼了,"为什么?"

"我曾经说过我们的宇宙是封闭的——它总有一天会在大收缩中坍塌。在前一个宇宙的年龄到达上百亿年时已经发生过类似的事情——但是,经过几十亿年的发展,谁知道科学能达到什么样的高度。它甚至有可能使得一个智慧体或是代表它的一种数据结构躲过大坍塌,并在下一个宇宙中继续生存。这样的一个智慧体甚至可能还拥有足够的科学手段来影响下一个轮回的各种参数,从而设计出一个宇宙,使得自己重生时已经配备了几十亿年的知识和智慧。"

我摇了摇头。我期望听到的并不是这些老调重弹。"即使你说的是对的,"我说,"那也根本解决不了上帝是否存在的难题。你只不过把生命的创造又往前推了一步。在我们之前的宇宙中的生命是怎么产生的?"我皱着眉,"如果你无法回答这个问题,你就等于什么都没回答。"

"我不认为我们称之为上帝的实体是活的。"霍勒斯说,"我是指从生物体的概念上说。我认为生物及进化始于我们这个宇宙。"

"那么上帝又是什么东西呢?"

"我在地球上还未看到证据表明你们已经进入人工智能时代。"

给我的感觉像是答非所问,但我还是点了点头,"是这样,虽然目前有很多人都在研究它。"

"我们造出了具有自我意识的机器。我的母船,马莱卡斯,就是其中的一个。我们发现:智慧是自然发生的——它能在一定的秩序组合中自动诞生。我认为现在这个宇宙的上帝没有肉身,它可能是一个在上个没有生命的宇宙中由于巧合而产生的智慧体。我猜这个实体可能感到太孤单了,所以它想方设法地为下个宇宙设计出了独立的、能自主复制后代的生命与其相伴。在任何一个随机生成的宇宙中要产生生物似乎是不太可能,但是,经过了几十亿年的量子震荡后,一个地区性的、复杂到足以发展感知的时空矩阵是可以自主形成的。特别是在上个宇宙中,由于其特性不同于我们这个,它的五个基本力的相互关系的分歧性要小得多,这样一个时空矩阵于是更容易产生。"他停顿了一下，"我们这个宇宙是由某种意义上的科学家创造的，这种说法解释了一个悖论：为什么我们这个宇宙可以用科学的手段去了解，为什么弗林纳人和人类的抽象思维，例如数学和美学能适用于自然界？我们的宇宙在科学范畴内是可知的，因为它是被一个超智慧的实体运用科学创造的。"

智慧比生命更容易产生的说法是令人震惊的，但是事实上我们的确没有给智慧下过十分明确的定义。每次当计算机成功复制了人类的某项技能，我们就说那根本不是智慧。"身为科学家的上帝。"我说，品味着这种说法，"嗯，我想任何高度发达的科技实际上等同于魔术。"

"太经典了。"霍勒斯说，"你该把它写下来。"

"我并不是这句话的原创者。但你提出的也仅仅是个假设。它并不能证明上帝的存在。"

霍勒斯鼓动着肚子，"你要在什么样的证据面前才会相信呢？"

我想了想，耸了耸肩。"冒烟的枪。"我说。

霍勒斯的眼睛分开到了极限距离，"什么？"

"我最喜欢的小说类型是谋杀小说，并且我——"

"我对人类乐于阅读谋杀感到震惊。"霍勒斯说。

"不，不是这样。"我说，"你理解错了。我们不是喜欢阅读谋杀，我们喜欢读的是公正——一个罪犯，无论他有多么狡猾，最终逃脱不了法律的惩罚。在一个真正的谋杀案中，最有力的证据就是发现嫌疑犯拿着冒烟的枪——拿着谋杀案的凶器。"

"哦。"霍勒斯说。

"冒烟的枪是无可争议的证据。它就是我想要的：无可置疑的证据。"

"大爆炸理论没有什么无可争议的证据，"霍勒斯说，"进化论也没有。但你接受了它们。但为什么对于是否存在上帝你却要求得更多？"

对于他的问题，我没有明确的答案。"我知道的就是，"我说，"要让我相信就得有大量的深刻的证据。"

"我觉得你已经接触了大量的证据。"霍勒斯说。

我拍了拍脑袋，原来长着头发的地方现在摸上去非常光滑。

霍勒斯是对的：我们确实在缺乏决定性证据的情况下接受了进化论。虽然，人们很清楚狗是远古狼的后代。我们的祖先驯养了它们，保留了它们的忠诚，剔除了它们的残忍，最终将冰河期的狼变成了现代的多达三百多种的犬。

狗和狼之间再也不可能杂交后代了，或者即使有后代，它们也都没有生育能力——犬类和狼类已经是两种完全不同的物种了。如果事情的发展就是这样，如果人类的抚育将狼变成了犬，那么进化论的一项基本原则就已经被演示出来了：新的物种可以从旧物种中产生。

问题是我们不能证明狗的进化。几千年来，我们繁殖出了各种样子的狗，但我们并没有创造出任何一个全新的犬科："吉娃娃"仍然可以和"大丹狗"配对，"皮特牛"也可以趴在"狮子狗"的背上——两种配对都可以产生有繁殖能力的后代。不管我们怎么试着去强调它们之间的差别，它们仍然属于犬科。另外，我们也从未创造出任何一个新物种。自然选择可以在某一种类里产生变异，这一点没有人反对，创造论者也不会。但自然选择究竟怎样将一个物种转化为另一个——没有人观察到过整个过程。

在博物馆的脊椎骨生物馆里，我们有一个长长的马骨系列立体展，从始新世的始祖马开始，到渐新世的渐新马，随后是上新世的草原古马和新马，最后到全新世的现代马。

整个立体展给人的感觉就是进化看上去的确发生了：趾的数量从始祖马前足上的四个及后足的三个一直缩减到只剩一个蹄；牙齿越来越长，显然是为了适应食用坚韧的草；体型（除了小型马以外）也一直在增大。我经常路过这个展览，它已经成为我生活背景的一部分。我很少想到它，尽管我经常给重要人士解说它的意思。

物种的繁殖其实是一个不断产生微小变异的过程，这种变异是为了适应总在变化的自然。

我未加考虑就接受了它。

我接受它是因为达尔文的理论有道理。

那为什么我不能接受霍勒斯的理论？

特别的理论得有特别的证据支持。这是卡尔·萨根面对UFO狂热者时的座右铭。

料到了吗，卡尔？外星人已经在这儿了——在多伦多、洛杉矶、布隆迪、巴基斯坦和中国。证据是无法逃避的，它们已经到了。

但霍勒斯的上帝又怎么样呢？智慧的设计者？我的生活和事业建立在进化论之上，但我所知的进化论的证据却没有弗林纳人和吕特人关于上帝存在的证据确凿。

但……但……

特别的理论。当然我得要求更深层的证据。证据本身当然得是无可辩驳的。当然它就得这样。

当然。

第十章

苏珊陪着我去圣马克医院见了癌症专家卡特琳娜·科尔。那是在去年十月。

对我俩而言，那是一段恐怖的经历。

首先，科尔医生给我做了个支气管镜检查。她把一根末端带着摄像头的管子从我嘴里塞进支气管，试图以此观察肿瘤的采样过程。但支气管镜看不到我的肿瘤。所以她后来做了针刺检查：用一根锋利的针，在 X 光的指引下，穿透我的胸腔，直接刺进肿瘤。根据我痰中的细胞检查已经确定我得了癌症，此次采样是为了保证不出差错。

如果肿瘤还未扩散，而且我们确切地知道它的位置，它就可以通过手术摘除。但在确定是否值得打开我的胸腔前还需要做另一个检查：胸镜检查。科尔医生在我胸骨上方开了个小口；口子一直开到气管壁边。随后她把一根摄像管塞进开口，顺着气管外壁移动它来检查两个肺的淋巴结。这次检查取走了更多的样本。

最后，她终于告诉了我和苏珊她的发现。

我们被这个消息击倒了。我喘不过气来。虽然科尔给我们宣布检查结果时我是坐着的,但是我仍然担心我可能会栽倒。癌已经扩散到了我的淋巴结,手术治疗已经没有意义。

科尔等着我和苏珊镇静下来。这位癌症专家见过成百上千次类似场面了。垂死的人们看着她,恐惧写在他们脸上,目光中渗透着哀求,希望她说这只是个玩笑,是个错误,或是机器出了故障,或是还有希望。

但她什么也没说。

那天刚巧有病人取消了一个约会,因此我可以马上做CAT扫描。

我没有问为什么这个人不能来。也许他或她死在了两次检查之间。整个癌症病房装满了鬼魂。苏珊和我默默地等着。她试着读几本过期杂志,我则一直盯着前方,脑子里乱糟糟的。

我知道CAT扫描——计算机X射线轴向分层造影扫描。我做过很多次了。时不时的,多伦多的几家医院在它们的机器空闲时会允许我们扫描一些有趣的化石。这种方法可以非常有效地检查那些脆弱的化石,还可以观察化石的内部结构。我们曾用它检查过恐龙头骨和恐龙蛋。我知道所有步骤——但我自己从未接受过检查。我的手在出汗。我一直有要呕吐的感觉,尽管今天经历的检查都不会令人太过恶心。我很害怕,我这辈子从来没这么怕过。我唯一一次经历和今天差不多的紧张感觉是在六年前,当时我和苏珊在等待我们能否收养里奇的通知。我们坐在电话旁,每次它一响我们的心就怦怦直跳。但那时候我们等待的是好消息。

CAT扫描不会给人痛楚,到了现在,微量射线根本不会对我造成进一步的伤害。我躺在白色的平板上,一个医务人员将我的身体送进扫描腔。机器输出图片,上面显示着肺癌的范围。

一个很大的范围。

我一直是个好学生，一个好学的人——苏珊也是。但那天的事发生得太快、太乱、太纷杂，我们无法体味、无法相信。科尔却独立于我们的感情之外——类似解说她已经作过上千次了，她已经变得职业化了，变得冷漠了。

但对于我们，对于所有那些曾坐在苏珊和我正坐着的塑料背椅子上的人，对于那些挣扎着去接受、去理解的人来说，整个过程是令人恐惧的。我的心在狂跳，头疼得似乎要裂开。科尔不断递给我的温水也不能缓解我的口干舌燥。我的双手——曾小心翼翼地将恐龙胚胎骨头从破碎的蛋中剔出的双手，把羽毛化石和石灰石外壳分离出来的双手，我赖以谋生的双手——像阵风中的树叶般颤抖不已。

"肺癌，"这位癌症专家以平静的语调说着，仿佛在谈论最新款的SUV车或是录像机的某些功能，"是最致命的一种癌症，因为它通常不能在早期发现，当它被发现时，它一般已经扩散到了颈部和腹部的淋巴结，肺与胸部之间的胸腔隔膜、肝脏、肾上腺和骨髓。"

我希望她能说得抽象点，理论化一点。只做些笼统的评论。

但不，不是。她不断地说。她说得很清楚。而且这些都跟我有关，有关我的将来。

是的，肺癌经常大范围扩散。

我的就是这样。我问了个问题，一个死也要问的问题，却又是一个害怕听到答案的问题，一个极其重要的，一个从那一刻起决定我的世界中所有一切的问题。还有多少时间？还有多少时间？

科尔，终究是个人而不是一台机器，她此刻也不敢面对我的

眼睛。确诊后的平均存活时间，她说，在无任何治疗的情况下是
九个月。化疗可能会延长我的生命，但我得的是肺腺癌——一
个新词，跟我姓名的音节一样多，却比我的名字托马斯·戴维·杰
瑞克更能决定我的命运。即使在经过治疗之后，八个肺腺癌患
者中只有一个能够在确诊后活过五年，大多数人很快就走了
——这就是她用的词，走了，就好像我们溜出去在街角的小店买
个面包。

　　它像一颗炸弹，粉碎了我和苏珊的一切。

　　在那个秋日发条已上好。

　　倒计时已经开始。

　　我还有大约一年时间。

第十一章

每天傍晚,博物馆对公众关门之后,霍勒斯和我就会下到下层大厅。作为我允许他研究化石的回报,他继续演示长蛇星座第二-Ⅲ上不同时期的生态圈,我把它们都拍了下来。

可能是由于我自己的生命很快要到尽头,我渴望尽量多见到些不同的东西。霍勒斯曾经说起过六个被其居民抛弃的星球,我想看看它们,见识一下这些星球上最现代的人造物品——它们的居民消失前的最后一件作品。

他给我看的东西令人惊异。

第一个是Epsilon Indi Prime。在它的南方大陆上有一个巨大的围在高墙中的广场。墙是由巨大的花岗岩垒成的。每块岩石加工粗糙,边长大约为8米。被围起来的场地直径大约有500米,里头铺着碎石:巨大的锯齿状的混凝土碎块。要是有人爬过高墙,他肯定会被眼前大片的荒凉震惊。没有什么动物或是机械装置能够轻易地横穿它,也没有什么东西能在那里生根发芽。

接下来是Tau Ceti Ⅱ。在一片荒地的中央,消失已久的当地居民安置了一个巨大的黑石圆盘。盘的直径达2 000米。从它的边缘来判断,大概有5米厚。黑色的表面吸收着当地太阳的热,使得它灼热异常。如果你在上面走动,鞋底会融化,脚底板也会起泡。

Mu Cassiopeae A Prime 的表面看不到它以前居住者的痕迹。所有东西都被二千四百万年的风化埋葬了。但霍勒斯给我看了一个马莱卡斯上的传感器扫描生成的计算机模型,它显示了沉积物下的世界:一个巨大的平原,平原上满眼是高耸、扭曲的尖顶。在那下面是一个拱顶建筑,永世掩埋,远离人们的视线。那个星球曾经有一个非常大的月亮,它相对于它围绕的行星的比例要比月亮与地球的比例小得多。但现在月亮已经变成了一圈壮观的陨石带。霍勒斯说他们已经确定了陨石带的年龄,大约为二千四百万年。换句话说,它是在当地居民消失时出现的。

我让他展示了这个行星的其他部分,看到了海中的群岛,岛屿像项链上的珍珠般串在一起。我还发现,它最大的大陆的东海岸线和第二大大陆的西海岸线几乎可以完全拼合。有证据表明此星球的大陆板块曾经漂移过。

"他们把他们的月亮炸了。"我说,为自己的观察力感到得意,"想彻底断绝搅动行星内核的潮汐力,他们想结束大陆板块的漂移。"

"为什么?"霍勒斯说,听上去对我的假说很感兴趣。"为了防止他们的拱顶建筑沉入地壳深处。"我说。大陆漂移使得地壳的岩石循环再生,老的岩石被压入地幔,海底裂缝则不断冒出岩浆形成新的岩石。

"但我们曾经认为拱顶建筑是用于埋藏核废料的。"霍勒斯说,"沉入地壳深处应该是消除核废料的最佳途径。"

我点了点头。

他向我展示的在各个星球上的纪念碑似的建筑的确和我想象中地球上的核废料处理设施差不多：人造的建筑蕴含着不祥的预感，没有人会想在那儿挖掘。

"你们发现了什么和核废料有关的碑铭之类的东西吗？"我说。地球上的埋藏点都有标示性的说明文字及图案，表明这儿有危险材料，将来的居民便能知道地下埋着什么。图案包括了从病态的或是表情厌恶的脸——表明这个地区是有毒性的——一直到原子的模型图，告诉后来人埋藏了什么。

"没有。"霍勒斯说，"没有那一类东西，连年代最近的设施中都没有。"

"好吧，我想他们以为这些地点几百万年内都不会有人来打扰——时间这么久，当将来的智慧生物发现它们时，这些智慧生物和埋藏废料的智慧生物很有可能不属于同一物种。向同种物种传递危险信号是一回事——我们人类用闭眼、耷拉嘴角及伸出舌头表示有毒物质——但跨越不同物种之间的交流可能完全是另一回事，尤其是当你对后续物种没有任何概念时。"

"你的想法不全面。"霍勒斯说，"大多数放射性废料的半衰期小于十万年。等出现新的物种时，那儿可能早已没什么危险了。"

我皱了皱眉，"尽管如此，它们看上去还是很像核废料收藏地。还有，那些行星上的原居民离开时，他们可能认为应当在走之前处理好自己的垃圾。"

霍勒斯听上去不太相信。"但为什么Cassiopeae上的居民要防止建筑物沉入地壳呢？我刚才说过，那是消灭核废料的最好办法——甚至比把核废料送入太空还要好。如果负责运送废料的飞船爆炸了，核污染可能会扩散到半个星球，但如果核废料被送入地幔，那就一劳永逸了。我们最终也采纳了这种对付核废料的办法。"

"嗯，看来，可能他们在那些阴森森暗含警告性的地表下掩埋的是其他东西。"我说，"十分危险的东西。他们要确信它永远都不会被发现，因此它就不可能出来危害他们。可能Cassiopeae上的居民担心一旦拱顶建筑沉入地壳，关住它的建筑物的墙就会被融化，他们想囚禁的东西——确切说可能是想要囚禁的怪兽——就会逃出来。而这些居民，甚至在埋藏了他们感到恐惧的东西之后，还是离开了家园，希望离他们埋藏的东西越远越好。"

"我想这个星期天去教堂。"苏珊说。那是去年十月，我们见过科尔医生后不久。

我们在起居室里，我坐在沙发上，她在椅子里。我点了点头，"你不是经常去吗？"

"我知道，但——发生了这么多事之后……"

"我没事的。"我说。

"你确定吗？"

我又点了点头，"你每个星期天都去教堂。用不着改变。科尔医生说我们应该尽量保持正常的生活。"

我不知道我该怎么度过时间。不过可以找出许多事。我得给在温哥华的弟弟比尔打电话告诉他发生了什么。但温哥华比多伦多晚了三个小时，而且比尔工作到很晚才回家。如果我在他那儿的傍晚时分打电话给他，我很有可能会碰到他唠叨的新老婆。我可不想那样。比尔和他上次婚姻生的孩子是我唯一的亲属。我们的父母几年前就过世了。

苏珊陷入沉思。她抿着嘴，棕色的双眼和我的短暂相遇，随后又看着地面。

"你——你可以和我一起去，如果你愿意的话。"

我大声地呼了口气。这个问题一直是我们之间不太愉快的地方。苏珊一辈子都定期去教堂。和我结婚时她就知道我是不会那么做的。星期天的上午我上网浏览、看"唐纳尔森和库奇罗伯茨的这个星期"。刚开始约会时我就明确表明我不喜欢去教堂。太伪善了，我说，对于那些真正的信徒来说是个侮辱。

但是，她现在清楚地感觉到我们的世界已经变了。可能她以为我想祈祷，以为我想在我们的创造者面前找到安宁。

"可能吧。"我说，但我知道，我们俩都清楚这不会发生的。

要么不下雨，要么大雨倾盆；事情要么不来，要么总是集中在一块儿出现。

对付癌症花费了我大量时间。现在霍勒斯的拜访又占据了剩下时间的大部分。我还有其他职责。我为博物馆组织了布尔吉斯页岩化石特别展。虽然几个月前它就开幕了，但我还是承担了很多与之相关的管理工作。

史密森学会的查尔斯·瓦科特在1909年于不列颠哥伦比亚旁的洛基山布尔吉斯小道中发现了布尔吉斯页岩化石。他在那儿一直挖掘到1917年。后来，从1975年开始并一直延续了二十年，安大略皇家博物馆的德斯蒙德·柯林斯开展了一系列成果巨大的新挖掘，发现了另外的化石埋藏地和新的物种。1981年，联合国教科文组织将布尔吉斯列为第八十六个世界文化遗产，与埃及金字塔和美国大峡谷同属一类。

布尔吉斯页岩化石的年代可追溯到大约五亿二千万年前的

寒武纪中期。页岩实际上是劳伦系岩石层上滑落的泥石流,它将海床上的一切生物都埋在底下。页岩质地极细,连生物体上柔软的部分也保存得完好无缺。无数形式各异的生物被页岩记录下来。一些古生物学家,包括我们的老琼斯在内,认为它们中的一些和现代生物毫无关系。它们就这样突然产生,生存一阵子,最后又消失了,好像自然界在尝试各种不同的形态,看看哪种最适合发展。

为什么这个"寒武纪大爆炸"会发生呢?当时地球上的生命已经存在了三十五亿年,但是,在这整个期间,生命形式都非常简单。是什么导致了突然出现这么多形态各异的复杂生命?

加拿大理工学院的戴维逊和卡麦隆以及加州大学洛杉矶分校的彼德逊有一种看法,寒武纪大爆炸之前的生命形式为什么简单,原因其实也很简单:在寒武纪之前,受精卵的复制次数是非常有限的。十次之后似乎就已经到达上限。而十次复制只能产生 1 024 个细胞,因而也就只能支持非常简单的生命。

但是到了寒武纪早期,一种新细胞的发展打破了十次复制的障碍。这种新细胞在现代的某些生物体上依然存在。这些细胞可以复制很多次,并且可以决定各种新生物的形态分布,也就是说,可以决定躯体的形态。(这种情况发生时,地球的年龄已经有四十亿年了,但是同样的突破——超越复制十次的极限——显然在弗林纳人的行星只有二十亿岁时就发生了。在这个突破点之后,那里也突然爆发出生命形式的多样性。)

地球上的布尔吉斯页岩中有我们的直系祖先皮凯亚虫的化石。皮凯亚虫是第一种有脊索的动物,脊椎就是在脊索的基础上进化而来。但是,那里的几乎所有化石仍然属于无脊椎动物,因此,布尔吉斯页岩特别展似乎应该由博物馆的高级无脊椎古生物研究员凯利布·琼斯来组织。

但是琼斯再过几个月就要退休了——至少还没人当着我的面说，博物馆马上就要损失两个高级古生物研究员，几乎在同一时间——而且，我与史密森学会的人有些私交。在加拿大通过保护文物的法律之前，瓦科特挖掘的布尔吉斯页岩就存放在那儿。我还协助组织了与特别展同时进行的大众科普讲座。大部分讲座由我们的员工（也包括琼斯）负责，但是我们也从哈佛邀请了《奇妙的生命》一书的作者斯蒂文·杰·古德前来做一次讲座，古德的这本书详细地向人介绍了布尔吉斯页岩。此次展览为博物馆赚取了大把钞票。像这样的展览总是会成为媒体的热门话题，因而吸引了大量的观众。

在刚开始筹备特别展时我就挺兴奋的，等到它被批准，而且史密森同意共同参展之后我就更兴奋了。

但是现在——

得了癌症以后——

它成了我的累赘。

我还有一件事未了。

我所剩无几的时间还得花在这上面。

最难的就是告诉里奇。

你要知道，如果我像我父亲一样，满足于学士学位和"朝九晚五"的生活，事情就不会变成这样。有可能在二十岁刚出头我就当上了爸爸。如果真是这样，到了我现在这个年纪时，我第一个孩子已经三十多岁了，也可能已经有了他自己的孩子。

但我不是我父亲。

我在1968年拿到了学士学位，当时我22岁。

1970年,硕士学位,24岁。

然后是博士学位,28岁。

然后在伯克利做博士后。

然后换到另一个大学,卡尔加里大学,34岁。

然后开始研究工作,不知为什么还没有遇到合适的人。

然后没日没夜在博物馆工作。

然后,在我觉察到以前,我已经40岁了,仍是单身,没有孩子。

我是1966年在多伦多大学的哈特堂首次见到了苏珊·科瓦斯基。我们都是戏剧俱乐部的成员。我不是演员,但我对剧院照明特别感兴趣,我猜我爱上博物馆学,这也是原因之一。苏珊演过一些角色,但现在想来,她缺乏演戏的天分。我一直对她挺着迷的,但她收到的最好的评价也就是:在《罗密欧与朱丽叶》中,她出演保姆一角还"胜任";还有就是,"充分尝试了"《俄狄浦斯》中王妃的角色。我们约会过一次,但后来我去了美国读研究生。她能理解我必须离开,去继续我的学业,实现我的梦想。

那些年我一直深情地怀念着她,但是我从未料到我们会再次见面。最终我回到了多伦多。以前,我的注意力一直放在过去,很少考虑将来,所以我觉得我需要一些理财建议,以便退休后有足够的钱。

我去见的会计师正是苏珊。她的姓已经变成了迪山,是15年前就已结束的短暂婚姻留下的纪念。我们重新恢复了友谊,一年后捅破了窗户纸。虽然当时她已经四十一岁了,怀孕有一定的危险性,我们仍然决定要个孩子。我们总共尝试了五年,其间她怀过一次,但流产了。

所以最后我们决定收养个孩子。寻找过程花了我们两年时间。后来我们终于有了个儿子。理查德·布莱恩·杰瑞克现在已经六岁了。

但是命运注定他在离家独立之前父亲就会死去。

甚至在他小学毕业之前。

苏珊和他坐在沙发上，我跪在他的旁边。

"嘿，小家伙。"我说。我握住了他的小手。

"爸爸。"他扭动着身体，不敢看我的眼睛。或许他以为他自己做错了什么。

我沉默了一阵子。我花了很多时间准备如何向他开口，但现在似乎我打的腹稿根本就不够。

"感觉怎么样，小家伙？"我问。

"挺好的。"

我看了苏珊一眼。"嗯，"我说，"爸爸的身体不太好。"

里奇看着我。

"事实上，"我慢慢地说，"爸爸病得很重。"我终于说出了这句话。

我们从来没有骗过里奇。他知道他是被收养的。我们总是告诉他圣诞老人只是个故事。当他问小孩子是从哪里来的，我们也告诉他实话。但现在我却幻想我们采取的是不同的教育方法——并不总是和他说真话。

当然，他很快就会知道。他会看到我的变化——看到我掉头发，看到我变瘦，听到我在半夜起床呕吐，或者……

或者他甚至能听到我偷偷的哭泣声。

"有多重？"里奇问道。

"非常严重。"我说。

他又看了我一眼。我点了点头，表示我不是在开玩笑。

"为什么?"里奇问道。

苏珊和我相互看了对方一眼。我也问过自己同一个问题。"我不知道。"我说。

"你吃了什么坏东西吗?"

我摇了摇头。

"你干了什么坏事吗?"

我没有预料到这个问题。我想了一阵子。"不,"我说,"我不这么认为。"

我们都沉默了一阵子。最后里奇小声地说:"你不会死吧,爸爸?"

我曾经决定告诉他真相,不作任何保留。但是当这一刻真正来临时,我却给了他希望,比科尔医生给我的更多。

"或许吧。"我说。仅仅是或许。

"但……"里奇的声音越来越轻,"我不想让你死。"

我捏了捏他的手,"我也不想死。但这就像妈妈和我命令你打扫房间一样,有时我们不得不干自己不愿干的事。"

"我会做个乖孩子。"他说,"只要你不死,我一直会做个乖孩子。"

我的心很痛。讨价还价,孩子以为什么都可以商量。

"在这件事上我没有选择。"我说,"我希望我有,但我没有。"

他的双眼飞快地眨着,眼泪流了下来。

"我爱你,爸爸。"

"我也爱你。"

"妈妈和我该怎么办?"

"不用担心,小家伙。你仍然会住在这儿。不用担心钱的问题,保险金足够花了。"

里奇看着我，他显然没有听懂。

"不要死，爸爸。"他说，"求你了。"

我把他拉向我身边，苏珊抱住了我们两个。

第十二章

作为一个病人，癌症令我恐惧。但作为一个生物学家，它又使我着迷。

致癌基因——普通的基因，但是拥有激发癌症的潜能——在所有哺乳动物和鸟类身上都能找到。事实上，迄今为止所发现的致癌基因都同时存在于哺乳动物和鸟类体内。鸟类是由恐龙类进化而来，恐龙类进化自槽齿类，槽齿类进化自双颞窝类，而双颞窝类进化自最早的爬行动物平颚类。与此同时，哺乳动物则由兽孔类进化而来，兽孔类进化自盘龙类，而盘龙类则同样进化自平颚类。由于哺乳类和鸟类的共同的祖先平颚类生活在大约三亿年前，因此它们共享的癌症基因肯定至少已经存在了那么长时间了。（事实上，我们的确发现过至少可以追溯至侏罗纪的癌症动物化石。）

从某个角度来看，这些基因被不同物种之间共享并没有什么特殊之处：致癌基因与控制细胞分裂及器官生长有一定的关系。我觉得最终我们可以在所有的脊椎动物，或者，甚至是所有动物中都能发现整个系列致癌基因的存在。

看来，潜在癌症已经被织入了生命的织物。

霍勒斯对进化枝很感兴趣。进化枝是通过研究生物属性来追溯它们祖先的一种方法。在他的世界上它是研究进化的最主要的手段。因此,给他瞧瞧我们的鸭嘴龙似乎是合乎情理的——我们搞不清鸭嘴龙进化枝是否真的存在过。

那是个星期二,博物馆游客最少的一天,而且临近关门了。霍勒斯消失了,我则揣着投影仪走向恐龙馆。恐龙馆由两个长长的厅组成,两个厅在远端连在一起,入口和出口并排。我穿过进口向深处走去。那儿已经没有人了。几个通知马上要关门的广播已经清空了游客。厅的远端是我们的鸭嘴龙展室,墙上是黄褐色和金色相间的条纹,代表阿尔伯塔荒地的砂岩。屋子里有三具精美的骨架。我站在中间这具前,它属鸭嘴龙类,前面的说明板上说它是个克里特龙,尽管早在十年前我们就知道它实际上可能是怪兽龙。或许我的继任者可以找到时间和资金来更换说明板。此样本是由帕克斯在1918年博物馆的首次实地考察时收集的。保存得很好,肋骨仍然支撑着胸腔,尾部的肌腱完美地硬化成骨。

霍勒斯一晃出现了。我开始对他解释鸭嘴龙类动物的身体实际上是无法区分的,唯一可以用来分辨不同种类的方法是看它们是否长有冠或是冠状物。正当我沉醉于滔滔不绝的解说时,一个大约十二岁的小男孩突然走进屋子。他从灯光昏暗的白垩纪海洋立体展室过来,与我们的路线刚好相反。男孩是个白种人,但长着单眼皮,还有一个松弛的下巴。他的舌头伸在嘴外,什么也没说,只是盯着霍勒斯。

"你""好。"霍勒斯说。

男孩笑了,似乎很高兴能听到外星人说话。"你们好。"他回答着,说话很迟缓。

一个气喘吁吁的女人出现在角落,加入我们的行列。她看到霍勒斯后惊叫了一声,随后迅速奔到男孩处,抓住他柔软的小胖手。"艾迪!"她说,"我在到处找你。"随后她转向我们,"我很抱歉他打扰了你们。"

霍勒斯说:"他""没""有。"

广播在继续:"女士们先生们,博物馆就要闭馆。请所有的游客马上到大门出口处……"

女人拉着艾迪沿着恐龙展厅走了。他一路上都在扭着头看着我们。

霍勒斯跟我说:"那个男孩和我以前见过的都不一样。"

"他有唐氏综合征。"我说,"这种病能阻碍智力和身体发育。"

"由什么引起的?"

"一根多余的第二十一条染色体。所有染色体都应该成对出现,但有时候它们中会混入一条多余的。"

霍勒斯的眼柄晃动着。"我们也有相同的情形,尽管我们总是做子宫扫描,想在怀孕早期发现异常。我们的病例是:一对染色体没有端位着丝点,两条染色体在尾部相连,使一条染色体的长度是正常的两倍。此情形造成的结果是丧失全部的语言功能,空间感迟钝以及早夭。"他停了停,"尽管如此,生命的适应能力仍使我震惊。一条多余的染色体,或是两条染色体连在一起,连这样突出的异常情况都不能阻止生物体发挥功用。"霍勒斯仍然看着孩子离去的方向,"那个男孩,"他说,"他的寿命也会缩短吗?"

"可能。唐氏综合征有这样的后果。"

"太糟了。"霍勒斯说。

我沉默了一会儿。屋子的一堵墙上有个小柜子,里面正在播放一组关于恐龙化石如何形成及被挖掘的幻灯片。解说我已经听过无数次了。最后它终于放完了,没有人去按那个红色的重播键,霍勒斯和我待在静悄悄的展厅里,只有骨架陪伴着我们。

"霍勒斯。"我终于开口了。

弗林纳人将注意力集中在我身上。"什么事?"

"你准备在这儿待多久? 我是指你打算让我帮你到什么时候?"

"对不起。"霍勒斯说,"我太大意了。如果我占用你太多时间,你只要跟我说一声,我就会离开的。"

"不,不,不。不是那么回事。相信我,我跟你在一起很愉快。但……"

"什么?"外星人说。

"我有些事得告诉你。"我终于说出口了。

"什么?"

我又深深地吸了一口气,然后缓缓说出一切。"我告诉你这些,因为你应该知道。"我说,随后我停顿了一会儿,思索着该如何继续,"我知道你来博物馆只是想随便找个古生物学家——随便哪个。你并没有指定要见我。事实上,你也可以去其他博物馆——特瑞尔博物馆的菲尔·考利或是史密森学会的麦克·布雷特舒曼会很高兴见到你在他们的大门前出现。"

我陷入了沉默。霍勒斯耐心地看着我。

"对不起。"我说,"我应该早点告诉你的。"我又吸了口气,尽可能长地屏住呼吸,"霍勒斯,我快要死了。"

外星人重复我的话,仿佛没学过这个英语单词似的。"死?"

"我得了无法治愈的癌症。现在最多只能活几个月了。"

霍勒斯沉默了几秒钟,随后他的左嘴开始说话了,"我……"但有一阵子他没有说下去。最后,他终于继续道:"在这种场合下表达歉意符合礼仪吗?"

我点了点头。

"对""不""起。"他说,随后又沉默了几秒,"我的母亲也是得癌症死的。这是一种恐怖的疾病。"

我当然完全同意他的说法。"我知道你还有很多研究工作没有完成。"我说,"如果你喜欢和其他人合作,我会理解的。"

"不,"霍勒斯说,"不,我们是战友。"

我感到胸腔堵了什么似的。"谢谢。"我说。

霍勒斯又盯着我看了一会儿,随后指着鸭嘴龙——我们是为了它下来的。"汤姆,"他说,这是他第一次叫我的昵称,"让我们继续工作。"

第十三章

每次当我碰到一个新的地球生命形式时，我总是试着想象它的祖先，这是一种职业病。同样的事也发生在霍勒斯第一次向我引见吕特人时。吕特人是非常害羞的，但作为研究我们收藏的回报之一，我还是要求与他们中的一个见了面。

我们占用了医药中心的会议室。一组摄像机又被架了起来以记录这次会面。我把投影仪放在桃木长桌上，就放在麦克风旁边。霍勒斯又对着投影仪唱起他自己的语言，几秒钟后第二个外星人突然出现了。

人类毫无疑问是从鱼类进化而来的。我们的手臂原来是鱼的胸鳍，手指原来是使鳍具备硬度的支撑骨，我们的腿本来是鱼的腹鳍。

基本上可以肯定吕特人也进化自水生动物。站在我面前的吕特人有两条腿和四只胳膊。胳膊呈等距状态分布在倒鸭梨形的躯干上。他的胳膊可能不仅仅源自胸鳍，也许来自非对称的背鳍及腹鳍。那个世界上的古代胸鳍只有四根支撑骨，因为他的左右手各只有四根手指(两根中指和两根对称的拇指)。前手可能是从腹鳍进化来的，有九根手指。他的后手我认为是从背鳍进化来的,有六根粗粗的手指。

吕特人没有头,而且,据我的观察,也没有眼睛和嘴巴。一根有光泽的黑条绕着他的上躯干部一整圈。我不知道那是干什么的。他的前后手臂上有非常复杂的皮肤皱褶,我想可能就是耳朵。

吕特人的皮肤上覆盖着一层东西。进化而来的地球生物——大部分蜘蛛和昆虫,所有哺乳动物以及一些古代爬行动物——身上都能发现这种东西:毛。一层大约一厘米厚的微红色绒毛覆盖着上躯干部的大部,还有肘部以上的手臂部分。他的下躯干部、前臂和双腿都裸露着,现出蓝灰色的皮肤。

吕特人身上仅有的衣物是一根绕在下躯干部的宽带子。带子被他多节的臀部固定住。这根带子使我联想到蝙蝠侠的多功能带,连明黄色的颜色也跟蝙蝠侠的一样。带子上缝了几道横线,我觉得可能是几只小口袋。但是带扣上不是蝙蝠侠的记号,而是一个亮红色的纸风车状的图案。

"托马斯·杰瑞克。"霍勒斯说,"这是卡纳。"

"你好,"我说,"欢迎来到地球。"

和地球人一样,吕特人使用同一张嘴说话及进食。嘴位于躯干顶部的一个下陷处。有那么几秒钟,卡纳发出如同石头在衣物烘干机内碰撞产生的砰砰声。当他住嘴时,首先是一阵短暂的寂静,接着他身上的带子中发出一种低沉的、类似电子合成的声音:"你是个活的生命,怎么能代表非生物呢?"

我看着霍勒斯,无法理解吕特人的话。"生物代表非生物?"

弗林纳人的眼睛碰了碰。"他是对你代表地球欢迎他感到惊讶。吕特人不会把自己泛化到他们的行星。试试代表你们人类欢迎他的到来。"

"哦，"我说，又把头转向吕特人，"作为人类代表，我欢迎你的到来。"

更多的石头撞击声，电子合成声又响起了，"如果你不是人类，你还会欢迎我吗？"

"嗯……"

"正确的答案是，是。"霍勒斯说。

"是的。"我说。

吕特人又以自己的语言说话了，随后计算机译出他的话："那么，我接受你的欢迎，并且很高兴来到这里。这里是这里，而且这里也是那里。"

霍勒斯上下跳动着。"他是在说明虚拟现实界面，他很高兴来到这里，但他又承认实际上他还在母船上。"

"当然，是母船，"我重复着，我几乎都不敢再开口说话了，"你的地球之旅还好吗？"

"你所说的'好'是什么意思？"电子合成的声音说道。

我又看着霍勒斯。

"他知道你们的'好'这个词可以用在很多地方，包括精神上，物质上，还可以用来形容贵重的物品。"

"贵重的物品？"我说道。

"比如'好'的瓷器，"霍勒斯说，"'好'的珠宝。"

这些可恶的外星人竟然比我更懂自己的语言。我又把注意力放在吕特人身上。"我是说，你有一个愉快的旅途吗？"

"没有。"他说。

霍勒斯又插嘴道："吕特人的寿命大约只有30个地球年。所以他们更愿意在超低温冰冻状态下旅行，这是一种可以人为地降低新陈代谢的方法。"

"哦,"我说,"看来也不能说旅途令人痛苦。他根本意识不到旅程的好与坏,对吗?"

"是这样。"霍勒斯说。

我尝试着想找些话题。在和我的弗林纳朋友度过这么长的时间后,我已经习惯于和外星人流畅交流。"那么,你喜欢这里吗? 你觉得地球怎么样?"

"水很多,"吕特人说,"月亮很大,从美学观点来看令人愉悦。但是空气太潮湿了,浑身黏糊糊地不舒服。"

这下子我们总算找到话题了。至少他说的我都懂,不过他居然认为现在多伦多春季的空气太潮湿。如果他八月份来的话,他会受到真正的"款待"。"你对化石感兴趣吗? 就像霍勒斯那样?"

一阵乱扔小石子的声音过后,"所有东西都令人着迷。"

我停顿了一会儿,考虑是否应该问这个问题。为什么不呢?"你相信上帝吗?"我问。"你相信沙子吗?"吕特人问道,"你相信电磁场吗?"

"他是表示肯定。"霍勒斯说道,尽力帮忙解释,"吕特人经常以排比句的形式说话。他们不是想讽刺谁,所以不要在意。"

"更重要的问题应该是上帝是否相信我。"卡纳说道。"什么意思?"我问道。我的头又开始疼了。

吕特人似乎也不知道接着应该再说些什么,他的嘴在动,但并没有发出声音。最后,他终于用他自己的语言说了些什么,接着翻译机说道:"上帝在观察,海浪在冲刷。上帝的子民的存在与否是由他/她/它通过观察予以确认的。"

虽然霍勒斯没有解释,我还是听懂了这句话。量子物理学认为,在没有被一个有意识的实体观测到以前,事件是没有具体实际意义的。这个理论听上去很正确,但是它无法解释第一个具有具体实际意义的物体是怎样产生的。某些人利用量子物理的理论作为论据,认为在时间开始之初即存在着一个有意识的观察者。"哦。"我说。

"很多种可能的将来,"卡纳说道,舞动着他的所有的手指,仿佛在强调其复杂性,"从所有可能的将来中,他/她/它选一种来观察。"

我也听懂了——但这句话令我震惊;深蓝在国际象棋比赛中击败卡斯帕洛夫的策略是设法计算出所有的棋子可能会走的下一步位置,再下一步,再下一步。

如果上帝存在,他能看到他的棋子所有将来可能走的位置吗? 他现在能看到我可能会向前走,或者咳嗽,或者挠我的屁股,或者会说一些损害人类和吕特人关系的话吗? 他能够同时看到远在中国的一个小女孩可能向右走,或是向左走,或是抬头看月亮吗? 他能看到一个身处非洲的老人正在给小男孩提出一个小小的建议,并由此而改变了这个小孩的整个人生吗? 抑或他不会给建议,而让这个年轻人自己考虑该如何应对?

我们可以轻易地演示,当宇宙面临多种可能的路径时的确可以分裂,至少在短时间内如此:当单光子们同时通过多个缝隙裂口时,选择哪一个缝隙进入,决定了在缝隙后面的人能观察到什么样的干涉波。单光子们的这种行为是上帝在思考的一种表现吗? 上帝的鬼影已经考虑了所有可能的将来? 上帝看到了所有有意识的生命可能的行为了吗——六十亿地球人,八十亿弗林纳人(霍勒斯曾经告诉过我),五千七百万吕特人,加上遍布宇宙无数的其他可以独立思考的生物——难道他真的能确定每个参赛选手所有的步骤,从而算通了真正的生命游戏?

"你所指的是,"我说,"上帝选择那些他想观测的事实来代表那一时刻的现实,并且通过这么做,他已经创造出了具体有形的由一帧帧画面构成的历史?"

"事实本该如此。"翻译机说着。

我看着长相奇怪且多指的吕特人和身材高大、长得像蜘蛛的弗林纳人站在我这个秃顶两足猿的旁边。我怀疑上帝是否乐意看到他的棋局的进展。

"现在,"卡纳通过翻译机说,"互通有无,互惠问答。"

轮到他提问了,很公平。"主随客便。"我说。

他前臂上的皮肤皱褶上下波动。我猜"耸耳朵"是吕特人表达"请再说一遍"的方式。"我的意思是请随便问。"

"同一个问题,角色互换。"吕特人说。

"他是说——"霍勒斯开口了。

"他是说,我相信上帝吗?"我说道。我理解他是在反过来问我相同的问题。我停顿一下,随后说:"我相信,即使上帝存在,他/她/它对发生在我们任何一个人身上的任何事情都毫不关心。"

"你错了。"卡纳说,"你应该在上帝的周围构造你的生活。"

"嗯,什么意思?"

"把你的生命投入到与上帝的沟通之中。"

霍勒斯弯下他的四条前腿,把身躯倾向我。"你现在明白为什么不经常看到吕特人的原因了吧。"他压低嗓门说。

"我们这里有些人把他们一生中的大部分时间用在与上帝沟通上,"我说,"但我不是他们中间的一个。"

"我说的不是祈祷者。"翻译机说道,"我们不想从上帝那里得到任何物质回报,我们只想和他/她/它说话。你也应该这么做。只有傻子才不会花时间和已经被证明存在的上帝沟通。"

我以前碰到过教徒——可能比正常人一辈子应该碰到的更多些,因为我的进化论公开演讲经常冒犯他们。前几年我还会和他们争论,但现在,一般我只是礼貌地笑一笑,然后走开。

但霍勒斯替我回答了,"汤姆得了癌症。"他说。我有点生气了。我本以为他会替我保密的。但是随后又一想,健康状况属于隐私这种想法可能只有人类才会有。

"悲伤。"卡纳说。他碰了碰他那个上面刻着红色风车的皮带扣。

"有很多非常虔诚的信徒都痛苦地死于癌症,或是其他疾病。你怎么解释?见鬼,你怎么解释癌症的存在?这是个什么样的上帝,竟然创造出这样一种疾病?"

"他/她/它可能没有创造癌症,"翻译机深沉地说道,"癌症可能是在一个或者多个时间片断里自然出现的。虽然未来不是一次只能选择一个,但是可供上帝选择的可能性也不是无穷多的。现在我们面临的现实情况中包含了癌症,尽管这是一种不受欢迎的局面,但它同时可能也包含着一些他想要的东西。"

"所以他在接受好的东西的同时,不得不同时接受一些坏的东西。"我说。

"应该是吧。"卡纳说。

"对我来说,他听起来不像是个上帝。"我说。

"人类的独特性在于他们相信上帝是万能的,是无所不知的。"卡纳说,"真正的上帝不是一个理想化的形象,他/她/它是现实中存在的,因而是不完美的,只有抽象的物体才不会有缺陷。由于上帝不是完美的,所以世上才存在着痛苦。"

我必须承认,这是一个有趣的说法。吕特人发出更多的撞击声,过了一阵子,翻译机又说道:"弗林纳人认为我们没有任何精深的宇宙学理论。但我们早就知道,在你们称之为真空的物体中,创造和毁灭始终没有平息过。完美的上帝这一谬论妨碍了你们的思维,完美的真空也是谬论,同样妨碍了你们的宇宙学:真空就意味着空空如也,空空如也则意味着没有东西能从中产生。但世上没有完美的真空,也没有完美的上帝。因此你的痛苦只源于非完美,除此之外无需任何解释。"

"但是非完美只说明了痛苦的根源。"我说,"一旦上帝知道某个人正在承受痛苦,如果他有能力消除它,那么作为一个道德高尚的实体,他应该这么做。"

"如果上帝真的注意到了你的疾病,却又什么都没做,"计算机合成的卡纳的声音说,"那么一定有其他因素迫使他/她/它与癌症做出妥协。"

这太过分了。"该死!"我冲着他喊道,"我在吐血。我有个六岁的儿子,一个成长道路上没有父亲陪伴的小男孩,他怕得快发疯了,我还有个在夏天到来时就会成为寡妇的妻子。还有什么因素能比他们更重要?"

吕特人似乎对我的愤怒感到不安。他弯下两条腿,好像随时要跑的样子,我猜这可能是他对于威胁的本能反应。但是他本人并不在这儿,而是安全地待在母船上。过了一会儿,他松弛下来。"你想要一个直截了当的答案吗?"卡纳说。

我呼了口气,试着让自己冷静。刚才我忘记了四周有摄像机,现在不禁感到有点尴尬。我猜我生来就不是合格的地球大使。我瞥了霍勒斯一眼,他的眼柄一动不动。我曾经在他非常震惊时看到过这个造型——我的发火使他难受了。

"对不起。"我说。我深深地吸了口气,又慢慢呼出。"是的,"

我说,并点了点头,"我要一个诚实的回答。"

吕特人转了一百八十度,把他的背对着我——这是我第一次看到他的背部。后来我了解到,当一个吕特人背对着你时,那就意味着他将和你说一些非常坦率的话。在他的黄色腰带背后也有个一模一样的带扣。他抚摸着那个带扣。"这是我们宗教的象征。"他说,"一个血的星系———一个生命的星系。"他停顿了一会儿,"如果上帝没有创造癌症,那么因为存在癌症而指责他/她/它是不公平的。如果真的是他/她/它创造了它,那么他/她/它这么做是有苦衷的。你的死对于你的家庭来说可能是一种毫无意义的不幸,但在上帝的计划中却有某种积极意义。你应该为此感到荣幸。不管你承受怎样的痛苦,你是一个有意义的过程中不可或缺的一部分。"

"我不感到荣幸,"我说,"我只感到被诅咒了。"

吕特人做了个出乎我意料的举动。他转身伸出九指手。当组成幻影手臂的力场触摸我的手时,我的皮肤感到一阵刺痛。他的九根手指微微用力捏着,"既然你的癌症已经无法避免,"合成的声音说,"你可以试着接受我的信仰,放弃你自己的,这么做或许能带给你更多的安宁。"

我没有回答。

"现在,"卡纳说,"我必须离开了,又到了与上帝沟通的时候了。"

吕特人晃动着消失了。

我几乎也要晃动了。

第十四章

半个城市以外,在安大略湖边,库特·弗西正坐在一个肮脏的汽车旅馆中一张堆满东西的摇椅上。他抱着膝盖,前后摇动着,"不应该发生这种事,"他说,不断地重复着,仿佛在祈祷,"不应该发生这种事。"

弗西二十六岁,身材消瘦,一头金发剪成平头,长了一口需要矫正的牙齿。

J.D.艾维尔坐在弗西对面的床上。他比库特大十岁,长着一张皱巴巴的脸,长长的黑发。"听我说。"他温和地说。接着,他加强语气道,"听我说。"

弗西抬起头,眼睛里布满血丝。

"就这样,"艾维尔说,"现在好多了。"

"他死了。"弗西说,"收音机里说的,那个医生死了。"

艾维尔耸了耸肩,"以牙还牙,懂吗?"

"我从来没想过要杀人。"弗西说。

"我知道。"艾维尔说,"但那个医生,他做的是魔鬼的工作。你知道得很清楚,库特。上帝会原谅你的。"弗西似乎在思考这句话,"你真这么想?"

"当然。"艾维尔说,"你和我,我们要向他祈祷,请求他的原谅。他会原谅的,你知道他会的。"

"如果他们在这儿抓住我们会怎么办?"

"没人能抓住我们,库特。你不要担心。"

"我们什么时候能回家?"弗西说,"我不喜欢待在国外。去布法罗已经够糟的了,好在那还是美国。如果现在我们被抓了,谁知道那些加拿大佬会对我们干什么。他们可能永远都不会让我们回家了。"

艾维尔想要告诉他至少加拿大没有死刑,但一转念后他又改变了主意。他说:"我们现在还不能越过边境。新闻你也听到了:他们认为是那帮曾在布法罗诊所犯事的家伙干的。最好的办法就是在这儿待上一阵子。"

"我想回家。"弗西说。

"相信我。"艾维尔说,"我们最好待在这儿。"他停了一会儿,考虑着现在提出新计划是否适当,"另外,我们在这儿还有别的事呢。"

"我不想再杀人了。我不会——我不能这么干了,J.D.,我不能。"

"我知道。"艾维尔说。他伸出手摇晃着弗西的手臂。"我知道。我保证你不会的。"

"你不知道。"弗西说,"你无法保证。"

"我能。"艾维尔说,"这次你用不着担心会杀人——因为我们要对付的已经死了。"

吕特人从会议室消失后,我转向霍勒斯,"嘿,真是一场让人莫名其妙的交谈。"

霍勒斯的眼柄做了个S形运动。"你现在明白我为什么这么喜欢和你交谈了吧,汤姆。至少我能听懂你的话。"

"听上去卡纳的声音是经过计算机翻译的。"

"是的。"霍勒斯说,"吕特人的语言是非线性的。他们的词汇像被某种异常复杂的非线性方程糅合在了一起。光凭直觉我们无法得知其意义。计算机也必须等到他们说完之后才能开始解码并翻译。"

我想象着他们的语言。"它像个填字游戏吗?你知道,在游戏中,我们写下'他自己',但是却把这三个字理解为'他'这个字位于'自己'这个词的前面,并把它读成为'他在自己之前',意思是'他超越了自己'。"

"我从没有见过那种填字游戏,但是,我想二者大体上相同。"霍勒斯说,"但是吕特人的思维更复杂,词与词之间的关系也更为奥妙。上下文的含义对吕特人来说极为重要。同一个词出现在不同地方可能代表了完全不同的意思。他们的语言中还有很多意义几乎完全一样的同义词,但是在任一场合中,只有唯一一个同义词能被用来确切表达他们所要陈述的事物。我们花了很多年时间才掌握了如何与他们口头交流。我们中只有少数几个——不是我——能脱离计算机与他们交流。但是,吕特人与人类及弗林纳人的区别不仅仅在于造句结构,他们的思维方式与我们也有本质上的不同。"

"什么样的区别?"我问。

"你注意到他们的趾了吗?"霍勒斯问。

"你是说他们的手指?是的,我数过了,共有二十三个。"

"你数过了,很好。"弗林纳人说,"我第一次遇到吕特人时也这么做了。但吕特人不需要数数,他就是知道那是二十三。"

"那也没什么,毕竟是他们自己的手指……"我说。

"不,不,不。他不需要数数是因为他仅凭一眼就可以感觉到整个数的集合。"他跳动着躯干,"这很有趣。"他说,"对于人类心理学——那也不是我的研究方向——我可能比你更有研究,但是……"他又停顿了一下,"那又是个非吕特人的概念:术业有专攻。"

"你讲的和吕特人的话一样让人摸不着头脑。"我说,摇了摇头。

"你说得很对,对不起。让我重新组织一下我的话。我研究了人类的心理学——从你们的电视和广播中。你说你在卡纳身上数到了二十三个手指,毫无疑问你就是数的,一、二、三等等,一直数到二十三。而且,如果我没猜错的话,你可能又数了一遍,只是为了确保第一次没有数错。"

我点了点头。我确实数了两遍。

"还有,如果我给你看一个东西——比如一块石头——你不会去数它。你凭感觉就知道了整个数的集合。面对两个物体时也是如此。你只是看一眼那两块石头,不经过任何处理,你就能感觉到那儿有两块。如果你是个平常人,面对三个、四个、五个物体时你也能这么干。只有当你面对六个以上的物体时,你才会开始数数。"

"你怎么知道这些的?"

"我在Discovery频道上看到过一个研究数数的节目。"

"好吧,但这有什么意义吗?"

"节目研究了人类数数有多快。如果给你看一个、两个、三个、四个或是五个物体,你可以在差不多的时间内回答有几个物体。只有当物体超过六个时,回答时间会延长,并且回答所需时间的延长与物体增加的个数成正比。"

"我从未听说过。"我说。

"活到老,学到老。"霍勒斯说,"我们这一族一般最多可以感觉到六个物体的数集——比你们稍强一点。但吕特人使我们大吃一惊,一个正常的吕特人可以感觉到多达四十六个单元的数集,一些个体甚至能感觉到六十九个。"

"真的吗?但当面对更多的物体时会发生什么?他们得从一开始把它们全数一遍吗?"

"不。吕特人不会数数。他们真的是不知道怎么数。他们要么能感觉到整个数集,要么不能。他们对于从一到四十六的每个数都有单独的称呼,对于超过四十六的则简单地称为'很多'。"

"但你说有些个体能感觉到更多的数目?"

"是的,但他们无法清晰地描述总数。他们真的没有这样的词汇。能够感觉更多数目的吕特人明显有竞争优势。他们中的某位可能会提出用他的五十二只家畜去换别人的六十八头,而那个别人由于天分不高,只知道这两个都是'很多'的大数,却无从评估此次交易是否公平。吕特人的僧侣几乎都有超过平均水平的感觉。"

"外来的和尚好念经。"我说。

霍勒斯听懂了双关语。他的眼柄起着波纹。

"为什么你会认为他们从来就没能够发展数数的能力呢?"

"我们的大脑只拥有进化给予的能力。对于你我的祖先来说,知道如何确定大于五的数目是一种具有现实意义的生存优势:如果有七个愤怒的敌人挡住了你左边的去路,而在右边有八个,则你向左边走存活的机会要大一点,尽管不会大很多。如果你的部落包括你在内有十个人,而你的任务又是为晚餐采集野果,那么你最好能带回十份野果,否则你将会在部落里树敌。实际上,仅仅采集九份野果,更有可能的局面是你放弃你自己的那份以讨好你的同伴,结果就是,你的努力没有给你个人带来任何好处。

"但吕特人从未组成过成员超过二十——一个他们能感觉到的量——名的永久部落。而且,如果在你左面有四十九个敌人,而在右面有五十个,这两个数之间没有本质的差别,无论走哪边你都死定了。"他停顿了一下,"用人类的话说,自然界对于吕特人留了一手——或是留了四手。你有十根手指。十是个挺奇妙的数字,它本身就会把人引入数学。它是个偶数,可以被二和五整除。它还是头四个自然数的和:一加二加三加四等于十。我们弗林纳人运气也不错。我们依靠跺脚来数数,总共六只脚——也是个偶数,可以被二和三整除。它也是头三个自然数的和:一加二加三等于六。又一个适于数学的意识基础。

"但吕特人有二十三根手指,二十三是个质数。除了一和二十三以外,它没有其他能被整除的数,而二十三这个除数又太大了,在现实生活中没有什么实际应用价值。它也不是任何连续的自然数序列之和。二十一和二十八分别是头六个和头七个自然数之和。二十三却没有类似特性。由于他们的手指的分布形式,他们从未发展出数数或是我们用的数学。"

"真是奇妙啊!"我说。

"确实是。"霍勒斯说,"还有,你一定注意到了卡纳的眼睛。"

我很奇怪,"实际上,没有。他好像没有眼睛。"

"他有,而且只有一只——那根绕在他躯干顶端的湿漉漉的黑条。那是个能从一圈360度同时观察的长眼。一个令人着迷的结构:吕特人的视网膜是由一层层光感薄片组成的。这些薄片以错综复杂的顺序不断飞快地在透明和非透明之间转换。他们的薄片层层堆积,厚度超过一厘米,可以同时在不同的焦距下提供清晰的图像。"

"在地球上,眼睛已经进化过很多次了。"我说,"昆虫、头足类、脊椎动物,还有其他很多种类都各自独立地发展出了视觉。但我从未听说过任何眼睛像那个样子。"

"碰到吕特人之前我们也不知道。"霍勒斯说,"但他们眼睛的结构也影响了他们的思维。让我们再谈谈数学。考虑一下所有数字计算机的基本模型,不管它是地球人的还是弗林纳人的。根据我在电子公告板上看到的一个纪录片,你们称这种模型为转向机?"

转向机由一张无限长且被分隔成一个个小方块的纸条和一个能左右移动或保持静止的打印/擦洗头组成。打印/擦洗头可以在小方块内打上个记号,或是将格内原有的记号抹去。通过给打印/擦洗头的运动和行为编程可以解决任何计算问题。我点头示意霍勒斯继续。

"吕特人的眼睛看到的是完整的周围全景,而且无须聚焦,所有物体一直都以同等清晰度被观察着。你们人类和我们弗林纳人使用诸如'集中注意力'或是'聚焦'之类表达方式来描述视觉和精神上的活动。例如你集中注意力在某个物体上,或是聚焦在某个问题上。吕特人不这么干。他们同时观察周围整个世界,在心理上无法只聚焦于某一个事物。他们可以本能地分清某些事的轻重缓急,例如一个就在眼前的捕食者比远处一丛草重要得多。但是转向机却建立在一种他们完全陌生的理论之上:打印头是所有注意力的中心,它是整个运算的焦点。吕特人从未发明过数字计算机,却发明了与计算机类似的仪器。他们的仪器长于构建各种现象的经验模型,并且能显示影响经验模型的各种因素——但他们无法设立一个数学模型。换句话说,他们能够不经推导过程预测事件——他们的逻辑是直觉而非演绎。"

"太奇妙了。"我说,"我过去以为数学是我们唯一能用来与外星智慧生物沟通的语言。"

"那也曾是我们的假设。当然,吕特人由于缺乏数学思维而处于某种不利地位。他们没能发明无线电——所以你们的SETI项目监听了孔雀星座第四这么长时间,却未能发现他们。当我们的第一艘飞船到达那儿时,我们的人非常惊讶地发现那儿还存在着一个技术文明。"

"或许吕特人不是真正的智慧生命。"我说。

"他们是的。他们用覆盖着他们星球大部的黏土建造了最美丽的城市。他们的城市规划绝对是一项艺术。把整个大城市看作一个有机体。事实上,在很多方面,他们比我们更聪明。嗯,这种说法可能太夸张了。我们可以说他们聪明在不同的地方。我们与他们最接近的共同点是我们两族都使用美学原理来评价科学理论。最优美的理论可能也是正确的理论,这一点你我可能都会同意。我们寻找自然法则中的高雅之处。吕特人也这么认为,但是,有关美的构成的理解对于他们来说更多是天生的。这种能力使得他们无须通过数学验证就能从几种理论中辨别出正确的那一种。他们对于美的触觉似乎也能解释为什么他们在处理一些我们认为非常棘手的问题时总是显得得心应手。"

"例如?"

"例如道德伦理之类的问题。吕特人的社会中没有犯罪,而且他们似乎很随意地就能解决令人恼火的道德上的窘境。"

"举个例子？在道德问题上他们有什么高见？"

"好吧。"霍勒斯说，"一个最简单的例子就是：没有必要去捍卫荣誉。"

"很多地球上的人是不会同意这种说法的。"

"我想他们也不会同意'心平气和'。"

我想了想，耸了耸肩。或许他是对的。"还有别的吗？"

"还是你来告诉我吧。举个道德窘境的例子，我尽量告诉你吕特人会怎么解决它。"

我挠了挠头，"嗯，好吧——好吧，你看这个怎么样？我的弟弟比尔，他最近第二次结婚了。他现在的妻子玛丽莲挺可爱的，我想——"

"吕特人会说你不应该和你弟弟的老婆睡觉。"

我笑了。"噢，我知道。但那不是我的问题。我认为玛丽莲很可爱，但她的曲线太突出，可以说太过丰满。她平时不锻炼。现在比尔喋喋不休让她去体育馆，但是她反过来要求比尔不要对她太挑剔了，说他应该接受她现在的样子。然后比尔就说了，'好吧，如果我能忍受你不锻炼，那么你也应该能体谅到我希望你能改变——因为希望人们能改变是我性格中的一部分。'理解了吗？当然，比尔说他的意见是无私的，纯粹是为了玛丽莲的健康着想。"我暂停了一下，每次当我想起这件事情，它都会令我头疼。我看着霍勒斯，"那么，谁是对的？"

"谁都不对。"霍勒斯立刻说道。

"都不对？"我重复着。

"是的。从吕特人的角度来看，这是个简单的问题。因为他们没有数学概念，所以他们从不把道德问题看作零和博弈，一定要分出赢家和输家。吕特人会说,上帝希望我们能爱他们现在的样子,但也希望我们能尽力帮助他们实现潜能——两者应该同时发生。事实上,吕特人信仰的一个核心就是,生命的意义在于帮助他人成为伟大的人。你的弟弟不应该将他对妻子身材的不满说出来,但是直到他能到达理想的沉默状态之前,他的妻子不应该把他的抱怨放在心上。吕特人说过,学会怎样才能不在意别人的评论是通向内在安宁的重要步骤之一。但与此同时,如果你处在爱的关系之中,并且你的伙伴对你产生了感情依赖,那么你有责任保护你自己的健康,例如在车子内要系上安全带,要养成良好的饮食习惯,要经常锻炼等等——那是玛丽莲欠比尔的道德约束。"

我皱着眉,消化着他的言论。"好吧,我想确实有点道理。"我想不出有什么更好的方法能和比尔及玛丽莲沟通,"还有,怎样处理有争议的事?你看了那篇关于堕胎诊所爆炸案的报道。"

"吕特人会说暴力不是解决之道。"

"我同意。但对于堕胎争议,双方都有很多非暴力的支持者。"

"哪双方?"霍勒斯问。

"他们称自己为'生命优先派'和'选择优先派'。生命优先派认为每个胎儿都有权利出生,而选择优先派则认为妇女有权利控制她们的生育过程。哪派是对的呢?"

霍勒斯的眼柄飞快地挥动着。"还是一样,谁都不对。"他停顿了一下,"我希望我没有冒犯你们——我从没想过要批评你们这个种族。但看到你们既有文身店,又有堕胎诊所确实让我感到惊奇。前者是一种专门从事于永久改变人的外表的生意,意味着人类可以预见他们几十年后的需求;后者是终止怀孕的设施,意味着人类经常在短短几个月内改变主意。"

"嗯,很多怀孕是意外。人们过性生活是因为它令人快活。他们甚至在不打算怀孕时发生性关系。"

"你们没有什么避孕措施吗?如果你们没有,我相信莱布鲁克可以为你们发明一些。"

"不,不。我们有很多避孕措施。"

"它们有效吗?"

"是的。"

"它们会令人疼痛吗?"

"疼痛?不。"

"那么吕特人会说,堕胎根本不是道德问题,因为除了一些特殊案例外,简单的预防措施就可以完全消除谈论它的必要性。如果一个人选择不怀孕,那只不过是她行使了她的选择权。这样一来,你就可以避免一个复杂的道德困境,类似于生命已经开始之类的尴尬局面,你为什么不这么干呢?"

"但还有强奸和乱伦呢。"

"乱伦?"

"与家庭成员发生性关系。"

"噢。这些当然是例外情况。但我们的人在和吕特人交往中学到的最好的道德课是:普遍原则不应该以例外事件为基础。这个见识大大简化了我们的法律系统。"

"好吧,那么你们怎么对付例外事件呢?你们会怎么应付由强奸带来的怀孕呢?"

"很明显,这个女人在受孕时没有机会主动行使生育选择权,所以,她应该被允许重新获得她所期望获得的、完全控制自己身体的权利。在这种情形下,堕胎当然是一种可接受的选择。其他情况下,避孕应该是优先手段。"

"但有的人认为人工避孕是不道德的。"

霍勒斯的眼睛互相对看了一眼,随后又恢复了通常的震荡。"你们人类的确在制造道德问题上走得太远。避孕没有什么不道德的地方。"他停顿了一下,"但上述问题只不过是一些吕特人思维方式的简单例子。当我们遇到更复杂的问题时,我恐怕他们的回答对于我们没有什么意义。他们听上去在胡言乱语——显然我们脑子的设计无法接受他们的说法。过去,在弗林纳那些与你们的大学相似的机构中,哲学系是没有什么地位的。但当我们与吕特人会面后,哲学系的人从此变得非常忙,整天尝试着解码吕特人的复杂思维。"

我把所有问题在脑子里过了一遍。"仅仅凭借适用于伦理学及能发现美的脑子,吕特人就确定了上帝必定存在?"

霍勒斯同时在上下两个膝盖处将腿弯下。"是的。"

我不是个非常傲慢的人。我不会坚持让人称我为杰瑞克博士,也不会强行说服别人。然而我一直觉得我对现实把握得很好,对世界也有正确的看法。

而且我的世界中,即使在我患癌症以前,也没有上帝。

但我现在遇到了不是一个,而是两个,完全不同的外星生物,来自两个比我的世界更加发达的外星世界。这两个高度智慧的生物都相信宇宙是被创造出来的,都相信它蕴含了明显的智慧设计的证据。为什么这些会让我大吃一惊?为什么我会假设类似的想法不可能出现在高度智慧生物上?

从古至今,哲学家的秘密一直是这样的:我们知道上帝是不存在的,或者如果他存在,他至少对于普通人是毫无兴趣的——但我们不能让下层社会知道。正是对上帝的恐惧,以及惩罚的威胁和回报的允诺使得那些无法自主解决道德问题的质朴的下层人对于道德产生了一个相对统一的标准。

但在一个高度发达的种族里，由于技术的力量大大满足了人们在精神和物质方面的需求，每个人都应当是哲学家——每个人都明了古老的、曾经被掩盖的真相，每个人都知道上帝不过是个故事，是个神话。我们应该可以除下伪装，放弃宗教。

当然，不相信上帝而保留宗教的传统是可能的——各种各样的仪式，联系过去的纽带。正如我的一个犹太朋友所说，"二战"后幸存的犹太人现在要么是无神论者，要么不再过多地关注上帝了。

但事实上，还有数以百万的犹太人是非常虔诚的信徒。长期以来，犹太复国主义者逐步减少，而正式的传统信仰不断抬头。还有数以百万计的基督教徒相信三位一体，我的天主教朋友有时会开玩笑说：老爸、儿子和小鬼。除此之外，数以亿计的穆斯林把安拉当作他们的上帝。

现在，我们正处在一个新的世纪的开端。在二十世纪，我们发现了 DNA、量子物理和原子裂变，还发明了计算机、航天飞机和激光。但仍然有百分之九十六的人口相信存在一个超自然的力量。这个百分比还在不断上升。

那么，为什么我会这么惊讶于霍勒斯相信上帝呢？一个来自比我们先进一到两个世纪的文明的外星人还没有隔断与超自然力的最后联系？即使他没有大统一场理论支持他的信仰，单就他不是个无神论者这一点本身又有什么好奇怪的呢？

在面对已迷失自我的创造论者时，我从未怀疑过自己是对是错。在被原教旨主义者质问时，我也从未怀疑过我的宗教观。但现在我碰到了外星人，他们可以来拜访我，而我却无法访问他们的世界。这一事实毫无疑问地表明了谁的智慧更高。

这些外星人相信一个我从小就已不再相信的东西。

他们相信一个智慧的设计者创造了宇宙。

第十五章

"病人为什么会选择化疗,有两个理由。"卡特琳娜·科尔在给我诊断之后对我和苏珊说,"第一个是希望化疗可以治愈癌症。"她先看着我,随后又看了看苏珊,最后把目光放在我身上。"但我必须对你说真话:你的癌症能治愈的概率是非常小的,汤姆。肺癌很少能被治愈。"

"那么,我不做化疗了。"我立刻说道,"我不想在剩下的生命里忍受这种痛苦。"

科尔医生抿了抿嘴。"这当然是你个人的决定,"她说,随后又向苏珊点了点头,"你们两个的。但很多人都对化疗有误解。它也可以减轻症状,这也是第二个为什么要你考虑它的原因。"

我的嘴做出了个要发"减轻"这个音的形状。科尔医生点了点头。"在接下来的几个月中你会体验到极端的痛楚,汤姆。化疗可以减小肿瘤并减轻你的痛苦。"

"如果你是我的话,你会怎么做?"我问。

科尔医生微耸了一下肩。"如果你没有保险,得自己支付化疗,那么或许你会放弃它,忍受痛苦。当然无论你选择化疗与否,我都会给你开些止痛片。我喜欢用一种铂的化合物来对付大细胞肺癌,这些化合物相当贵。既然保险公司会支付所有的治疗费用,我建议你使用上述化合物。我们会把铂和长春碱及丝裂霉素混在一起。铂类药物必须来医院在医生的指导下服用,但它们是对付肺癌的最好的赌注。"

"有什么副作用吗?"

"你会反胃。还有可能脱发,甚至会全部掉光。"

"我想尽可能长地继续工作。"

"化疗会有效的。它可能不会延长你的生命,但可以使你剩余的时间过得更有质量。"

里奇现在在全日制学校上学,苏珊也有她的工作。如果我可以继续工作的话,即使只是几个月,也比整天待在家里,需要人时刻照顾强。

"不要急于下决定。"科尔医生说,"仔细考虑一下吧。"她给了我们一些小册子,让我们读一读。

霍勒斯相信上帝。

卡纳也相信上帝。

我呢?

"可能我太在意'上帝'这个词了。"回到办公室后,我对霍勒斯说,"如果你说的是地球上的进化过程中有某种外来因素介入,我当然不能说你是错的。毕竟你自己说过在我们这片星系中,有几个技术文明已经有三十亿年的历史了。"

"是的,Eta Cassiopeae A-Ⅲ上的文明。"

"那帮把他们的月亮炸了的家伙?"

"不是,那是 Mu Cassiopeae A Prime 上的人干的,离 Eta Cassiopeae 有五点五光年。"

"好吧,Eta Cassiopeae上的人——就让我们称他们为伊坦人吧——在三十亿年前就有了技术文明。那时我世界上的生命才刚刚开始。伊坦人当然有可能会到这儿来。"

"你忽略了一大段时间。"霍勒斯说,"你说过在三十亿年前,地球上的生命已经存在了八千万年了,如果不是一亿年的话。"

"是的,但——"

"还有,我们那儿的太阳,长蛇星座第二,在那时还未形成。我曾经说过,它的年龄只有二十六亿年,所以 Eta Cassiopeae 上没人访问过我们那儿。"

"好吧,可能不是伊坦人——但可能其他恒星系的智慧生命来过这儿,或是去你们那儿,也有可能去吕特人那儿。你所描绘的那些上帝的手法可能是高度文明的外星人干的。"

"你的观点中存在两个问题。"霍勒斯礼貌地说,"首先,即使你认为近期的事件中无须上帝的存在——过去的几十亿年中发生的事件;别的有意识的观察者出现后所发生的事件——但是你没有作任何解释为什么会存在这样一个设计者,他设置了五个基本力的相对强度,设计了水的热力学性质和其他特性,等等。因此,你所做的与奥坎简化原则宣称的相反:你增加了,而不是减少了影响你存在的实体的数目——你的解释中有一个无法回避的上帝,他创造了宇宙,随后又出现了其他对控制生命发展感兴趣的实体。"

"第二点,"霍勒斯继续着,"你一定还记得物种大灭绝的时间明显是被精心调整的,使其能在我们三个世界上同时发生:最早的一次发生在4.40亿年前,最近的一次在0.65亿年前,中间有3.75亿年的跨度——但我们发现,在一个智慧种族发明了无线电后,它的生命期不过只剩下几百年了,此后它不是自我毁灭,就是彻底消失了。"

我的脑子似乎都忙不过来了。"好吧,"我最后说道,"或许基本参数确实被调整过了,以便于创造一个能容纳生命的宇宙。"

"这一点中没有什么迷信在内。"霍勒斯说,"很明显宇宙确实是被设计得可产生生命。"

"好,但如果我们承认这一点,那么简单地创造出生命绝不是唯一的目的。你肯定相信你假定的设计者需要的不是简单的生命,而是智慧生命。无智慧生命比一堆复杂的化学符号好不了多少。只有当生命有智慧时生活才会有意思。"

"从一个研究恐龙的学者口中听到这番言论真是咄咄怪事。"霍勒斯说。

"没什么可奇怪的。恐龙在六千五百万年前就消失了,只是因为智慧出现在地球后才使得我们知道它们曾经存在过。"我停顿了一下,"但你刚巧提到了我要说的观点。"我又停住了,搜寻着恰当的比喻,"你自己做饭吗?"

"做饭? 你是指将生的菜做成食物?"

"是的。"

"不做。"

"嗯,我做,至少以前经常做。有些菜是不能光凭在开始时丢入所有的原料就能做成的。你要想做的话,必须在中途翻炒几下。"

霍勒斯想了一会儿。"你是说如果不进行直接干预的话,这个创世主就无法造出智慧生命? 许多宗教人士会反对这种说法,因为偶尔的干预暗指了上帝并不总是存在于宇宙之中。"

"我不是暗指那个。"我说,"我在分析你信仰中的假设。恐龙控制这个行星的时间比哺乳动物要长得多,但它们从未有过哪怕一丁点儿的智慧。虽然它们的脑容量一直在扩大,但即使是曾经存在过的最聪明的恐龙,"我拿起放在我桌子后书架上的伤齿龙头骨,"比最笨的哺乳动物还要蠢。事实上,它们的智慧不可能得到很大程度的提高。哺乳动物大脑中分管智慧的部分在爬行动物中根本不存在。"我停了停,"你告诉过我,六千五百万年前生活在你星球上的五足动物也是些笨蛋。你也说过孔雀星座第四上也有类似的情况。"

"是的。"

"并且那时你的祖先,我们的以及吕特人的都是一个样子:生活在生态圈边缘的小体型动物。"

"正确。"霍勒斯说。

"但这些祖先却拥有能进化出智慧的大脑。"我说,"我们的祖先是黄昏动物,它们在微光中最为活跃。因此它们进化出了大眼睛和精细的视觉系统,当然,还有处理影像的大脑功能。"

"你是在说智慧的基础只能由那些生物构成?——你用的是什么词?——处于生态系统边缘的?被迫在夜间活动的动物?"

"或许吧。如果真是这回事的话,只有当占主导地位的笨蛋们被清除后,智慧才有开花结果的可能。"

"我想是吧。"霍勒斯说,"噢,噢,我明白你的意思了。你是说即使生命可以在合适的条件下产生,甚至智慧本身都可以被编码在宇宙的设计之中,但是缺乏直接干预,智慧是不可能产生并发展的。"

"那就是我的假想,是的。"我说。

"那可以解释六千五百万年前的物种灭绝。怎么解释更早的灭绝呢?"

"谁知道？它们可能也是为了最终出现智慧而做的准备。地球上二叠纪末期的灭绝可能是为类哺乳类的爬行动物——哺乳动物的祖先——扫清道路。这些动物的体温调节能力在当时的温暖气候中没什么用,直至后来的全球冰川引起了二叠纪末期的物种灭绝。在冰川期中,即使是原始的热力调节能力都成了一宗财富。我认为由此发展而来的真正的恒定体温也是出现智慧的先决条件。所以二叠纪的灭绝是为了大量提高原始恒温动物在自然界的比例,保证它们不会在基因库中被稀释或是清除。"

"但是创世者是怎么制造冰川期的呢?"霍勒斯问。

"我们假设,他在白垩纪的末期分别向我们的三个世界扔了颗小行星,在二叠纪的末期他可能将这些小行星打碎,形成环绕我们三个世界的碎石圈。一个那样的圈,如果悉心排列,可以将行星的大部都罩在阴影里,从而引起降温,形成大范围的冰川。或者他也可能弄出个宇宙尘埃云盖住我们这儿的星系,同时遮住所有的行星——你们的、我们的和吕特人的。

"那其他的物种灭绝呢?"

"过程中更多的调整罢了。例如三叠纪的那一次是为了让恐龙,或是与之类似的生物,能够在这三个世界上跃居统治地位。如果恐龙未能支配整个生态系统,那么哺乳动物——或是在长蛇星座第二-Ⅲ上的八足类以及在孔雀星座第四-Ⅱ上的像卡纳那样的生物——就不会被迫成为黄昏动物并由此进化了大脑。当你不占支配地位时,你得有点智慧才能生存。"

看到一个大蜘蛛在那儿唱反调真是有点稀奇。"但有关创世主在进化开始后干预其进程的唯一直接证据,"霍勒斯说,"是在地球、长蛇星座第二-Ⅲ和孔雀星座第四-Ⅱ上发生的物种灭绝日期刚好重合。还有,他可能在那六个被遗弃的星球上也操纵过生命的进程,但我们找不到确切证据。"

"嗯,或许智慧在这个宇宙中可以偶然产生。"我说,"从概率上来看,小行星的确每隔一千万年才撞击行星一次。但是多个智慧物种同时存在的概率几乎为零,除非你操纵了时间表,而且不止一次。借用一下那个做菜的比方,或许一份色拉可以自主偶然出现——例如风把足够的蔬菜吹在一起。或许牛排也可以自主出现——闪电刚好击中了牛身上某个合适的部位。你还可以得到酒——葡萄掉下来后一直聚集在某处并开始发酵。但在没有干预的情况下,上述三样东西——色拉、牛排和酒——要同时自主出现是不可能的。同时出现多种有意识的生命与上述比方是一个道理。"

"但你的说法又引出了另外一个问题:为什么上帝希望多种智慧生物同时存在?"霍勒斯说。

我挠了挠腮帮子,"这个问题非常好。"

"一点没错。"霍勒斯说。

我们沉思了一会儿,但我俩都没有像样的答案。已经快到五点了。"霍勒斯。"我说。

"什么?"

"我想请你帮个忙。"

他的眼柄静止不动了,"什么?"

"我想请你和我一起到我家去。我是说让我把投影仪拿回家,然后你在那儿出现。"

"为什么?"

"这……这是人类的一种做法。我们邀请朋友共进晚餐。你可以见一下我的家人。"

"朋友……"霍勒斯说。

突然间我感觉自己像是个傻瓜。我是一种比霍勒斯原始的生物。即使他的心理状态允许他对其同伴产生友爱,他对我也不会有什么温情。我只不过是他成功路上的一个工具罢了。

"对不起。"我说,"我不想强求你。"

"你没有强求我。"霍勒斯说,"我很高兴了解到你对我的感觉和我对你的感觉是一样的。"他的眼柄在跳着舞,"我很乐意去你家拜访并见你的家人。"

我惊奇地发现我的眼睛竟然有点湿润。"谢谢。"我说,"太谢谢你了。"我停了一会儿,"当然,如果你愿意的话,我也可以让他们来这儿。你可以不必去我的家。"

"不。"霍勒斯说,"我想去你家。你家有你的妻子苏珊,对吗?"他听到过我和她之间通了几回电话。

"是的,还有我的儿子里奇。"我把桌子上的小镜框转了个方向,让霍勒斯可以看到。

眼柄聚焦到了镜框上。"他的脸看上去跟你的不大像。"

"他是被领养的。"我说,耸了一下肩,"他不是我亲生的。"

"哦。"外星人说,"我想见他们两个。你认为今天晚上太仓促吗?"

我笑了。里奇非高兴死不可。"今晚再合适不过了。"我说。

第十六章

库特·弗西疑惑地看着J.D.艾维尔。"你是什么意思？我们要对付的已经死了？"

艾维尔仍旧坐在汽车旅馆的床边。"他们在多伦多有个博物馆，里面展出了一些特殊的化石。米列特牧师说它们是个谎言，是对上帝的亵渎。他们还要让那个大蜘蛛外星人看这些化石。"

"嗯？"

"这个世界是上帝按照他的意愿创造出来的。那些化石不是假的就是魔鬼做出来的。五只眼的怪物！长满了刺的怪物！你从来就没见过这些玩意儿，但他们对外星人说那些都是真的。"

"所有的化石都是假的。"弗西说，"上帝创造它们是为了考验那些软蛋。"

"你我都知道得很清楚。那些无神论者在学校里向孩子们讲授化石就够糟的了，但现在他们还要把它们给外星人看，妄想使外星人认为我们相信进化论谎言。外星人正在被洗脑，他们会认为我们人类不信仰上帝。我们必须做些什么来告诉他们，那些没有上帝的科学家并不代表我们大多数。"

"所以……"弗西说，示意艾维尔继续。

"所以，米列特牧师要我们把那些化石毁掉。他把它们叫作伪造页岩。它们在这儿被陈列在一个特别展里，随后会移到华盛顿。那种事是不会发生的，我们要在这儿彻底毁灭假页岩。那样的话，那些外星人就会知道我们根本不在乎什么化石。"

"我可不想有人受到伤害。"弗西说。

"没人会受伤。"

"外星人呢？他们中有一个不是经常待在博物馆吗？如果我们弄伤了他，我们会有大麻烦的。"

"你没看报纸吗？他不是真的在那儿，那只是个投影。"

"但那些去博物馆的人呢？他们可能只是被误导了，才去看那些化石，他们不像那些邪恶的堕胎医生。"

"不用担心。"艾维尔说，"我们在星期天晚上动手，博物馆已经关门了。"

我打电话给苏珊和里奇，告诉他们准备招待一位非常特殊的客人。只要提前三个小时通知，苏珊就能创造出些小奇迹来。我在我的一篇学术论文上花了点时间，随后离开博物馆。我戴上了软檐帽和太阳镜，为从工作人员出口到地铁站的短暂旅程做些小小的伪装。大部分UFO疯子仍旧集中在博物馆大门的附近，离我的路线有一段距离。到目前为止，他们中还没人能在中途截住我——而且我今晚出来时，他们似乎都已经回家了。总之，我下到地铁站，登上了银色的地铁。

当我们驶入顿达斯站时，一个长满拳曲的金色络腮胡的年轻人登上了地铁，看上去像是莱恩大学的学生。莱恩大学的校园就在顿达斯的北面。这位年轻人穿了件绿色的毛衣，毛衣上面写满了白色的字：

一个外星人在安大略皇家博物馆
还有一个魔鬼在女王公园

我笑了。省议会大厦就在女王公园。最近似乎所有人都对哈里斯省长不满。

终于到了位于爱丽舍的家中。我把妻子儿子全都召进起居室。在那儿我打开公文包，把全息投影仪放到茶几上，然后坐在沙发上。里奇攀附在我右边，苏珊坐在双人椅的扶手上。我看了一眼录像机上的蓝色时间显示屏。已经是晚上七点五十九分了。霍勒斯答应在八点时出现。

我们等着，里奇在一旁坐立不安。投影仪在开启时总会发出一个双声调的哔哔声，但到现在为止，它一直静悄悄的。

八点。

八点零一分。

八点零二分。

我知道录像机上的时间是准的。我们有一个索尼的小装置，可以从有线电视台捕获时间信号。我把手伸向茶几，稍稍调整了一下投影仪的位置，似乎这么做可以有什么用处。

八点零三分。

八点零四分。

"嗯，"苏珊好像是对着整间屋子说话，"我得去做色拉了。"

里奇和我继续等着。

已经八点十分了。里奇说："骗人！"

"对不起，小家伙。"我说，"可能他有些别的事。"我不敢相信霍勒斯竟然让我失望。很多事是可以原谅的,但让一个男人在他儿子面前出丑却不行。

"在晚饭前我可以看会儿电视吗?"里奇问。

我们通常每晚只让里奇看一个小时的电视,今天他已经看了一个小时了。但我不能再让他失望了。"当然。"我说。

里奇站了起来。我深深地叹了口气。

他说过我们是朋友。

唉,不管那么多了吧。我站了起来,拿起投影仪在手里掂了掂分量,随后把它放进了我的公文包里。然后——

从后门那儿传来一阵声音。我关上公文包,走过去看个究竟。我们的后门外有一块木头平台,是我的小舅子泰德和我在五年前的夏天造的。我拉开玻璃平拉门上的百叶窗帘——是霍勒斯站在平台上。

我打开平拉门底部的锁闩,拉开门。"霍勒斯!"我叫道。

苏珊在我身后出现了,她好奇我在干什么。我转过身去看她。虽然她经常在电视上看到霍勒斯和其他弗林纳人,但现在她还是目瞪口呆地站在那儿。

"请进,"我说,"请进。"

霍勒斯设法挤进门廊,尽管这儿对于他来说太过狭窄。他已经为晚餐换了衣服。现在他缠的是一条深红色的布,布的两头被一块水晶薄片系在一起。"你为什么不在里面出现?"我问,"为什么投影到外面?"

霍勒斯的眼柄挥动着。他现在看上去和往常稍稍有些不同。可能是卤素吊灯光线的原因吧。我已经习惯于在博物馆的荧光灯下观察他了。

"你邀请我到你家。"他说。

"是的,但——"

突然,我感到他的手放在我的手臂上。我以前也碰过他,感觉过投影仪生成的力场中的静电。但这次不一样。他的肉体是实在的,温暖的。

"所以我就来了。"他说,"但——我很抱歉。我已经在外头待了一刻钟了,搞不清楚怎样才能让你知道我已经来了。我听说过门铃,但我找不到按钮。"

"后门没有门铃。"我说,我的眼睛瞪得很大,"你来了,是你的肉身。"

"是的。"

"但——"我朝他身后瞥了一眼。后院中有个大家伙。天越来越黑了,我看不清那是个什么东西。

"我研究你们的星球已经有一年了。"霍勒斯说,"你应该知道我们有办法来到地球表面却不引起任何不必要的注意。"他停顿了一下,"你邀请我来吃晚餐,不是吗? 我可不能通过投影来享受美食。"

我太惊喜了。我转过去看苏珊,随后意识到我忘了介绍她。"霍勒斯,这是我太太,苏珊·杰瑞克。"

"你""好。"弗林纳人说。

苏珊被惊呆了,几秒钟内没能说话。然后她说:"你好。"

"谢谢你允许我到你家拜访。"霍勒斯说。

苏珊笑了,随后指着我说:"如果我能更早得到通知的话,我可以将这地方彻底打扫一下。"

"已经够干净的了。"霍勒斯说。他的眼柄旋转着,打量着屋里的各个角落。"看来你们在家居布置上花了不少心思,每一件家具都显得非常协调。"苏珊通常受不了蜘蛛,但这个大家伙显然已经博得了她的好感。

在吊灯明亮的灯光下，我看到他每条腿的两个关节的泡状皮肤上镶嵌着一些钻石般的小纽扣。他手上的三个关节处也有，每个眼柄上也有。"那是珠宝吗？"我说，"如果我知道你对这感兴趣，我应该带你参观一下博物馆的宝石收藏。我们有一些非常珍贵的钻石、红宝石和猫眼。"

"什么？"霍勒斯说。随后他意识到了，眼柄又做着S形运动。"不，不，不。这些水晶是为了虚拟现实而安的。有了它们就可以使全息投影模仿我的运动了。"

"哦。"我说。我转过身叫着里奇的名字。我儿子从地下室顺着楼梯蹦蹦跳跳上来了。他以为我叫他吃晚饭呢，所以直接跑向饭厅。但随后他看见了霍勒斯，还有我和苏珊。他的眼睛瞪大到我从未见过的程度。他向我走来，我抱住他的肩膀。

"霍勒斯，"我说，"见见我的儿子里奇。"

"你""好。"霍勒斯说。

我向我的儿子望去，"里奇，你该说什么？"

里奇的眼睛还是跟刚看见外星人时那么大。"酷！"

没想到霍勒斯会亲自来我家吃晚饭。我们的餐桌是长方形的，中间那一段可以抽掉。桌子本身是由深色木头做的，但上面盖了一张白色桌布。屋子里留给弗林纳人活动的空间不大。我让苏珊帮我移开餐具柜，多腾出些地方。

我意识到我从未见过霍勒斯坐下。他的幻影当然不需要，但我认为真的他如果能有东西撑着的话，可能会舒服点。"我能做些什么让你更放松吗？"我问。

霍勒斯朝四周看了看。他看中了起居室中放在双人椅前的软面圆凳。"我能用那个吗?"他说,"那个没有扶手没有靠背的凳子?"

"当然。"

霍勒斯走向起居室。由于有个六岁的孩子,在屋子里我们没有放置易碎的东西。现在看来这是件好事。霍勒斯一路上撞到了茶几和沙发。对于他这种体形来说,我们的家具之间的间隔显然不够。他带回圆凳,放在桌边,踩了上去。这样他的躯干就位于圆凳的正上方。随后他俯下身,把躯干放在凳子上。"好了。"他说,听上去很满意。

苏珊看上去很不好意思。"我很抱歉,霍勒斯。我没想到你会真的亲自到我家。我不知道你是否能吃我做的东西。"

"你做了什么?"

"一个色拉——生菜、小番茄、芹菜丝、胡萝卜片、碎面包块,还有色拉酱。"

"我能吃那个。"

"还有羊排。"

"熟的?"

苏珊笑了,"是的。"

"那我也能吃,如果你能给我大约一升室温状态的水来下菜的话。"

"没问题。"她说。

"我去拿。"我说。我到厨房接了一罐子自来水。

"我还为汤姆和里奇做了奶昔。"

"它是牛乳房的分泌物吗?"

"是的。"

"如果可以的话,我不会分享。"

我笑了。

里奇、苏珊和我在桌边坐定。苏珊端起色拉递给我。我用公用叉子往我盘子里叉了一点,又往里奇的盘子里拨了点。最后我给霍勒斯拨了点。

"我带来了自己的餐具,"霍勒斯说,"希望没有冒犯你们。"

"一点也不。"我说。甚至在我去过中国以后,我仍旧是那些在中餐馆用刀叉的人之一。霍勒斯从躯干上围着的布的折叠处拿出两个螺丝刀一样的器具。

"你们在餐前祈祷吗?"霍勒斯问。

他的问题使我有些吃惊。"一般不。"

"我在电视上看到过。"

"有些家庭会这么做。"我说。那些家庭有值得感谢的东西。

霍勒斯用他的一把螺丝刀扎了些生菜,然后将它输送到他圆形身体上部的口中。我以前见过他做吃的动作,却从未见过他真的进食。这个过程声音很大,他的牙齿工作时发出噼里啪啦的声音。我猜想他使用幻影时只传送了管说话的嘴发出的声音。我推测那就是为什么我从来没有听到过现在的声音。

"色拉怎么样?"我问。

霍勒斯继续往管进食的嘴里送色拉。我猜弗林纳人决不会在吃饭时被噎死。"挺好的,谢谢。"他说。

里奇开口了。"你为什么像那样说话?"他问。我儿子模仿霍勒斯用左右嘴交替说话的样子,"挺""好""的""谢""谢"。

"里奇!"苏珊说,为儿子的不礼貌感到有点尴尬。

霍勒斯却似乎一点也不在意这个问题。"人类和我们的人之间的一点共通之处就是分隔的大脑。"他说,"你们有左右半球,我们也是。我们认为意识就是两个半球相互影响的结果。我相信人类也有类似理论。一旦我们由于受伤而切断了半球之间的联系，使得它们只能独立工作，那么整句话就会由一张嘴说出，那时就只能表达一些简单的想法了。"

"哦。"里奇说，随后又吃起了色拉。

"很奇妙。"我说。在两个部分自治的脑半球之间协调语言一定非常费劲。可能那就是为什么霍勒斯在交谈中无法使用缩写简称的原因。"我在想，如果我们有两张嘴，人类是否同样会在它们之间交替说出单词或音节。"

"你们好像比我们弗林纳人较少依赖左右综合。"霍勒斯说，"我知道在左右半球被切断联系后，你们人类仍然可以行走。"

"我想是的。"

"我们不行。"霍勒斯说，"每个半球都控制着相应一侧的三条腿。我们所有的腿必须同时工作，否则就会摔倒，然后——"

"我爸爸很快就要死了。"里奇盯着盘子里的色拉说。

我的心猛地跳了一下。苏珊看上去很震惊。

霍勒斯放下了他的吃饭家伙。"是的，他告诉过我。对此我很抱歉。"

"你能帮他吗？"里奇看着外星人问道。

"对不起，"霍勒斯说，"我什么也帮不了。"

"但你是从太空来的。"里奇说。

霍勒斯的眼柄停止了运动。"是的。"

"所以你应该懂很多东西。"

"我知道一些东西。"他说，"但我不知道怎么治愈癌症。我自己的母亲就死于癌症。"

里奇同情地看着外星人。他仿佛要说些什么来安慰外星人，但很明显他不知道该说什么。

苏珊站了起来，从厨房中拿出了羊排和薄荷果冻。

我们在沉默中继续进餐。

我意识到了眼前这个不太可能再次出现的机会。

霍勒斯的肉身就在这儿。

晚餐后，我邀请他进了书房。下台阶时他遇到点麻烦，但他还是成功了。

我走向一个带有两个抽屉的小书柜，抽出两沓纸。"对于人类来说，这很平常。写下一份叫作遗嘱的文件来指示如何在一个人死后分配其财产。"我说，"很自然，我会把几乎所有的东西留给苏珊和里奇，但我也会给慈善机构留些遗赠：加拿大癌症组织，安大略皇家博物馆，还有一些其他组织。有些东西会留给我的弟弟，他的孩子，以及一两个其他亲戚。"

我停了一会儿。"我——我一直在考虑修改我的遗嘱，留给你一些东西，霍勒斯。但——怎么说呢？听上去有点毫无意义。我是说我死后你不太可能再逗留在这儿了，而且——而且通常你也不在这儿。但今晚……"

"今晚，"霍勒斯表示同意，"是真的我。"

我递出那几沓纸。"或许还是这样最简单，我现在就把这东西给你。这是我的书《加拿大恐龙》的打字稿。现在人们都用计算机写作，但它是在手工打字机上敲出来的。没有什么价值，里面的内容也早已过时了，但它是我对恐龙的科普工作做出的贡献。不管怎样，我想让你拥有它——一个古生物学家给另一个古生物学家的礼物。"我耸了耸肩，"一些能记住我的东西。"

外星人接过纸。他的眼柄忽内忽外运动着。"你的家人不需要它吗？"

"他们有几本成书。"

他揭开一小段缠着他躯干的布，现出一个大口袋。手稿放进去后还有多余的空间。"谢谢。"他说。

我们都陷入了沉默。最后，我说："不，霍勒斯——谢谢你，为所有的事。"随后我伸出手拍了拍这位外星人的手臂。

第十七章

我坐在起居室里。夜深了。霍勒斯已经回到他的飞船。我刚刚服下两粒止痛片，等着它们发挥作用以后上床睡觉。有反胃的感觉，服药成了一件难事。

有可能，我想着，弗林纳人是对的。或许根本就没有我能接受的正在冒烟的枪。他说它到处都是，就在我的眼前。

"没人比那些不愿意看的人更瞎。"它是我最喜欢的宗教警言之一。

但我不瞎，该死。我有一双挑剔的眼，一双怀疑的眼，一双科学家的眼。

令我震惊的是在多个世界上的生物都使用相同的基因编码。弗雷德·霍伊曾经说过，地球上的生命是由飘浮在宇宙中的细菌生物种下的——其他星球上大概也是如此。如果霍勒斯去过的星球上的生物都由同一个源头种下的话，基因密码当然是一样的。即使霍伊的理论不正确——它确实不是个令人满意的理论，因为它只是把生命的起源推向一个我们无法检查的别处——那也应该存在着其他理由，说明为什么生命只使用二十种氨基酸。

就像霍勒斯和我曾经谈论过的,DNA用四个字母A、C、G、T表示腺嘌呤、胞核嘧啶、鸟嘌呤和胸腺嘧啶,这四个碱基形成了双螺旋形中的横挡。

一个有四个字母的字母表。但是基因语言中的单词有多长呢?这种语言的功用是为了标明氨基酸的序列。氨基酸是蛋白质的构成物质,而且如我所说,生命只使用了二十种氨基酸。你不可能只用一个字母长的单词去确定二十种氨基酸中的每一个:一个四字母的字母表只能确定四个单字母的词汇。你也不可能通过两个字母的单词来完成。在四字母的世界中,你最多只能拥有十六个双字母单词。但如果你使用三字母单词,那么你就拥有令别人汗颜的财富,一个庞大的六十四词生物化学词汇表。将其中的二十个用以表明氨基酸,再用其余的两个表达标点符号——一个标示氨基酸序列的开始,另一个标示结束。上述事实表明,只使用六十四个可能的单词中的二十二个就可以满足DNA的需要了。如果上帝设计了基因编码,他一定会看着多余的词汇,思考如何处理才好。

我觉得这位上帝或许会考虑两种可能性。一种是根本不给剩余的单词下定义,就像现实生活中有些随意的字母组合序列不是有效的单词一样。如果是这样的话,当DNA串中的某个序列坏了,你就能发觉在复制过程中出现了一个错误——一个基因打字错误,例如将有效的A-T-A编码变成了A-T-C乱码。这是个明显、有效的信号,告诉人们错误发生了。

另外一个解释是,上帝承认复制过程中会出现错误,但通过加入同义词的做法可以减轻错误的影响。你可以用三个词而不是一个来代表同一个氨基酸。这么做可以用掉六十四个词中的六十个。你还可以用两个词代表开始,另两个代表结束,将DNA

字典中可能的组合全部用光。如果你的同义词的编组有一定的逻辑性,那么你就可以在一定程度上防止复制错误:例如,如果A-G-A、A-G-C 和 A-G-G 都代表同一种意思,即使你只能清楚地读到前两个字母,你仍然有很大的概率知道这个词的意义,尽管你不清楚第三个字母是什么。

事实上,DNA 的确使用同义词。如果每个氨基酸都由三个同义词来代表,你可能会看着编码说,是的,一定有人设计了这个东西。但现实生活中,两种氨基酸——亮氨酸和丝氨酸——都是由六个同义词标明的。其他的分别由四个、三个、两个甚至一个标明:可怜的色氨酸只由一个词 T-G-G 来代表。

同时,A-T-G 编码既表示蛋氨酸(而且没有其他的编码能代表它),又可根据上下文的意思,表达"开始"(它也没有其他的编码)。为什么在地球上——或是其他地方—— 一个智慧的设计者会做出这么一个大杂烩来呢? 为什么在有充裕的词汇可用于避免出现歧义的条件下,还要用上下文来确定一个词的意思呢?

基因编码中的变异又是怎么回事? 就像我告诉霍勒斯的,线粒体中的 DNA 用的编码与细胞核中的 DNA 用的不同。

在 1982 年,林恩·马固利斯曾经提出,线粒体——负责产生能量的细胞器官——是由别的细菌发展而来的。它们与我们体内其他细胞的祖先是一种共生关系,最终这些细菌与我们的细胞融合在一起,成为我们的一部分。或许……上帝,我已经很久没有接触真正的生物化学了……或许线粒体和细胞核的基因编码在刚开始时是完全一致的,但等到共生开始,进化保留了一些线粒体基因编码上的变异。由于在同一个细胞中存在着两套DNA,或许这些变化就被用来区分这两种 DNA,以防止意外混合。

我没有对霍勒斯说过，原生动物使用的基因编码也有些微小的差别——如果我没记错的话，有三个编码在它们身上有不同的意思。但……我无法确定。有些人说纤毛——这些无法再生的细胞器官的死亡导致了我的癌症——也是由别的有机体发展而来的。基因编码不同的原生动物可能是一些与人类细胞的祖先共生过的纤毛的后代。它们，面临与线粒体相同的原因，也发展了基因编码变异。不过后来，与我们体内的纤毛不同，原生动物脱离了共生关系，又回复成了独立的生命系统。

不管如何，这是有可能的。

当我还是个孩子时，我们与一个叫兰斯贝利太太的女人共享一座后院的篱笆。她十分虔诚——一个"神圣太太"，我的父亲给她起的绰号——总想说服我的父母让她在星期天带我去教堂。当然我从未去过，但我却记住了她最喜欢的说法：主的行为是神秘莫测的。

或许是吧。但我实在难以相信他会以一种杂乱无章的方式工作。

但是——

但是关于吕特人的语言霍勒斯说过什么呢？它也取决于上下文，在同义词的用法上也有特殊性。或许我只是未能体会到基因编码的优雅之处。或许卡纳和他的同伴们发现它完全合理，优雅到了极点。

或许吧。

突然间消息就传出了。

我没有对任何人说起过马莱卡斯的任务——至少是部分任务——是为了寻找上帝。我也非常确定布隆迪的大猩猩在这个问题上也保持了沉默。但刹那间，所有人都知道了。

北约克中心地铁站的入口处有一排阅报栏。《多伦多星报》在今天的头版头条写着，"外星人有上帝存在的证据。"《环球邮报》的头条声称，"外星人说上帝是个科学事实。"《国家邮报》宣布，"宇宙有一个创世主。"多伦多《太阳报》则用四个几乎占了整个版面的大字宣告，"上帝存在！"

通常我会买一份《太阳报》在去上班的路上泛读一遍，但要想深度了解整个故事，最好的是一份叫作《拖把和桶》的报纸。我在灰色的盒子里投了些硬币，拿了一份。在清新的四月空气里，我站在那儿，读着报纸折叠上半部分的每个字。

一个在布鲁塞尔的印度女人问了萨尔班达——弗林纳人的发言人，定期与媒体会面—— 一个简单而又直接的问题："你相信上帝吗？"

他回答了，非常详细。

随后，媒体迅速采访了地球上所有的宇宙学家，包括斯蒂芬·霍金和阿兰·古斯，以证实弗林纳人说的是否有道理。

宗教领导人也纷纷抢占各自的位置。梵蒂冈——在历史上的科学争论中总是站错方向——还没有发表意见，只是说教皇很快将就此问题发表讲话。伊朗的维拉亚特公开指责外星人的说法。帕特·罗布逊号召给他的机构更多的捐款以便他能研究这一说法。加拿大教堂联合会拥护这个发现，声称科学和宗教确实能够结合在一起。一个印度教的领导——我注意到他的名字在同一篇文章里有两种不同的拼法——宣称外星人的说法和印度教的信仰完全兼容。同时，安大略皇家博物馆的琼斯指出，没有必要在弗林纳人的话中寻找任何神秘或是超自然的东西。

我到达博物馆时，UFO疯子的队伍里已经加入了几个不同的宗教组织——有些人披着袍子,有些举着蜡烛,有些在喊着口号,还有些跪在地上祈祷。那儿还站着几个警察,为了保证博物馆的工作人员——包括我和其他人在内——可以安全地进入博物馆。一旦博物馆对公众开门后,他们的职责也会扩展到游客身上。

激光打印的小传单散落在便道上。一张画着霍勒斯或其他弗林纳人的传单吸引了我的目光。那上面的弗林纳人的眼柄被夸张成了魔鬼的双角。

我进入博物馆,来到我的办公室。过了一会儿霍勒斯忽闪着出现了。"我一直在想那些炸了堕胎诊所的人。"他说,"你说他们是原教旨主义者。"

"是的,有人这么怀疑。他们还没被抓住。"

"没有冒烟的枪。"霍勒斯说。

我笑了。"就是这么回事。"

"但如果他们确实是你所怀疑的那种人,炸掉诊所和他们的信仰之间有什么关联吗?"

"炸掉一个诊所是表示一种道德上的抗议。"

"继续。"霍勒斯说。

"在地球上,上帝的概念是和道德紧密联系在一起的。"

霍勒斯倾听着。"事实上,我们的三大宗教都有类似的十大戒律,它们被说成是上帝传下来的。"

苏珊曾经笑话我只知道《圣经》中的一段:

警惕人面兽心的男人,因为他是魔鬼的产物。上帝的灵长类中的唯一,他为消遣、性欲或是贪念而杀生。是的,他会为抢夺兄弟的土地而杀死他的兄弟。不要让他大量繁殖,因为他会使他的和你的家园变成沙漠。远离他。把他驱逐进他森林的老窝，因为他是死亡的先兆。

　　这是在电影《人猿星球》的结尾处科尼利厄斯读给泰勒听的。非常有力的话语，我总是尽力用它约束自己。苏珊的嘲弄没有道理。当我还是多伦多大学的学生时，我偶尔会旁听优秀的文学教师诺斯鲁普·弗莱尔的课。我还听过马歇尔·麦克卢汉和罗伯逊·戴维斯的课，他们是多伦多大学中享有国际盛誉的人文学科三剑客中的另两位。他们时不时冒出的惊人之语有很大的冲击性。弗莱尔主张如果你不知道《圣经》，你就不可能欣赏英语文学。或许他是对的。我曾经读了一半《旧约》，并粗看过我在校园书店买的金·詹姆士彩色版的《耶稣说过的话》。

　　但是，基本上，苏珊的说法是对的。我并不十分了解《圣经》，对于《古兰经》和其他经书更是一无所知。

　　"十诫又是什么呢？"霍勒斯问。

　　"嗯，不能杀生，不能通奸，不能……嗯，好像还有一条和驴有关。"

　　"我明白了。"霍勒斯说，"但就我们所知，创世主从未与任何人有过直接的联系。连吕特人——你知道，他们花费生命的一半时间与上帝联系——都不能成功。我不知道这种戒律怎么能被传给任何一种生命形式。"

　　"嗯，如果我没记错电影情节的话，是上帝用一只冒火的手指在石板上刻下的。"

　　"竟然有一部有关这件事的电影？这不就是冒烟的枪吗？"

　　我笑了。"电影是一部戏，一个故事罢了。十诫应该是在几千年前被传下来的，但这个电影在半个世纪前才拍的。"

"噢。"

"尽管如此,仍然有很多人相信他们在与上帝直接或间接地对话。他们认为他能听见他们的祈祷。"

"他们一定产生了幻觉。"霍勒斯说,他的眼柄停住了。"请原谅,"他说,"我知道你快死了。你现在祈祷吗?"

"不,但我的妻子苏珊这么做。"

"她的祈祷没有回应吗?"

"没有,"我轻声说,"到现在还没有。"

"你们人类怎么解释为什么绝大多数祈祷都没有回应呢?"

我耸了一下肩。"我们会说'每件事都是有原因的'。"

"哈,吕特人的哲学。"霍勒斯说。

"我的儿子问我是不是干了坏事——如果干了那就是我得癌症的原因。"

"你干了什么?"

"我从不吸烟,但我想我的饮食应该更健康些。"

"但你做过什么道德上的坏事吗?那些你提到过的十大戒律,你违反过任何一条吗?"

"实话对你说,我甚至都不能说全十条戒律。但我不认为我干过什么可怕的事。我从来没有杀过人;我也没欺骗过我的妻子;我从未偷过东西——至少成年后没有。我从来没有——"对过去三十年的回忆充斥着我的脑海。"另外,我不相信一个人道的上帝会如此惩罚一个人,无论他干了什么,都不应让他去体验我现在所经历的痛苦。"

"一个人道的上帝,"霍勒斯重复道,"我还听到过类似的说法,'仁慈的上帝','有同情心的上帝'。"他的眼柄固定在我身上。"我认为你们人类给创世主加的形容词太多了。"

"但你说过上帝对我们是有意图的。"我说。

"我相信创世主创造了一个有生命的宇宙是有其原因的,而且,他肯定也有理由说明为什么多个世界上的科学会几乎同步发展。但毫无疑问这位创世主对于单个生命毫无兴趣。"

"那是你们的人普遍赞同的观点吗?"我问。

"是的。"

"那么弗林纳人的道德源泉又是什么呢?你们怎么能分辨正确与错误呢?"

霍勒斯沉默了,他可能在寻找答案,也有可能他根本不想回答。终于,他说:"我的种族有一个非常暴力的过去,和你们的差不多。我们拥有最野蛮的武艺——事实上,我们不需要武器就可以轻易杀死我们的同类。正确的事就是那些能中止暴力的事,错误的事就是那些能引发暴力的事。"他转换了重心,重新安排六条腿。"我们已经三代没有战争了。我们拥有毁灭我们整个世界的能力,因此没有战争是件天大的好事。"

"我怀疑暴力是不是所有智慧生物天生的。"我说,"进化是由争夺控制权推动的。我曾听说过这样的说法,草食动物不可能发展智慧,嗅嗅树叶不需要多高智商。"

"这确实是一种奇怪的动态平衡。"霍勒斯说,"智慧需要暴力,智慧又赋予了消灭整个种族的能力。只有通过智慧才能压制曾经发展了智慧的暴力。"

"我们称这种情形为第二十二条军规。"我说,"或许我们提出仁慈的上帝这种说法来培养自我保护的本能。任何没有道德的种族,那些不能压制暴力来取悦上帝的种族,在它们的科技足够发达时,是注定要自我毁灭的。"

"一个有趣的想法。"霍勒斯说,"信仰上帝成了一个生存优势。进化会做出相应的选择。"

"你的种族仍然担心自我毁灭吗？"我问。

霍勒斯上下跳动着，但我认为那是个表示否定而不是肯定的姿态。"我们有一个全球联合政府，对不同种族也有很大的包容性。我们解决了饥饿和短缺。没有什么理由能使得我们再次陷入内斗。"

"我希望我能给予我的世界相同的评价。"我说，"既然这个星球幸运到了产生生命的地步，看到它毁于愚昧是可耻的。"

"生命不是在这儿产生的。"霍勒斯说。

"什么？"我完全摸不着头脑。

"我不相信在地球的过去曾经有过诞生生命的事件。我不相信生命是从这儿开始的。"

"你是说它是从宇宙深处飘过来的？弗雷德·霍伊的生源假说？"

"有可能。但我怀疑它更有可能是在本地星空中产生的，在Sol-IV上。"

"Sol——你是说火星？"

"是的。"

"它是怎么从那儿到这儿来的呢？"

"流星。"我皱起了眉。"多年来我们确实发现了一些来自火星的陨石，有人称在它们上面发现了生物化石。但经调查后证实那些说法都是无中生有。"

"只要能发现一个上面有的就行了。"

"我想是吧。但为什么你不认为生命是地球上土生土长的呢？"

"你说过你认为生命可能四十亿年前就在这个世界上出现

了。但在那个时候,这个星球上经常发生的都是些能使物种灭绝的事,例如大个的小行星和流星不断撞击。在那个时期要想保持适于生命的环境是极不可能的事。"

"那么,火星并不比地球老,当时它也处于轰炸之下。"

"是的,毫无疑问。"霍勒斯说,"但是虽然火星在过去也有水——今天它的表面是非常神奇的,流水侵袭的痕迹非常明显——它从未有过像地球上那些又大又深的海洋。如果一颗流星撞在陆地上,撞击产生的热量可能会保持几个月。但如果它撞入水中,那时候地球表面大部分都是水,热量就会被储存起来,并将星球的温度持续提高几十年或几百年。火星可能比地球早五亿年存在着一个稳定的适合生命的环境。"

"其中的一些后来通过流星被带到了这儿?"

"完全正确。火星上那些被流星撞击出来的物质中,大约有三十六分之一会最终被地球吸收。很多微生物都可以在冰点以下存活。这个理论很好地解释了为什么这里最古老的石头上都记录着生命,虽然那时的环境太暴烈,不可能在本地产生生命。"

"嗬,"我说,随后意识到我的答复太简短了,"我能想象有一颗带着生命的流星最后到了这儿。毕竟,这个星球上的所有生物都有一个共同的祖先。"

霍勒斯看上去很是惊讶。"这个星球上的所有生物都有一个共同的祖先?"

"当然。"

"你怎么知道?"

"我们比较了不同生命形式之间的基因物质,通过检测它们之间的分歧之处,我们可以分辨在多久以前它们有共同的祖先。举个例子,你看到过老乔治,那个在热带雨林展中的大猩猩填充模型?"

"是的。"

"我们人类和大猩猩之间的差别只有1.4%。"

"如果你能原谅我这么说的话,填充这么近的一位亲戚不是件好事。"

"我们不再那么干了。"我说,"那个是在八十年前被填充的。"我决定不和他说起在美国自然博物馆曾经展出过的澳大利亚土著人的填充模型。"事实上,正是基因研究才使得大猩猩获得了现在的地位。"

"基因研究表明地球上的生物有一个共同的祖先?"

"是这样。"

"难以置信。我们相信在长蛇星座第二和孔雀星座第四上发生过多次生命产生事件。举例来说,我们的星球上在开始的三千万年中有过六次。"他停顿了一会儿,"你们的生物分级系统中最高的一级是什么?"

"界,"我说,"我们一般把生物分成五个界:原核生物界、原生生物界、菌物界、植物界和动物界。"

"所有动物都被归为一类? 所有的植物也是?"

"是的。"

"真是奇妙。"他圆形的躯干上下跳动着,"在我们的世界上,我们在此之上还有一级,由六个——'域'可能是最为准确的译法了——六个域代表六次生命产生,分隔开每次产生的动物和植物。举例来说,我们的五足类和八足类其实完全没有联系。进化枝研究表明我们没有共同的祖先。"

"真的吗? 那你们应该可以用我说过的DNA方法去确定同域成员之间的关系。"

"不同的域经过无数代以后相互之间会混合。"霍勒斯说，"我这一族的染色体含有所有六个域的基因物质。"

"那怎么可能呢?"我说，"你曾经也说过,不同的物种——即使来自同一域——之间能够杂交产生后代的想法是荒谬的。"

"我们相信在这么长的时间内,病毒对于在不同域之间传送基因物质起了实质性的作用。"

我思考了一会儿他的说法。有人说过在地球上,病毒转给生物的物质占了垃圾基因的很大部分。90%的人类染色体不负责合成蛋白质。而且现在,已经有基因工程师希望将牛的基因转到土豆中去。

"所有六个域都是以基因为基础的吗?"我问。

"我说过,我们发现的所有复杂的生命形式都是以基因为基础的。"霍勒斯说,"但由于在整个历史中,DNA跨越了不同的域,你建议的比较研究在我们那儿没有多大用处。从身体形态上来看,关系显然很近的动物的基因表面上看来似乎具有极大区别,这是因为来自其他域的基因的入侵。"

"有意思。"我说。突然我冒出一个想法,非常疯狂的想法,我简直不能大声说出。如果,真像霍勒斯所说,DNA在所有的生命形式中被广泛使用,而且所有的基因编码在各处都相同,甚至不同域之间的生物都能相互结合各自的基因,那么为什么来自不同世界的生物不能干相同的事呢?

第十八章

还没到星期天晚上,但J.D.艾维尔和库特·弗西决定先看看博物馆,熟悉一下博物馆内部。

"进去要花九块钱!"弗西大声地嚷嚷着。他们已经穿过大厅来到收费处,他正好瞥见价目表。

"那只是加拿大元。"艾维尔说,"它一块钱只相当于半个美元。"他把手伸进口袋掏出钱包,从里面拿出两张俗气的紫色十元加拿大纸币。这是昨晚在"红龙虾"吃晚饭时他付了五十美元之后的找头。他把它们给了桌子后面的中年女人,她递给他一张收据,一个两块钱的加拿大硬币,两个长方形的塑料夹子上面写着"安大略皇家博物馆",在中间的"皇家"两字上还悬着个皇冠。艾维尔盯着它们。

"别在你的衬衣上,"那女人说,一副要帮忙的样子,"表示你们已经付过钱了。"

"噢。"艾维尔说,把其中一个递给弗西,将剩下的一个夹在衣服上。

那女人给了他们一本泛着光的小册子。"这是展室地图。"她说,"存衣处在那儿。"她指指她右面。

"非常感谢。"艾维尔说。

他们向前走去。一个肤色黝黑的男人，戴着蓝色保安帽，穿着白色衬衣，戴着红色领带，站在通向大厅的四级宽台阶的顶部。"'假'页岩在哪儿？"

保安笑了，仿佛艾维尔说了些好笑的东西。"在你们后面，入口就在存衣处旁边。"

艾维尔点了点头，但弗西还在继续往前走。就在前面，有两个巨大的楼梯，左右各一。从这儿可以清楚地看到楼梯直达三层，右面的楼梯还可以通到地下室。每个楼梯都环绕着一个巨大的深色木头图腾柱。弗西停在一根图腾柱旁边，向上张望着。这根柱子一直通向屋顶，顶端立着一只鹰的雕像。木头表面没有油漆，上面可以看到一根根长长的纵向裂纹。

"看看那个。"弗西说。

艾维尔瞥了一眼。异教徒的象征。"走吧。"他说。

两个人顺着大厅往回走。衣帽间的隔壁有一排敞开的玻璃门，门的上方有一块石刻，上面写着葛菲尔德·韦斯顿展览馆。在韦斯顿名字的两旁还装饰着小麦穗。在石刻上面是一面深蓝色的横幅，上面用白色的字母通告：

布尔吉斯页岩珍品
寒武纪大爆炸化石

沿着门框镌刻使这次展览成为可能的赞助公司的图案和名字，包括蒙特利尔银行、加拿大贝尔公司和多伦多《太阳报》。

弗西和艾维尔进了展厅。一幅描绘古代海底的壁画占据了一面墙，里面有各种样子奇怪的生物游来游去。沿着四周的墙壁和中间的隔墙摆放着一溜玻璃陈列柜。

"看。"艾维尔指着说。

弗西点了点头。陈列柜从墙的表面突出，下面都留有空间，炸弹可以放在那儿。问题是它有可能会被别人发现，如果不是被大人，也会被小孩子看到。

展厅里大概有几百个游客挤在一起观看化石和记录如何发现它们的影片。艾维尔从他的屁股口袋里掏出一本小本子，开始记笔记。他在展厅里转了一圈，数着陈列柜的个数——一共二十六个。同时，弗西注意到了展厅里有三个摄像头，两个是固定的，剩下的一个来来回回扫描着。它们会制造些麻烦，但并不是不可逾越的。

艾维尔不关心化石看起来是什么样子，但年轻的弗西挺想了解。他顺着次序仔细看了每个展柜。柜子里陈列着被有机玻璃外壳包裹着的灰色页岩片。这将是个麻烦问题。虽然页岩掉在地上以后会破裂，但它们还是挺坚固的。除非爆炸设计得非常合理，否则陈列柜有可能会破碎，但那些带有奇怪化石的页岩可能会逃脱爆炸。

"妈妈，"一个小男孩说，"那是些什么东西？"弗西顺着小孩指的方向看去。屋子深处有两个巨大的模型：一个长了很多条像高跷一样的腿，背上长满触角。另一个长着管子般的腿，背上是一丛丛刺。

小孩的母亲，一个二十来岁的漂亮女人，瞥了一眼说明板，随后向她的儿子解释道："亲爱的，听着，他们并不十分确定这个生物到底是什么，因为它的模样太奇怪了。过去他们甚至不知道它究竟是怎么站立的，所以他们就设了两个相互颠倒的模型在这儿。"

小孩子似乎对答案很满意,但弗西好不容易才压制住开口的欲望。这化石明显是个谎言,一种对信仰的考验。无论从哪个方向设置这个模型看上去都很奇怪,这一事实表明它从来就没有存在过。看到一个小孩被这把戏引入歧途,他觉得自己的心都碎了。

弗西和艾维尔在展馆中花了一个小时,他们对它已经相当熟悉了。每个展柜弗西都画了草图,这样他就能知道它们里面都装了些什么化石。艾维尔则注意到了警报系统——如果你刻意寻找的话,这些东西非常明显。

结束以后,他们出了博物馆。外面站着一大群人,很多人都别着纪念章,上面画的是传统的大头黑眼灰色皮肤的外星人。弗西和艾维尔进博物馆时他们就已经在这儿了,全是UFO疯子和宗教狂热分子,等着看一眼外星人和他的飞船。

弗西从街头小贩那儿买了一小包油油的爆米花。他吃了一点,将剩下的一粒一粒抛向无数只在便道上蹒跚的鸽子。

"嗯,"艾维尔说,"你怎么想的?"

弗西摇了摇头,"没地方藏炸弹,即使放了也不能保证炸掉那些石板。"

艾维尔不情愿地点了点头,仿佛他是被迫同意的。"这就是说我们不得不采取直接的手段。"

"恐怕是的。"弗西转了个身,面向博物馆正面壮观的石阶。宽大的台阶通向博物馆的玻璃大门和门上方的三扇彩色玻璃窗。

"咱们没能见到外星人真是太糟了。"弗西说。

艾维尔点头分担了弗西的失望。"外星人可能信仰上帝,但他们还没有找到耶稣。想象一下,如果我们能指引他们见到救世主……"

"那将是无上的光荣啊。"弗西说,他的眼睛都瞪大了,"绝对是无上的光荣。"

艾维尔拿出他们一直在用的城市地图。"好吧,"他说,"看起来如果我们往南乘四站地铁,就离他们拍摄《红与绿》的地方很近了。"他用手指弹弹地图上一块红色的正方形标志,标志里印着:加拿大广播公司演播中心。

弗西笑了,所有关于光荣的想法暂时被搁到一边。他们都爱看《红与绿》,发现它居然是在加拿大制作的还大吃了一惊。今晚是现场录制,门票是免费的。"咱们走吧。"他说。两人走向地铁入口的扶梯,从街面上消失了。

好吧,我得承认。在等死的过程中有一件好事:它能加强你的自省力。就像塞缪尔·约翰逊曾说的:"当一个人知道两星期后会被吊死,他的注意力将变得高度集中。"

我知道我为什么如此坚决地拒绝智慧设计的说法——为什么几乎所有进化论学者都会拒绝。我们已经和创造论者战斗了一个多世纪,那些相信地球是在公元前4004年的六个二十四小时内造出来的傻瓜们。他们认为化石,即使它们是真实存在的,也不过是诺亚洪水的遗留物。他们还认为上帝故意将宇宙创造成这个样子,使得我们误以为它很古老,而且巨大无比。

进化论发展中著名的事件包括托马斯·亨利·赫胥黎在进化大辩论中击败了主教"狡猾的山姆"威尔伯福斯。还有我学到过的克莱伦斯·达罗在学术争论中埋葬了威廉姆斯·钱宁斯·布莱恩。但他们的战斗只是个开始。不断有后人前来,在所谓的创造论的幌子下满嘴喷着垃圾,妄想将进化论赶出课堂。甚至在今天,在二十一世纪的开端,他们还极力要将原教旨主义对《圣经》的说明推向主流社会。

我们的仗一直打得很漂亮,斯蒂芬·杰·古德,理查德·陶金斯,甚至,在某种层面上说,也包括我——我没有那两位的演讲天分,但我也在安大略皇家博物馆和多伦多大学与创造论者争论。大约二十年前,博物馆的克利斯·麦克高文写了一本极妙的书叫作《世之初:一位科学家表明为什么创造论者是错的》。但我记得我的一位朋友——一个教授哲学的家伙——指出副标题有些傲慢:一个人就可以表明世界各地的创造论者都是傻子吗?不过话说回来,我们那种处于包围之中的感觉的确是可以被原谅的。甚至到了今天,美国的民意测验仍然表明只有不到20%的人相信进化论。

承认在某一时间点存在过某种智慧引导,这就好比打开了泄洪闸。我们斗争了这么长时间,斗争得这么艰苦,我们之中有些人甚至为此被投进监狱,要让我们承认可能的智慧引导就等于让我们打白旗。我们确信媒体会因此进行白热化的辩论,最终无知会支配高层,我们的孩子不但无法分辨,而且也学不到任何真正的科学了。

回顾起来,我们在当初应该更开放些,应该考虑到其他多种可能性。或许我们不应该这么快就为达尔文理论中的粗糙之处上光上色。但是,如果我们真的这么做了的话,代价或许会让我们无法承受。

弗林纳人不是创造论者,肯定不是——他们不过是一批科学家,接受大爆炸理论,并认为宇宙有个开端(爱因斯坦觉得这种想法和常识太格格不入了,于是他做出了他自认为这辈子最大的失误:调整他的相对论公式,以避免承认宇宙有个开端)。

但现在泄洪闸已经打开了。所有的人在所有的地方谈论创造、大爆炸、以前的宇宙循环、基本常数的形成以及智慧的设计。

对于进化论学者、生物化学家、宇宙学家和古生物学家的指责一浪高过一浪,说我们知道——或是至少有模糊概念——这一切都有可能是真的,还说我们故意压制它,拒收有关这个主题的论文,嘲讽那些在通俗杂志上发表类似观点的人。

要求采访我的电话如潮水般涌来,根据博物馆交换机的记录,几乎每三分钟就有一个。我告诉部门助理黛娜,除非教皇亲自来电,否则不要烦我。我是开玩笑的。但萨尔班达在布鲁塞尔披露真相后不到二十四小时,教皇的代表就给博物馆打了电话。

虽然我很想一头扎进公共辩论,但我实在没有多少时间可以浪费。

我弯着腰站在我的桌子前,翻着上面的一堆文件。东西很杂:AMNH组织需要的一份我曾写过的关于云南龙的报告;在这个星期结束前我要批准古生物学部门的预算;一个高中生的来信,告诉我他想成为一个古生物学家并要求我给他一些职业上的建议;黛娜的职工评议报告;一份去柏林做报告的邀请;我给丹尼洛娃和塔玛萨基的书写的引言;我答应修改的两份JVP的手稿;两份我们需要的树脂;一个要求修理恐龙馆中照明设施的通知单;一本我自己的书,要求我在上面签名;七封——不,八封未答复的信;我自己的上季度报销单还没有填;部门的长途电话单,上面那些没人承认打过的电话用黄色标了出来。

事太多了。我坐下来,转向我的计算机,双击E-mail图标。七十三封新邮件等在那儿。上帝,那么多邮件我连看的时间都没有。

就在这时,黛娜从办公室门边探出头来。"汤姆,那些休假报告你批了吗?"

"还没有,"我说,"我会批的。"

"请尽快。"她说。

"我说了我会批的。"

她看上去被吓着了。我以前大概从来没对她咆哮过。但没等我道歉,她就消失进走廊了。

或许我应该把自己的管理任务分配给下属,但是,怎么说呢,如果我不再是部门的头,我的继任者会夺取充当霍勒斯向导的权利。而且我不能留下一堆烂摊子。必须尽可能处理好所有的事,直到……

直到……

我叹了口气,又把目光投向桌子上的那堆东西。

时间不够啊,该死。时间就是不够啊。

第十九章

很多雇员都不清楚他们的老板能挣多少钱，但我对于克里斯蒂的收入却能精确到分。安大略的法律规定所有年收入超过十万加拿大元的公务员公开他们的薪水。博物馆里只有四个工作人员的收入达到了上述分界线。克里斯蒂去年挣了179 952元，再加上18 168元的税前奖金。她的办公室很好地反映了她的收入。尽管我不满意她经营博物馆的方法，我也能理解那样一个办公室是必要的。在那儿，她必须博得潜在捐款人的欢心，还有那些一时兴起就可以增加或减少博物馆预算的政界要人。

我当时正坐在我的办公室里，等着止痛片发挥药效。一个电话打了进来说克里斯蒂要见我。走路可以帮助发挥药效，所以我不介意走一趟。

英迪拉让我进了内部办公室。"你好，克里斯蒂。"我说，"你想见我？"

克里斯蒂正在网络上搜寻着什么。她伸出一只手示意我耐心等会儿。办公室的墙上挂着漂亮的织物。桌子后有一套盔甲。自从我们的盔甲厅——我一直认为它是个非常受欢迎的展览——被撤掉以便给克里斯蒂一贯的"补充精神食粮"挪地方之后,我们手头便一直有一堆不知该如何处理的盔甲。克里斯蒂还有一个填充信鸽(来自博物馆的生物多样性和保护中心,由过去的鱼类学部、爬虫学部、哺乳动物学部和鸟类学部合并而成的大杂烩。这样的模型有二十多个)。她还有一簇石英水晶,看上去和微波炉一样大,是从过去的地质学部捞过来的。其他东西包括:一尊漂亮的棒球大小的翡翠佛,一个古埃及人的下巴,当然还有一个恐龙头骨,鸭嘴龙。鸭嘴龙刀锋般的冠和屋子另一端盔甲上的双头斧形成绝妙的搭配。

终于,克里斯蒂按了一下鼠标,将浏览器窗口最小化,随后把注意力集中到我身上。她冲着桌子前三张皮饰转椅手心向上做了个请坐的手势。我在中间那张坐了下来,坐下去的时候心头不禁稍稍颤了一下。克里斯蒂的规矩是:如果会面很快结束,她一般不会让人坐下。

"你好,汤姆。"她说,作出个热切的表情,"你感觉好吗?"

我耸了耸肩。没什么可说的。"和我想象的一样吧。"

"你觉得很痛吗?"

"时不时地,"我说,"我有些止痛片。"

"好。"她说,随后沉默了一阵子。对克里斯蒂来说是不正常的,她似乎总是匆匆忙忙的。最后,她又开口了,"苏珊娜怎么样了? 她最近好吗?"

我没有纠正她我妻子的名字。"在努力应对。有个支持小组在里奇蒙德的公共图书馆活动。她每个星期都会去一次。"

"我相信他们可以给她安慰。"

我什么也没说。

"理查呢? 他怎么样了?"

接连两次错误太过分了。"是里奇。"我说。

"噢,对不起。他怎么样?"

我又耸了一下肩。"他很害怕,但他是个勇敢的孩子。"

克里斯蒂向我做了个手势,仿佛只是因为我是里奇的父亲。我点了点头,对她表示无声的感谢。她沉默了一段更长的时间,随后说:"我和人力资源部的彼得罗夫谈过了,他说你保了全险。你可以申请长期残疾离职,仍然可以拿到85%的工资。"

我眨着眼,仔细思考着我的答复。"我不知道你和别人谈论我的保险状况是否合适。"

克里斯蒂举起双手,手心向外。"哦,我不是单独针对你。我只是大概问了问关于雇员离——"她想说的是"离职",但没能说出口。随后她笑了。"你保了险。不用再工作了。"

"我知道,但我想工作。"

"你不愿把时间花在与苏珊娜和理查——里奇待在一起吗?"

"苏珊有自己的工作,里奇在上小学一年级,他整天待在学校。"

"尽管如此,汤姆,我在想……是不是到了你该面对现实的时候了?你已经不能全力工作了。是不是到该离开的时候了?"

我胸部很痛,和平常一样,这使我很难控制情绪。"我不想离开。"我说,"我想工作。该死,克里斯蒂,我的癌症医生说每天工作对我有好处。"

克里斯蒂摇了摇头,仿佛为我看不到事情的大方向感到悲哀。"汤姆,我必须考虑什么才对博物馆最有利。"她深深地吸了口气,"你认识莉莲·康吧。"

"当然。"

"好,你知道她辞去了加拿大自然博物馆的脊椎动物馆长一职,为了——"

"为了抗议政府削减所有博物馆的预算。是的,我知道。她去了印第安纳大学。"

"完全正确。但我听到传言说她在那儿过得非常不好。我想如果我及早动手的话,我可以劝说她加入我们的博物馆。我知道洛杉矶博物馆也想要她,所以她一定不会长时间空在那儿,而且……"

她没有把话说完,等着我接过她的话头。我挺直了腰,什么也没说。她看上去对需要自己把话说完感到很失望。"而且,汤姆,你要离开我们了。"

我的脑海中浮起了一个老笑话:老馆长从来不会死,他们只不过变成了他们收藏的一部分。"我还能做些有用的工作。"

"但我要在一年内找着像康一样有资格的人的机会很小。"

莉莲·康是个极优秀的古生物学家。她做了一些很出色的研究工作,接受了大量采访,因为她对恐龙-鸟之间的争议做出的贡献还上了《新闻周刊》和《麦克林加拿大周刊》。但是,和克里斯蒂一样,她是个"改革者",在她的管理下,加拿大自然博物馆的陈列俗气无比。毫无疑问她会成为克里斯蒂将博物馆变成"亮点"的同盟军,她还会同意向霍勒斯施压,让他做些公众节目。我一直在反对这么做。

"克里斯蒂,不要赶我走。"

"噢,你没有必要走,你可以留下来,做些研究工作,我们欠你很多。"

"但我必须从部门领导的位置上下来,是吗?"

"是这样的,洛杉矶博物馆答应给她一个很高的职位。我不会成功的,如果我提供的职位比你的还——还——"

"还低。"我说，"而且你付不起我们两个的工资。"

"你可以长期离职，但可以继续给她指导。"

"如果你真的和彼得罗夫谈过了，你知道这是不可能的。除非我宣布病重无法工作，否则保险公司不会付我钱的。是的，他们在终结条款中写得很清楚，他们不会做什么变通的。如果我说我病得很重，他们会相信我。但我不能再来办公室工作了。"

"网罗像莉莲这样一位学者对博物馆可是件大好事。"克里斯蒂说。

"她根本不是能代替我的唯一选择。"我说，"当我不得不走时，你可以提升达琳娜，或者——或者也可以让拉尔夫·查普曼试一试。让他把他的生物形态实验室带来。那才是最好的措施。"

克里斯蒂张开双臂。"我很抱歉，汤姆。真的很抱歉。"

我双臂环抱在自己胸前。"这根本与寻找最好的古生物学家无关。这与我们之间对于博物馆经营方式的意见分歧有关。"

克里斯蒂很擅长表演受到伤害的样子。"汤姆，你伤害了我。"

"我对此表示怀疑。"我说，"还有，霍勒斯该怎么办?"

"嗯，我肯定他会愿意继续他的研究的。"

"我们一直在合作，他信任我。"

"他和莉莲也会合作得很好。"

"他不会的。"我说，"我们是……"说这句话我感到很愚蠢，"我们是伙伴。"

"他只需要一个能干的古生物学家来做他的向导，而且，请原谅我这么说，汤姆，但你得承认博物馆需要的是一个能在这儿待上好几年的人，一个能将所有从外星人那儿学来的东西记录在案的人。"

"我现在就有本笔记。"我说,"所有的东西都记下来了。"

"不管怎么样,看在博物馆的分上——"

我越来越生气,也越来越大胆了。"我可以随便去个有像样的化石收藏的博物馆或是大学,霍勒斯会跟着我的。我可以从任何我想去的地方拿到聘书,而且有个外星人跟着,没人会在意我的健康状况。"

"汤姆,理智点。"

我不用变得理智。经历过我正在经历的一切的人不需要理智。"没什么可谈的。"我说,"如果我走,霍勒斯也走。"

克里斯蒂假装在研究计算机桌面上的谷粒状屏保,并用食指数着谷粒数目。"我在想,如果我告诉霍勒斯你这样利用他,他会如何反应。"

我一昂头。"我在想,如果我告诉他你是怎么对我的,他会怎么想。"

我们在沉默中坐了一会儿。最后,我说:"如果没其他事,我得回去工作了。"我强忍着没有高声叫出这句话。

克里斯蒂坐在那儿,一动不动。我站起来离开了,疼痛在撕扯着我的身体,但我没有表现出来。

第二十章

我气呼呼地回到办公室。霍勒斯趁我不在的时候研究了一个颅腔模型。由于被我刚才的说法激起了兴趣,他现在正在研究哺乳动物如何发展智慧。我从来就不确定我是否读懂了他的肢体语言,但他似乎没什么困难就能读懂我的。"你""看""上""去""情""绪""低""落。"他说。

"多罗迪博士——博物馆的馆长,记得她吗?"到目前为止他已经见过她好几次,包括总理来的那一次。"她想逼我长期因病离职,她想赶我走。"

"为什么?"

"我是潜在的吸血鬼杀手,记得吗? 在博物馆我是她的政策的反对者之一。她把博物馆引向一个我们这些部门头头反对的方向。现在她有机会可以把我换掉,弄来一个同意她意见的人。"

"但因病离职……和你的病情有关?"

"她找不到其他借口赶我走。"

"你与她意见不同在什么地方?"

"我眼中的博物馆应该是个做学问的地方,每个展览都应该尽可能多地提供科学信息。她则认为博物馆应该是个旅游景点，不能陈列一大堆事实、图像和深奥的语言把外行们都吓跑。"

"这个分歧很重要吗？"

这个问题勾起了我的回忆。三年前我刚开始和克里斯蒂斗争的时候，它显得非常重要。我甚至在《多伦多星报》采访博物馆中的争论时说它是"我一生的斗争"。但那都发生在纳古奇医生给我看 X 光片上的黑斑以前，在我感觉疼痛以前，在化疗以前，在……

"我不知道。"我老老实实地说。

"我很遗憾听到你的难处。"霍勒斯说。

我咬了咬下嘴唇。我没有权利这么说。"我告诉多罗迪博士，如果她赶我走的话，你也会离开的。"

霍勒斯安静了很长时间。在长蛇星座第二-Ⅲ上，他自己也是个科研工作人员。他清楚他的存在给博物馆带来了多少声望，这一点毫无疑问。但我可能太冒犯他了，把他当成了政治游戏中的人质。他肯定能看到双方将来的动作，也知道这可能会变得很丑陋。我要求得太过分了，我很清楚。

但是——

但是，谁会责怪我呢？无论如何，克里斯蒂都会赢的，很快就会赢的。

霍勒斯指着我的桌子。"你以前用过那个仪器与这幢建筑内的人联系。"他说，"我的电话？是的。"

"你能连接到多罗迪博士吗？"

"嗯，是的，但——"

"快干吧。"

我迟疑了一会儿，随后拿起听筒，开始拨克里斯蒂的三位数分机号。

"这是多罗迪。"传来克里斯蒂的声音。

我想把听筒交给霍勒斯。"我不能用那个。"他说。他当然不能。他有两张分开的嘴。我按下免提键,向他点头示意可以开始说话了。

"多罗迪博士,这是霍勒斯·德坦·斯达克·基藤。"这是我第一次听到霍勒斯的全名,"由于你的盛情,我才得以在这里进行研究工作,对此我表示由衷的感谢。但我现在要告诉你的是,托马斯·杰瑞克是使我能顺利工作的重要人物,如果他离开了博物馆,我将随他而去。"

几秒之内是死一般的沉寂。"我明白了。"克里斯蒂的声音又响了起来。

"请终止通话。"霍勒斯说。我把电话的免提关了。

我的心狂跳着。我不知道霍勒斯是否做了件正确的事。但我还是被他的支持深深打动了。

弗林纳人弯下了全部肢腿的上下两个膝盖。"多罗迪博士站的是左边。"

"左边?"

"对不起。我是说,在我看来她所做的都是错的。干预一下是我起码能做的。"

"我也认为那是错的。"我说,"但——我想,我对她说我走你也走,这也是错的。"

我安静了一阵子,最后霍勒斯开口了,"有很多种对和错无法分辨。"他说,"如果我是你的话,我可能也会这么做的。"他来回走动着,"有时候我的确希望,对于这类事情,我能有吕特人的洞察力。"

"你以前也说过的。"我说,"为什么吕特人面对道德问题时比我们轻松呢?"

霍勒斯换了换重心。"吕特人没有推理的负担,即你我都会使用的推理逻辑。虽然数学使吕特人摸不着头脑,但在思考哲学问题、生命的意义以及道德标准时我们同样迷惑不解。什么是对什么是错,我们对此有本能的直觉,但我们所提出的道德理论都有缺陷。你给我看了那些《星际旅行》的电影……"

我的确给他看了。他被我们共同观看的那一集激起了兴趣,后来他把《星际旅行》经典的三部曲都看了。"是的。"我说。

"有一集中那个不可能存在的混血儿死了。"

"是《可汗的愤怒》。"我说。

"是的。在那一集中,很多内容都用来说明多数人的需求高于少数人的,当然也高于一个人的。我们弗林纳人也有相同的观点。这使我们想把我们所擅长的数学应用到解决道德问题上去。但这种做法的结果总是让我们失望。在混血儿又复生的那一集——"

"是《寻找史波克》。"我说。

他的眼柄又搭在了一起。"在这一集中,我们发现了上述公式的瑕疵,事实上在这一集说的是'个人的需求高于众人的'。我们单单凭借直觉就知道什么是对,什么是错:那个戴着假发的家伙和其他人应该牺牲他们自己的生命去救一个和他们毫不相干的人,尽管这么做违背了数学逻辑。这种事什么时候都有可能发生:很多人类的社会及所有的弗林纳社会是民主制度。它们都坚信一个原则:即人人生而平等。我知道你们的南方邻居有一句伟大的格言:我们相信这些真理是不言而喻的,那就是所有的人生来就是平等的。但是这些写下这句话的人却是奴隶主,用一个你教的词来说,真是具有黑色幽默。"

"正确。"我说。

"许多人类和弗林纳的科学家想用基因命令来解释利他主义,认为我们愿意为他人做牺牲的程度与我们与他人之间的基因相同程度成正比。这些科学家说,你或是我,不会为了仅仅一个兄弟或是孩子牺牲自己的生命,但当我们的死可以救两个兄弟或是孩子时,我们会认为这是一个公平交易,因为他们身上带有和我们相同数量的基因。我们当然会为了三个以上的兄弟牺牲自己的生命,因为这个数量代表了比我们自己身上还要多的同种基因。"

"我会为救里奇死。"我说。

他看着我桌子上的镜框,镜框的纸板背部面对着他。"但是,如果我没记错的话,你说过里奇不是你的亲生儿子?"

"是的。他的生父母不想养他。"

"这件事在两个层面上令人疑惑:父母选择了抛弃他们健康的后代,而非父母却选择了收养一个其他人的孩子。当然还有很多好人蔑视基因逻辑,选择不要孩子。没有简单的公式可以成功地描绘弗林纳人和人类在利他主义领域内的选择。你不能运用数学方法来解决这些问题。"

我想了一会儿,当然,霍勒斯为了我和克里斯蒂交涉是利他主义的,但是这件事本身很明显和基因亲戚没有什么联系。"我猜是吧。"我说。

"但是,"霍勒斯说,"我们的朋友吕特人,因为他们从来没有发展传统意义上的数学,所以他们从来不会为这些事情烦恼。"

"嗯,他们却使我烦恼。"我说,"这些年来,我常常会躺在床上想要理清我们的道德窘境。"一个关于不可知论者患有失眠症的笑话浮现在我脑海中：整晚清醒地躺着，思考那里是否有条狗。"我是说道德是从哪里来的？我们知道偷东西是错误的，而且——"我停顿了一下，"你的确知道这个，是吗？我是说弗林纳人也应该禁止偷盗行为吧。"

"是的，不过这个禁忌不是天生的，弗林纳人的孩子会把他们能碰到的东西都拿到手里。"

"人类的孩子也这么干。但是我们长大后就意识到偷东西是错误的。可是为什么我们会觉得它是错误的呢？如果它能提高繁殖后代的成功率，进化不是应该更加垂青于它吗？还有一件事，我们认为一夫多妻制是错误的，但是很明显我可以通过让多个女性怀孕来增加我繁殖后代的成功率。如果偷盗对于那些可以成功实施偷盗行为的人来说是一种竞争优势，而通奸，至少对于男人来说，是一个好策略，这么做可以增加他在基因库中的分量，那么为什么我们会觉得它们都是错的呢？进化应该只产生克林顿式道德——只有在被抓之后才会说对不起？"

霍勒斯的眼柄忽内忽外地挥动着，比平常的速度快得多。"我没有答案。"他说，"我们努力追寻道德问题的答案，但问题一次又一次将我们击败。人类和弗林纳人中卓越的思想家将他们的一生都用来寻找生命的意义以及道德问题的判断标准。在寻找答案的道路上，尽管累积了几个世纪的努力，但进展甚微。这些问题远远超过我们的能力，就像2＋2超过吕特人的一样。"

我不相信地摇了摇头。"我仍然觉得难以置信，他们竟然不知道两个物体旁再放上两个物体就变成了四个物体。"

弗林纳人弯下三条腿上的膝盖，将身子倾向我。"他们也会因为我们无法看清道德问题的真相而觉得难以置信。"他停顿了一下，"我们的脑袋在对付大块问题时，会把它分解成可以应对的小单位。如果我们要了解行星如何围绕恒星运转,我们可以先从无数小问题入手——为什么石头会停留在地面上?为什么恒星处在恒星系的中心?等等。解决这些问题之后,我们就能充满信心地回答大问题。但是道德问题和生命的意义显然是不可分的,就像细胞中的纤毛一样:没有可以单独区分开来的组件。"

"你是说一个和你我一样身为科学家,或是逻辑学家的生物,与那些能协调道德和精神问题的生物是完全不兼容的。"

"有些能同时处理好这两个问题——但他们通常通过划分来处理。科学专门负责一类问题,宗教则负责另一类。很少有人能够同时协调运用两者来处理一个问题。我们的脑子被设计成只能运用一种思维,而不是两者同时。"

我一下子想起了帕斯卡的赌局:他说,即使上帝不存在,赌他存在仍然是较为保险的。如果把赌注押在另一边,万一我们错了,他当真存在,我们将受到永远的诅咒。帕斯卡是个数学家,他有一个逻辑性的、理性的、专门对付数字的脑袋,一个人类的脑袋。他对于他自己能拥有什么样的脑袋根本没有选择权,进化给了他这样的脑袋,就像给我的一样。

但如果我能选择呢?

如果我可以牺牲一些数理运算能力去换取某些道德问题的确切答案,我会这么做吗?哪一个更重要?确切知道不同进化分支上所有动植物之间的关系,还是了解生命的意义?

霍勒斯今天的工作结束了,他忽闪着消失了,把我一个人留在了书、化石和未完成的工作之中。

我思考着临死之前所有我想最后再做一次的事。在生命的这个阶段，我意识到重复体验过去的欢乐要比寻求新的重要得多。

某些我想再做一次的事很明显：与我的妻子做爱，拥抱我的儿子，探望我的弟弟比尔。

还有些不太明显的、对我有独特意义的事。我想再去八角饭店，那儿有我最喜欢的牛排，是我向苏珊求婚的地方。是的，甚至是处在化疗带来的反胃之中，我也想再去一次。

我还想再看一遍《卡萨布兰卡》。

我想再一次看到蓝爵士赢得联赛的冠军……但我认为可能性不大。

我想再去一次挖掘现场，在黄昏，喝着白兰地，倾听着丛林的鸟叫，看着散落在四处的化石。

我想拜访在斯加布罗夫的老邻居。我想走在我年轻时的街道上，看着我父母的老房子，或是站在威廉姆·莱恩·麦克尼斯·金公立学校的院子中，让过去几十年老朋友的记忆冲刷着我。

我想擦去我的老收音机上的灰尘，倾听——只是倾听世界各地的声音。

但我最想做的是叫上里奇和苏珊一起去我们在奥特湖边的小木屋。天黑后坐在船坞上，已经很晚了，苍蝇和蚊子都飞走了。我们看着月亮升起，平静的水面倒映着它的脸；听着鸟叫声和鱼跃出水面发出的动静；我坐在躺椅上，把手背在脑后，满意地叹一口气，感觉不到任何疼痛。

第二十一章

迄今为止,苏珊对萨尔班达被媒体广泛传播的言论——他认为宇宙中存在着一个创世主,并且这位创世主已经五次直接干涉了智慧生命的进程——还没说过什么。

但是最终,我们不得不谈论这个话题。我从来没有想到我们之间会进行这样的谈话。我迁就我的妻子,容忍她的信仰,甚至答应在教堂举行传统婚礼。但我一直都很清楚我已经被现代科学启蒙了,我站在正确的一边,我是那个知道世界究竟是怎么回事的人。

苏珊和我坐在屋外的平台上。这是一个异常温暖的四月傍晚。她马上要带里奇去上晚上的游泳课。有时是我带他去,有时是我们两个一块儿去,但今晚我有其他计划。里奇在他屋里换衣服。

"霍勒斯跟你说过他在寻找上帝吗?"苏珊看着她的咖啡问道。

我点了点头。

"你却什么也没和我说?"

"嗯,我……"我收回了后半句话,"是的,我没说。"

"我本来会很乐意和他谈论这个问题的。"

"对不起。"我说。

"看来弗林纳人是信教的。"她总结道,至少她自己这么认为。

我不得不反驳她。"霍勒斯和他的同胞相信宇宙是被某种大智慧设计出来的,但他们并不敬拜上帝。"

"他们不祈祷吗?"苏珊问。

"是的。倒是吕特人每天都花半天时间冥想,他们想与上帝之间产生心灵感应。但是——"

"对我来说那就是祈祷。"

"他们说他们不想从上帝那儿得到任何东西。"

苏珊安静了一会儿。我们很少谈论宗教。"祈祷不是为了索取,它和与百货店里的圣诞老人交谈不一样。"

我耸了耸肩。我猜我确实不很了解这个话题。

"弗林纳人相信死后有灵魂吗?"

这个问题把我问住了。我从来没有想过它。"我不知道,真的。"

"或许你该问问霍勒斯。"

我点了点头。或许我应该问。

"你知道我相信有灵魂。"她又简单地加了一句。

"我知道。"

但她的想法也就到此为止了。她没有再提让我和她一块儿去教堂。她前不久要求过一次,那也没什么,她不会强迫我的。如果去圣乔治能够帮她渡过这一切,那再好不过。但我们每个人对于渡过难关都有各自的办法。

里奇从玻璃拉门中走了出来。

"小家伙，"我说，"亲你爸一口。"

他走过来亲了亲我的面颊，用他的小手拍着我的脸。"我喜欢这样。"他说。我觉得他是想让我高兴起来。他从来不喜欢我傍晚长出的砂纸般的短须。我冲他笑了笑。

苏珊也站起来亲了我一口。

然后我的妻子和儿子走了。

里奇和苏珊去了四个街区之外的水上中心，家里就剩我一个人。我回到屋里拿出摄像机，这还是几年前圣诞节的一次放纵购物的结果。我把摄像机架在书房中的三脚架上。

我打开摄像机，走向桌后的椅子坐下。"你好，里奇。"我说，随后我抱歉地笑了笑，"我会告诉你的母亲，十年之内不要让你看这盘带子，所以我猜你现在应该是十六岁了。我确信你现在不再被叫作'里奇'了。或许大家叫你'里克'，或者你已经决定'理查德'更适合你。所以——所以我还是叫你'儿子'吧。"

我停顿了一下。"我相信你见过我的很多照片，你妈妈一直喜欢照相。或许你还留有一些我的记忆，我希望你会。我还记得我六七岁时的一些事。"我又停顿了。如果他真的能记住我，我希望他记住的是我得癌症以前的样子，那时我还有头发，身体也不像现在这么憔悴。想起来，我应该在确诊后马上录这盘带子，至少在化疗以前。

"所以你的运气比我好。"我说，"你知道我长什么样，但我却不知道你现在看上去是什么样子，成为了一个什么样的男子汉。"我笑了，"你的个子对于一个六岁孩子来说是小了些，但十年时间可以改变你很多。当我和你一样年纪——你现在的年纪，十六岁——我已经蓄了一脸胡子。我猜那是代表了年轻人的反叛。"我在椅子上挪动了一下位置。

"不管怎样，"我说，"我相信你长成了一个真正的男子汉，我知道你妈妈会保证这一点的。我很抱歉不能陪着你成长。我本来会很乐意教你怎么打领带，怎么刮胡子，怎么扔橄榄球，怎么喝葡萄酒。我不知道你爱好什么，运动？学校表演？不管是什么，你知道我会尽可能地成为你的观众。"

我停了停。"我猜你还在思考这辈子究竟要从事什么。我知道无论你选择什么，你都会找到欢乐并取得成功的。如果你愿意，我们有足够的钱支持你上大学，无论你想上多长——直到博士毕业，如果这就是你的愿望。当然你可以干任何你喜欢的事，但我要告诉你的是，我非常喜欢我从事的学术研究工作。或许它不适合你，但如果你有这个打算，我强烈推荐你试一试。我周游了世界，收入也不错，还有很多自由支配的时间。如果万一你想问你的爸爸是否喜爱他的工作，我的回答是'是的，我非常喜欢'。工作是我最重要的事之一。如果我能给你一个职业上的建议，那就是：不要过于关心你能挣多少钱。选你喜欢干的事，你的生命只有一次。"

我又停顿了一下。"但实际上，我能给你的建议不是很多。"我笑了笑，"去他的，当我是你这个年纪时，我最不需要的就是我老爸的建议。"随后我耸了耸肩，"尽管如此，我还是要说：不要抽烟。相信我，儿子，没有什么值得你经历我正在经历的痛苦。烟我不抽——我确信你的母亲已经告诉你这一点了——但那是很多人得肺癌的原因。我请求你不要冒这样的风险。"我瞥了一眼墙上的钟，还有足够的时间——至少对录像带来说是这样。

"你可能会对我和霍勒斯的关系好奇，那个弗林纳人。"我耸了一下肩，"老实说，我也非常好奇。如果你还能记得小时候的事，你会回忆起他来我家做客的那个晚上。你知道那是真的霍勒斯吗？不是个投影？他是真的。你，我还有你妈妈是第一批与霍勒斯的真实肉身接触的人类。除了这盘带子，我还会留给你一本我写的和霍勒斯接触的体验日记。或许有一天，你或是别人，会把它变成一本书。当然，它中间还有些空缺的地方需要弥补，我确信有些与之相关的事我不可能知道，但我的笔记可以给你一个好的开头。

"不管那么多了吧。关于我和霍勒斯的关系，我知道的就是：我喜欢他，而且我觉得他也喜欢我。有一句谚语说，没有反思的生活是不值得继续的。癌症使我反思自己的生活，但我认为结识霍勒斯之后我才开始反思人类存在的意义。"我耸了一下肩膀，我知道我将要说的是普通人决不会在大庭广众下大声宣布的，"我觉得它的意义在于：人类是脆弱的，我们很容易受伤，不只是身体上的，我们的精神也容易受到伤害。所以当你度过这一生时，我的儿子，不要去伤害别人。"我又耸起了肩膀，"就这么多了。这些就是我给你的建议。"我知道它远远不够，但仅靠带子上的溴化物是不可能弥补失去的十年的。里奇已经长大了，在没有我陪伴的情况下。

"我还想让你知道最后一件事，"我说，"不要对此有一刻怀疑，理查德·布莱恩·杰瑞克。你曾经有过一位父亲，他很爱你。请永远记住这一点。"

我站了起来，关掉摄像机，静静地站在书房里，站在我的避难所之中。

第二十二章

它是在我梦中突然出现的,毫无疑问和我白天为里奇做的录像带有关:我的一个版本在我的身体死了之后继续存活着。我太激动了。我起床来到楼下,不断拍着全息投影仪,希望能够召唤霍勒斯。但他没有出现。直到白天在我的办公室他才凭着自己的意志出现了。

"霍勒斯,"他的幻影稳定下来后我马上开口道,"我想我知道了他们在那些无人星球上的警示性建筑底下埋了些什么东西。"

霍勒斯将他的眼柄对准我。

"不是什么核废料。"我说,"你也说过没发现和核废料有关的标记,而且经过百万年时间,根本没有必要为此担心。他们埋藏的是他们想永久保存的东西,而不是要除去什么。那就是为什么Cassiopeae上的人想方设法炸了他们的月亮来阻止大陆板块的漂移——他们想确保埋在地下的东西永远不会变成岩浆。"

"可能吧。"霍勒斯说,"但他们埋的是什么呢?埋得这么仔细,还建造了恐怖的建筑想把前来挖掘的人吓走?"

"他们自己。"我说。

"你是说避难所？地震波测定显示在 Mu Cassiopeae A Prime 上的拱顶建筑里只能容纳数目非常有限的个体。"

"不，不是。"我说，"我认为他们都在下面。几百万，几十亿，取决于他们的总人口有多大。我猜他们可能扫描了他们的大脑，将信息上传进一个计算机世界中——一个生成他们世界的硬件，他们不希望有人摆弄这个机器，所以把它埋在了恐怖的建筑底下。"

"扫描……"霍勒斯左嘴说，随后又用右嘴重复了一遍，"扫描……"他停顿了一会儿，"但我们只在三个星球上发现了要吓退好奇者的古怪建筑。"他说，"我们去过的另一个星球——Eta Cassiopeae A-Ⅲ——只是被简单地遗弃了。"

"在那个世界上，计算机硬件可能被送进了太空，或者他们觉得最好的掩盖方法就是什么也不干，即使是警示性的建筑也有可能吸引好奇者。他们可能把计算机藏在了一个没有标志的地方。"

"但为什么整个种族都会同意这么做呢？"霍勒斯问，"为什么要放弃肉身呢？"

对我来说，这是一个不太聪明的问题。"你多大了？"我问。

"地球上的年？四十七了。"

他的回答让我吃惊。不知出于什么原因，我本以为霍勒斯比我老。"那你能活多久呢？"

"可能还可以活八十年，如果不出什么意外的话。"

"所以一个典型的弗林纳人的寿命应该是一百三十年？"

"对于女性来说，是的。男性可以多活十年。"

"那么……哦，我的上帝，你是个女的？"

"是的。"

我震惊了。"我不知道。你的声音——你的声音太低沉了。"

"弗林纳人的声音就是这样的,无论男女。"

"我想我会继续称你为'他',如果可以的话。"

"我已经不再感到别扭了。"霍勒斯说,"你可以继续这么称呼我。"

"好吧,"我说,"你可以活一百三十年。我现在已经五十四岁了,如果不是因为癌症的话,我还可以活二十多年吧,也可能是三十年或是四十年。"

霍勒斯的眼柄挥动着。

"也就是那么长。并且,即使我没得癌症,很长一段时间我也会处于身体不断变糟的状况中。"我停了一会儿,"弗林纳人也会变老吗?"

"我世界上的一位诗人曾经说过,'生命就是月食'——这是一个比喻,和你们的'生命就是下山'一样——'从你生下的那一刻开始'。弗林纳人的体力和智力也是随着时间流逝逐渐变坏。"

"那么,如果你能实现虚拟存在——如果你能生活在计算机里——在你年轻的时候就开始,你就可以长生不老了。"

"长生不老一直是我们的人的梦想。"霍勒斯承认道。

"我们的人也是。事实上,很多传教士用永生或是类似的承诺来劝诫人们积德行善。虽然近几十年来医疗条件的提高大大增加了人类的寿命,但是离真正的永生还差得太远。"

"我们那儿的情况和你们这儿一样。"霍勒斯说,"吕特人也好不到哪儿去。他们和我们都希望永生能够得以实现。"

"几年前,当我们掌握了如何恢复DNA末端的帽盖时,我们还以为找到了问题的突破口。"染色体的末端有保护性的微粒,就像鞋带由塑料包裹着的两端一样。每次一个染色体分裂时，它末端的微粒——叫作染色体端位上的着丝点——变短了。经过足够多次分裂之后，这些微粒完全消失了，染色体再也不能够分裂。

"差不多是在一百多年以前，我们也发现了这个现象。"霍勒斯说，"但是，虽然在实验室里更换着丝点可以使一个细胞无穷分裂下去，这种方法在复杂生物体上却毫无用处。当一个生物体的细胞到达一定数量之后，分裂要么在几次复制之后就会停止，和着丝点已经消失一样；要么分裂过程变得无法控制，最终形成肿瘤。"他的眼柄在上下晃动，"就像你知道的，我自己的母亲就死于'瓦斯特罗'癌。它是我们身上的一种器官，功能和你们人类身上的骨髓差不多。"

"白血病。"我轻声说，"我们称它为血癌。"

霍勒斯安静了一会儿。

是的，我很轻易就能感觉到诱惑。

上传。

摆脱肉身。

没有肿瘤，没有痛苦。

如果我面前有这样的机会，我会接受它吗？

当然会，毫不犹豫。

"放弃肉身是一个很大的诱惑，"我说，"这样可以永远生活在年轻健康的状态下。"我看着霍勒斯，它现在是只靠五条腿站立着，仿佛要让第六条休息一会儿。"如果真是这样的话，或许你们的人民就没有什么可担心的了。看起来，你的种族会很快发展出同样的能力——好像所有的种族在某一天都能够达到。然后，如果你们的人愿意的话，他们就能转换到另一种生存形式。"

霍勒斯在几秒钟之内没有开口，随后他说："我不确定我是否会希望如此。"

"它确实很诱人，因为一个接着一个的种族都选择了这条路。"

"可能是吧，"霍勒斯说，"我们的人已经在大脑扫描技术领域内取得了很大进展。发展这项技术对我们来说比对你们的难度更大，因为我们的大脑在我们身体中央，并且左右半球之间互动毫无疑问会引发更多的困难。即便如此，我仍然觉得在未来的几十年里我们可以将弗林纳人的意识全部上传至计算机中。"他停顿了一会儿，"这的确解释了我在那些科幻电影中看到的一些现象：为什么不同族的外星人在以肉身相见时总是处于相差不多的科技水平上？那是因为一个种族从实现星际旅行到放弃肉身之间的时间很短。它同时也解释了为什么用射电望远镜搜寻地外生命时通常都会失败。同样的，从发明无线电到放弃使用它之间的时间也很短。"

"但是就你目前所知，除了我们三个以外，你所知道的其他种族都没有同时存在过。"我顿了一顿，"我们三个种族可能是银河系里首次出现的一个……一个行星联盟。"

"啊，十分有趣，"霍勒斯说，"你认为这就是上帝干预我们世界的原因吗？使我们的科技发展处于同一个水平，以便于我们结成某种联盟？"

"可能吧，"我说，"虽然我不知道那么做能够带来什么好处。我是指这么做可能对我们有好处，但是对创世主有什么用处呢？"

霍勒斯放下了第六条腿。"这个问题非常好。"他最后说道。

那天晚上,我们把里奇弄上床,我还给他讲了一会儿故事。苏珊和我坐在起居室内的沙发上,我的双臂围住她的肩膀,她把头靠在我的胸前。

"你想过将来吗?"我问她,把手臂抬高了一点,"我不是说一般的将来。"我确信她对此想得很多,"我是指非常遥远的将来,几千年,甚至是几百万年以后。"

我看不到苏珊的脸,但我希望她在笑。"那时候我已经死了。"

我安静了一会儿。我不确定是否应该提起这个话题。"但是如果有一种方法,"我说,"有一种方法能让你永生呢?"

苏珊的反应非常快,这也是我娶她的原因。"霍勒斯答应给你的?永生?"

我摇了摇头。"不是。他在这个问题上比我们高明不了多少。但是他的人发现了其他六个星球上的人可能掌握了……掌握了某种意义上的永生。"

她的头在我的胸前移动了一点位置。"哦?"

"他们似乎……似乎'跃升'进了另一种存在形式……可能是通过把他们自己上传进计算机中。"

"那不是什么永生,和你把自己的躯体在甲醛中冰冻起来没什么不同。"

"我们推测上传后的生物体可以在计算机中继续生活、学习、工作,并与其他人交流。事实上,他们可能觉察不到自己已经没有肉身了,虚拟的感应器可能和真实的感觉差不多,或者比真实感觉还要灵敏。"

她听上去不敢相信我的话。"你是说整个种族都上传了?"

"是的,我就是这么认为的。"

"而且个体意识可以在计算机中永远存在下去?"

"有可能。"

"那么说……那么说你就不会死了?"

"是这样,我们的肉身当然会死去。但是我们上传的意识会记得我们的过去,并且在计算机中继续我们的故事。在计算机中,我们接触的一切就是我们过去在真实世界中生活的延续。所以,如果我们有这样的技术的话,那就意味着我们再也不会死亡了。我猜促使人们上传自己的最大原因是:再也不用担心生病或衰老了。"

"它还没实现吗?"苏珊问道。她的心怦怦直跳,"霍勒斯真的没有答应你什么?"

"没有。"我说,"弗林纳人和吕特人都没掌握该项技术——所以,我们也只能推测在那六个星球上到底发生了什么。看起来每个智慧种族在掌握了原子能技术后,要么短时间内自我毁灭,要么在差不多一百五十年左右'跃升'了自己。"

苏珊抬起了她的肩膀。"如果这项技术已经实现了——如果你现在就有这样的机会——我的反应可能和你的不同。你知道的……"她迟疑了,但我知道她想说的是她会想尽办法留住我的。我用力捏了捏她的手。

"但是,"她继续着,"如果不是发生了这样的事,如果我们正在经历的痛苦没有发生,我会说'不'的。我无法想象我会同意这样的事。"

"你会永生的。"我说。

"不对,我会永存。这两者是不同的。"

"所有的东西都会被模拟。你生活的任何方面。"

"如果它不是真的,"苏珊说,"那么它就会不一样。"

"你根本就无法分辨是真是假。"

"可能吧。"苏珊说,"但在上传前我就知道它不是真的,单就这一点就会使我觉得不舒服。"

我耸了耸肩。"里奇在玩电子棒球游戏时跟他在玩真的棒球时一样快活——事实上,他玩电子游戏的次数更多。我不认为他这一代对于上传的看法会与我们的一样。"我停顿了一下,"虚拟存在的确有它吸引人的地方。你不会变老,你也不会死。"

"我喜欢成长和改变。"她皱起了眉,"我是说,虽然偶尔我也会希望我仍然拥有十八岁时的身体,但多数时候我对现状还是挺满意的。"

"好像一个接着一个的文明都选择了这条路。"

苏珊又皱起了眉。"你说他们要么上传了自己,要么把自己给炸了?"

"是的。霍勒斯说他们的人也面临过我们仍在面对的核危机。"

"那么也有可能他们是在没有办法的情况下放弃了现实而选择了模拟。打个比方,如果两个超级大国开战了,我们可能都会死,整个人类也会灭亡。但是如果整个战争只不过是个模拟,万一情况变糟了,你可以重新设置,继续存在下去。或许虚拟存在是暴力种族生存的唯一希望。"

这显然是一个引人深思的观点。可能你就是克制不了自我爆炸的欲望。可能有些国家或是恐怖组织,甚至是某些精神病人会把整个星球都炸个精光。就像霍勒斯曾经说过的,随着技术的发展,大规模杀伤性武器会变得越来越便宜,越来越轻巧,越来越容易获得。如果没有法子把魔鬼塞回瓶子里——不管它是原子弹也好,生物武器也好,或是其他大规模杀伤性武器也好

——那么，各个种族可能会尽早地"跃升"自己，因为这是唯一安全的、有效的办法。

"我在想当时机成熟时，人类会做出什么样的选择？"我说，"可能在一个世纪内我们就能掌握这项技术了。"我和苏珊到那时都已经死了，但里奇可能还活着。我不知道他们会干什么。

苏珊安静了一会儿，随后她缓慢地左右摇头。"我会很乐意看到我的儿子永远不会死，但是……但是我希望他和所有人都选择正常的生存状态。"

我思考着这个问题——想着擦破皮的膝盖、停止跳动的心脏、折断的骨骼：我在思考肉体与生俱来的风险，思考我正经历着的一切。

我认为想要倒转这个决定似乎是不可能的。如果你把你的一切都拷贝进了计算机，那就意味着你不能再回头了。可能所有种族在创造了电子版的自我之后都结束了自己的生物版。

事实上，这可能是唯一可行的选择，因为这么做可以防止任何疯子对虚拟世界做任何破坏。至少在地球上会有一些永远都不会同意上传的家伙——反对自动化的宗教分子，但他们会被秘密地扫描，随后被上传到一个与他们现在的世界完全相同的模拟世界中。不会有任何血肉之躯留下来，也不会有他们的后代去干扰计算机。

我想知道这些已上传的种族是否后悔当初的决定。

苏珊和我上了床。终于，她慢慢地睡着了。但我仍然醒着，眼睛盯着黑色的天花板，心里妒忌着吕特人。

在我被确诊后不久，我曾经从博物馆步行到了几个街区外的位于布劳街上的查普特书店的旗舰店，在那儿买了一本伊丽莎白·区波乐·罗斯的《死与临死之间》。她总结了承认死亡的五个阶段:拒绝承认和自我封闭,愤怒,讨价还价,压抑,最后是接受。我自己的感觉是我现在早已进入了第五个阶段,虽然偶尔我也会觉得自己仍然身陷于阶段四。无论怎样,几乎所有的人都会以相同的顺序经过这几个阶段。那么,所有的种族都会经历相同的阶段,有什么好奇怪的呢?

打猎和采集。

农业或畜牧业。

一神教。

探索的年代。

思考的年代。

原子能。

太空旅行。

信息革命。

星际旅行的挑战。

然后——

然后——

然后是其他一些事。

作为一个达尔文主义者,我曾花费了无数个小时对外行解释说,进化是没有目标的,生命是个不断分权的树丛,一个不断适应的表演。

但现在,进化似乎是有目标的,存在着一个最终的结果。

生物的终结。

痛苦的终结。

死亡的终结。

我发自内心地反对放弃我们的肉身。虚拟现实不过是虚无。我的生命之所以有意义是因为它是真实的。噢,我确信我可以用个虚拟现实的装置把自己送到一个模拟的挖掘现场。我也可以发现模拟的化石,甚至发现某些突破性的物种(例如,一个化石系列,演示了从一个物种向另一个物种演变过程中的数千个步骤)。但这所有的一切都毫无意义。根本不会有什么发现的狂喜——化石就在那儿等着被发现,因为我想让它们在那儿被发现,而且它们对于进化论知识也没有什么贡献。虽然事先我不知道会挖到什么,但无论我挖到什么样的东西,它必须符合已经由现实世界中科学家们建立的游戏规则,不会有什么规则之外的发现。

但是,现在的我几乎花费所有的工作时间和一个虚拟现实的模拟物待在一起。是的,真正的、有血有肉的霍勒斯的确存在,我甚至还碰过他。但是大多数时间与我交流的是一个计算机生成的幽灵。看来,一个人能很容易被吸入虚拟的世界。是的,非常容易。

我抱了抱我的妻子,尽情体味着现实世界。

第二十三章

我昨晚没睡好,前天晚上睡得也不怎么样。现在疲劳终于控制了我。我一直在尝试——非常努力地尝试——控制自己,保持沉着冷静。但是今天——

今天……

从九点开始工作到十点博物馆向公众开放这一段时间是黄金时间。霍勒斯和我正在参观布尔吉斯页岩特别展:欧巴宾海蝎、奇妙虫和古蜑蝓等等,生命形式是如此的奇特,简直无法将它们轻易分类。

这些化石使我想起了斯蒂文·杰·古德关于布尔吉斯动物群的书《奇妙的生命》。

它们还使我想起了古德提到的电影,吉米·斯图尔特的经典之作,《圣诞节的最爱》。

我还想到我是多么珍视我的生命……我的真实的,实在的,血肉之躯。

"霍勒斯。"我轻声试探着说道。

他的两个眼柄正盯着一个欧巴宾海蝎的五个眼睛,它与地球上过去的其他生命太不一样了。他把眼柄转过来对准我。

"霍勒斯，"我又开口了，"我知道你的种族比我们的要先进得多。"

他一动不动。

"所以，你一定知道我们不知道的东西。"

"是的。"

"我——你见过我的妻子苏珊，也见过我的儿子里奇。"

他把两个眼睛搭在一起。"你有一个幸福的家庭。"他说。

"我——我不想离开他们，霍勒斯。我不想让里奇成长在一个没有父亲的家庭里。我不想抛下苏珊一个人。"

"那是件很不幸的事情。"弗林纳人同意道。

"你一定能做些什么——你能做些什么来救我。"

"我很抱歉，汤姆。我真的很抱歉。但就像我对你说过的，我什么也做不了。"

"好吧。"我说道，"好吧。听着，我知道究竟是怎么回事。你得服从某种不干预命令？你不能改变这儿的情况。我理解，但是——"

"没有这样的命令。"霍勒斯说，"如果我能帮助你，我肯定会的。"

"但是你应该知道怎样治愈癌症。你知道这么多DNA和生命形成的知识——你应该知道如何治愈癌症这类简单病症。"

"癌症也使我们的人痛苦，我告诉过你的。"

"吕特人呢？吕特人知道吗？"

"他们也不知道。癌症是——癌症是生命的一部分。"

"求你了。"我说，"求你了。"

"我什么也帮不了你。"

"你必须帮。"我说。我的声音越来越刺耳。我憎恨我的声音,但我停不下来,"你必须帮。"

"我很抱歉。"外星人说。

突然间我开始大喊大叫,声音在玻璃展柜之间回荡。"该死,霍勒斯,真见鬼。如果我能帮你,我肯定会的。你为什么不帮我呢?"

霍勒斯沉默着。

"我有妻子,还有个儿子。"

弗林纳人的双嘴表示同意。"我""知""道。"

"那就帮我呀,该死的。救救我! 我不想死。"

"我也不想让你死。"霍勒斯说,"你是我的朋友。"

"你不是我的朋友!"我叫喊着,"如果你是我的朋友,你就应该帮我。"

我以为他会离开,以为全息投影仪会关闭,将我一个人留在古老的寒武纪大爆炸的遗迹之中。但当我身心崩溃痛哭流涕时,霍勒斯却留下来和我待在一起,静静地等待着。

霍勒斯在那天下午四点二十左右消失了,但我接着在办公室中工作到很晚。我为我自己感到羞耻,为自己的表现感到恶心。

生命的终结即将来到。在几个月前我就已经知道了。

为什么我就不能勇敢些? 为什么就不能体面地去面对?

是整理行装的时候了。我知道得很清楚。

戈登·斯摩尔和我已经三十年没有说话了。在孩提时代我们曾经是一对好朋友。我们住在斯加布罗夫同一条街上。但在上大学时,我们的关系破裂了。他觉得我很对不起他,而我觉得他很对不起我。在我们大吵之后差不多十年内,我几乎每个月都至少想起他一次。我仍然对他给我造成的伤害耿耿于怀,当我晚上躺在床上想一些令人不快的事时,戈登就会浮现出来。

在我的生命中还有很多其他未完成的事,各种需要了断或是弥补的关系。对于其中的一些,我知道我永远都不可能去完成了。

例如,尼科尔,那个受我邀请参加高中毕业舞会的女伴。我从来没有告诉她为什么我会缺席:我父亲喝醉了,把我母亲推下了楼梯,我不得不整晚陪她待在斯加布罗夫医院的急诊室中。我怎样才能告诉尼科尔这一切呢?回想起来,或许我应该简单地说我母亲在楼梯上摔倒了,我在医院陪了她一晚。但是尼科尔是我的女朋友,她可能会去看我母亲,因此我撒谎说我的车出了毛病。我的谎言被揭穿了,我却从来没跟她说那天晚上到底发生了什么。

还有布乔恩·阿蒙德森,他在大学里问我借了一百块钱却一直没有归还。我知道他很穷;我知道他没有从他父母那儿得到任何帮助;我知道他没有获得奖学金。他比我更需要这一百块钱。事实上,他一直比我更需要钱而且也没有能力归还。但是我曾经愚蠢地将他说成是个高风险分子。他开始躲避我而不是向我承认他还不起债。我一直认为友谊是无法以金钱衡量的,但那件事却表明它是可以的——而且只不过是一百块。我很希望向布乔恩道歉,但我不知道我已经给他造成了什么样的伤害。

还有保罗·冈田,我高中时的一个日本同学。有一次在愤怒中,我冲着他骂了一句种族歧视的侮辱性语言——我一辈子唯一一次这么骂人。他看着我,眼里流露出受到极度伤害的表情。他以前也从别人那儿挨过类似辱骂,但我应该是他的朋友。我不知道我究竟出了什么毛病,我一直想对他说我有多抱歉。但在三十年以后你怎么才能提起这个话题呢?

但是我必须和戈登·斯摩尔和解。我不能——不能在这个问题解决前就进了坟墓。戈登在80年代早期就搬到了波士顿。我打了查询电话。在波士顿有三个戈登·斯摩尔列在电话簿上,但是只有一个人的中间名的缩写是P——我记得戈登的中间名就是菲利普。

我记下电话号码,随后拨了个9转到外线,输入我的长途账号,然后拨了戈登的号码。一个女孩接了电话。"你好。"

"你好。"我说,"请问戈登·斯摩尔在吗?"

"请稍等。"女孩说,然后大声喊着,"爷爷。"

爷爷。他现在是个爷爷了——一个五十四岁的祖父。这太荒谬了;时间都过去这么久了。我正要放下电话听筒,一个声音传了过来:"你好。"

只有两个音节——但我马上听出就是他。这声音打开了我记忆的闸门。

"戈登,"我说,"我是汤姆·杰瑞克。"

先是一片令人不安的寂静,随后一个冷淡的声音响了起来。"噢。"

至少他没有摔电话。或许他以为有人死了——我们共同的朋友,一个他想知道的人,一个老朋友,一个老邻居,一个对我们两个都很重要的人,因此我先把分歧放在一边,通知他葬礼的安排。但他没说什么其他的。仅仅一个"噢"。然后等着我继续开口。

戈登现在在美国,我对于美国的媒体相当了解:一旦有外星人在美国的土地上出现——有一个弗林纳人在查尔斯顿的精神病院中作研究——那么美国之外的外星人活动都不会被报道。

又或者戈登知道我和霍勒斯的事，只是没有表现出来。

我准备过我要说的话，但是他冷淡而又敌意的语气使我的舌头打结了。最后，我终于冒出了一句："对不起。"

他可以有无数种方式来理解：对不起，打扰你了；对不起，打断了你正在干的事情；对不起，听说你现在境况不佳；对不起，一个老朋友死了。或者，就如同我的真实意图，对不起，为发生的事，为过去几十年我们之间的别扭。但是他不会这么轻易放过我。"为了什么？"他说。

我呼了一口气，噪声或许通过送话器传到了他的耳里。"戈登，我们曾经是朋友。"

"是的，直到你背叛了我。"

这就是谈话进行的方向吗？没有互相谅解。没有体会到我们都有做错的地方。全都变成了我的错。

我感到愤怒在我体内积聚。有那么一阵子，我真想破口大骂，告诉他他对我的伤害，告诉他在我们的友谊破裂后，处于愤怒、无助和苦恼中的我怎么哭了——真的哭了。

我闭上眼睛，努力使自己平静下来。我打这个电话是为了和解，而不是重续争吵。我的胸部很疼，情绪激动总能使疼痛加剧。"对不起。"我说，"多年以来，我一直放不下这件事，戈登。我真的不应该对你做那些事。"

"千真万确。"他说。

但我还是无法独自承担所有的指责。我体内还有一些自尊或是类似的东西。"我希望，"我说，"我们能够互相道歉。"

但是戈登转移了话题。"为什么你会打电话来？都这么多年了？"

我不想告诉他真相：嗯，戈登，是这样的，我就快要死了，而且……

不，不能。我不能这么说。"我只是想解决一些老问题。"

"太晚了。"戈登说。

不会的。明年才真的太晚了。当我们还活着时，就不算晚。

"刚才是你的孙女接的电话吗？"我说。

"是的。"

"我有个六岁的儿子。他的名字叫里奇——理查德·布莱恩·杰瑞克[①]。"我慢慢念出这个名字。戈登也是个《卡萨布兰卡》的大影迷。但从电话中我无法得知他是否笑了。

他什么也没说，所以我接着问道："你过得怎么样，戈登？"

"挺好。"他说。"结婚三十二年，两个儿子、三个孙子孙女。"我等着他给我个台阶，一个简单的"你呢？"就行。但他没有给。

"好吧，我就说这么多了。"我说，"说一声对不起，希望我们之间不愉快的事从未发生过。"加一句"希望我们仍然是朋友"可能显得太假，所以我没有说，只说了句"我希望你将来万事如意，戈登"。

"谢谢。"他说。随后，似乎经过无限长的停顿之后，他说："希望你也是。"

如果继续通话，我肯定会泣不成声的。"谢谢你。"我说，"再见。"

"再见，汤姆。"

随后他挂上了电话。

---

①《卡萨布兰卡》中一个角色名。

第二十四章

我们在爱丽舍的房子差不多有五十年了。我们给它增添了中央空调，又加了一个厕所，几年前的夏天泰德和我还在外面造了个平台。它是个不错的家，充满了温馨的回忆。

但现在，我独自一个人待在家中。这令我有种奇怪的感觉。

我现在似乎很少有独自一个人待着的时候。霍勒斯占用了我大部分的时间，当他不在的时候，其他古生物学家或是研究生就会出现在我身旁。除了去教堂以外，苏珊似乎刻意避免把我一个人留在家里。我不知道是否是因为她想充分利用剩余的时间，还是因为她觉得我的身体糟到不能多撑几个小时了。我真的不知道。

但现在我却是独自在家，她和里奇都出去了。

我不知道该干些什么。

我可以看会儿电视，但是……

但是，上帝，我生命中有多少时间浪费在了电视上？每晚两个小时——那就是一年七百个小时。乘上四十年；我家在1960年买了第一台黑白电视。那就是两万八千小时，或者……

我的上帝。

那是整整三年啊。

再过三年,里奇就九岁了。我愿意放弃一切,只要能看到这一天。

不,我不看电视。

我可以读一本书。我总是遗憾不能为了休闲而阅读。我每天在地铁上花费一个半小时跟踪学术专论和与工作相关的新闻打印稿。我已经很长时间没有打开一本好的小说了。我买了约翰·欧文的《一年寡妇》和特雷斯·M.格林的《生命见证》。所以,是的,今晚我可以开始阅读其中的一本。但谁知道我能不能读完?我生命中已经有太多未完成的事了。

我过去常在苏珊外出时从但丁比萨店订一个比萨饼,大大的,热热的,厚重的馅饼。当地的报纸赞誉它为最重的比萨——盖满意大利辣香肠,两天后你的口气中仍有辣味。苏珊不喜欢但丁比萨店,馅料太多、太辣,所以只要她在,我们会从那个叫作"比萨-比萨"的多伦多连锁店中订一个普通点的。

但是化疗剥夺了我大部分的胃口,今晚我不能面对任何一种比萨。

我可以看一部色情电影。我们有些录像带,因为好玩在几年前买的,却很少看。但是,悲伤的是,化疗也杀死了大部分这方面的欲望。

我坐在沙发上,盯着壁炉上方的架子。那上面放着些小相框:苏珊和我在结婚典礼上;苏珊抱着里奇,那时他刚被我们收养;我在阿尔伯塔荒地,手里握着一柄鹤嘴锄;我出版的一本书《加拿大恐龙》中的黑白作者像;我的父母,大约在四十年以前;苏珊的父亲,像平常一样愁眉不展;我们所有人——我,苏珊和里奇——摆出一个多年前在圣诞贺卡上的造型。

我的家庭。

我的生活。

我向后靠去。沙发的布饰已经磨损了。我们在刚结婚时就买了它。尽管如此,它应该还能再支持些日子⋯⋯

我独自一人。

机会可能不会再次出现了。

但是我不能。我不能。

我整个一生都是个理智的人,一个长期的人文主义者,一个科学家。

他们说卡尔·萨根直到死前还坚信着无神论。他没有放弃,不承认下列说法具有丝毫可能性:曾经存在过一个上帝,通过某种途径关系着他的生死。

但是——

但是,我读过他的小说《接触》,书看完后还看了电影。电影在小说表达的信息中加入了水分。小说是明确的:它说宇宙是由一个科学力量设计出来的。小说是这样结尾的,"在宇宙之前便已经存在着一种智慧"。萨根可能不信仰《圣经》中的上帝,但至少他承认了创世主的可能性。

他真的这么认为吗?要知道乔治·卢卡斯并不怎么相信"骑士之力",我们当然也不能要求卡尔完全相信他所写的东西。

斯蒂文·杰·古德也和癌症做过斗争。1982年7月他被确诊为腹部间皮瘤。他是幸运的;他赢了。古德和理查德·道金斯一样,相信纯达尔文主义的自然观——尽管他们两个无法就此观点的详细解释达成一致。但古德从未说过宗教帮助了他战胜病魔。尽管如此,在他康复后,他写了一本书《石器时代:生命中的科学与宗教》。书中观点表明科学和精神分属两个不同领域,两个"无交界的磁场"——典型的古德式的深奥语言。很明显,宗教是他在与癌症斗争时的重点。

现在轮到我了。

萨根至死都保持了他的立场。古德似乎在两者之间徘徊了一阵子,但最终回到了原来的自我,一个完美的理性主义者。

我呢?

萨根没有碰到外星人,而外星人的大统一场理论指向了创世主的存在。

古德没有碰到来自长蛇星座第二和孔雀星座第四的高级生命形式,而这些生命相信上帝的存在。

但我碰到了。

很多年以前,我读过一本叫作《在哈佛寻找上帝》的书。书的名字比它的内容对我的吸引力更大。书中写了一个纽约时报的记者,阿里·高曼,在哈佛神学院上学一年的经历。如果我要搜寻寒武纪大爆炸的化石,我会去尤胡国家公园。如果我要搜寻恐龙蛋碎片,我会去蒙大拿或是蒙古。大多数东西需要你到某处寻找,但是上帝——上帝,如果他是普遍存在的——应该是你可以在任何地方都能找着的:在哈佛,在安大略皇家博物馆,或是在肯尼亚的比萨店中。

事实上,在我看来,如果霍勒斯是对的,那么你可以在任何地点、任何时间,伸出手并以某种正确的方式抓住一片空间,剥去这一片空间的外皮,你就可以发现上帝的机器。"不留意幕后的人是谁……"

我没有留意。我完全忽略了他。

但现在,就在现在,我独自一人。

或许……

上帝,我从未产生过类似的想法。我比萨根懦弱?比古德懦弱?

过去我见过他们。卡尔在多伦多大学教过课。斯蒂文每次出新书时,我们都会邀请他到博物馆,几个星期后他会再次来到博物馆为布尔吉斯页岩展讲话。我一直惊讶于卡尔高挑的身材。斯蒂文则是动画片《辛普森一家》中那个又小又圆的家伙的原型,跟那个卡通人物真是惟妙惟肖。

从外表上看,他们都没有我壮——没有我以前强壮。

但是现在,现在我可能比他们衰弱得多。

该死,我不想死。

有个笑话说老古生物学者死不了。但是实际上他们都摆脱不了死亡。

我从沙发上站了起来。起居室内的地毯上没什么障碍物。里奇已经越来越懂得整理他的玩具了。

应该是随便在哪儿做都可以的吧。

我朝起居室的窗户外看去。爱丽舍是一条漂亮的老街,位于一个我小时候被称为威路代尔的地方。两旁竖立着成年的大树。一个过路人得费一番劲才能看到屋里。

尽管如此……

我走过去拉上褐色的窗帘。屋子里暗了下来。我打开墙上控制地灯的开关,朝录像机上的蓝色时间显示屏看了一眼:在苏珊和里奇到家之前我仍然有充分的时间。

我真想这么做吗?

我在多伦多大学中教的那门课中没有创世主这一说法。安大略皇家博物馆是世界上最折中的博物馆,但是,除了在天花板中宣称的"所有的人都知道他的工作",那儿并没有单独奉献给上帝的展室。

博物馆的创建者会说当然不会有这样的展室,因为创世主是无处不在的。

无处不在。

甚至就在这儿。

我呼了一口气,呼出了对这个念头的最后一丝拒绝。

我在壁炉旁的地毯上跪了下去。我家庭的合家欢无言地看着我做这一切。

我跪了下去。

然后我开始祈祷。

"上帝。"我说。

这句话在砖头壁炉里回荡着。

我重复着。"上帝?"这次我在提问,我期待着回复。

当然没有人回答。我将要死于癌症,可上帝凭什么要关心我呢? 在任何时刻全世界都有成百万的人在和这个敌人斗争,其中一些人比我更年轻。患上白血病的孩子当然应该首先获得他的垂青。

尽管如此,我又试了一次,第三次说出这个我平时咒骂时才会出口的词。"上帝?"

没有神迹显现,事实上它永远都不会出现。难道这就是信仰包含的一切?

"上帝,如果霍勒斯是对的,如果弗林纳人和吕特人是对的,你的确设计了宇宙,一个地方接着一个地方,一个基本常力接着一个基本常力,那么为什么你就不能避免它呢? 癌症能给人带来什么好处?"

上帝的工作是神秘的。兰斯贝利夫人总这么说。任何事情的发生都有其理由。

我感到我的胃缩成了一团。癌症不是为了其他什么而存在的,只是为了把人撕成碎片。如果真的是上帝创造了生命,那么他就是个蹩脚匠人,制造出有瑕疵的、会自我毁灭的产品。

"上帝,我希望——我希望你能做得更好些。"

我能说的也就是这么多了。苏珊说过祈祷不是为了索取,我也不能要求他的宽恕,要求他免除我的死亡,要求他能让我看到我儿子从大学毕业,要求他能让我和妻子在这儿一起变老。

就在这时,前门开了。我显然迷失在了自己的思绪中,要不然我能听见苏珊用钥匙开锁的声音。

我感到自己的脸变得通红。"找到了!"我对自己大声说,假装捡起一个看不见的失物。我站了起来,冲着我漂亮的妻儿不好意思地笑了笑。

但其实我什么也没找到。

第二十五章

1997年,斯蒂芬·平克到博物馆来推销他的新书《大脑怎样工作》。我听了一次他那令人着迷的报告。他指出,甚至是来自不同文化背景的人,在语言中都使用相同的比喻:例如争论都被看成是战斗;他赢了;我输了;他击败了我;她攻击我的每个观点;他迫使我防守我的每个观点;我不得不撤退等等。

爱情则被看成是病人和疾病;他们有一种病态关系;他击倒了她;她使他感觉很糟;她使他的心都碎了,等等。

主意就是食品。精神食粮;值得回味的东西;他的建议使我觉得像吞了一只苍蝇;我不能体味这个提议;幽默大餐;这个想法支撑着我的体能等等。

而道德则被看成是"高"的,可能和我们直立的身体有关。他是个正直的人;那种行为使我感觉低下;我不会陷得这么深;他选择了一条高尚的路;我要努力向上等等。

直到遇到霍勒斯之后我才体会到人类这种思维方式是多么独特。霍勒斯的英语非常好,也能时常说一些人类的比喻。但时不时地,从霍勒斯的话中我能瞥到弗林纳人真正的思维方式。

对于霍勒斯而言,爱情意味着天文学:两个人越来越了解对方,彼此的行为对方都能精确地预计到。"升起"的爱情表示这种感情即将产生,就像明天太阳会升起般确定。"新的星座"是指老朋友之间萌发的爱情——星座(爱情)就在那儿,但总是需要人们不断探索才能发现。

而道德则是以思想观念的综合为基础。"那个想法交替得很好"是指一个要由左右嘴轮流多遍才能说出的意见。一个不道德的想法则只由一边嘴说出,"他在那个问题上完全处于左面"。对于霍勒斯来说,一个半吊子的想法不是笨点子,而是个不道德的想法。虽然弗林纳人也有"转念一想"的说法,但那指的是另外一个半脑终于加入思考过程,把这个人带回了道德之路。

霍勒斯那天在我家吃晚饭时说过,弗林纳人之所以会在两张嘴之间交替说话,原因是他们的大脑和我们的一样,是由左右两个半球构成的。另外,他们的意识要比我们的更加取决于左右半球之间的互动。英美国家的人形容疯子时经常会说"这个人失去了它(这个人失控了)"。"它"可能指的是他对现实的掌握。弗林纳人没有类似的说法,但他们同样有类似于"把它聚在一起(总的来说)"的说法,尽管在他们那儿,这个"它"指的是两个半球之间的联系。像霍勒斯这样的健康正常的弗林纳人在报自己的名字时总是重叠发出各个音节,左嘴发"霍"这个音结束前,右嘴就开始发"勒"音了,以此告诉周围的同伴,自己脑半球之间的联系非常紧密。

霍勒斯还告诉我,高速摄影显示他们的眼柄不是完全对称运动的,而是其中的一个率先做出动作,然后另一个在极短的时间内跟着做出反应。哪根眼柄先动——也就是说哪边的半球在控制——是随时变化的。弗林纳人的心理学研究的重点就是为了研究哪个半球决定了不同的眼柄动作。

因为苏珊向我灌输了这个问题，我抑制不住问了霍勒斯他是否相信灵魂。大多数现代弗林纳人，包括他在内，不相信有灵魂存在。但关于死后生活的神话故事却源自他们左右大脑之间的心理活动。在过去，多数弗林纳宗教相信每个弗林纳人都有两个灵魂，各自负责半边身体。他们的死后生活有两个去处，一个是天堂：不像基督教天堂那般幸福，"甚至在天堂仍会下雨"是弗林纳人的一句老话；一个是地狱：但是那里没有折磨和苦难，弗林纳人上帝的报复心不是很强。弗林纳人的性情不属于偏激一类，拥有那么多条腿可能使他们的观点更加平衡（迄今为止，最使霍勒斯感到震惊的莫过于看到我用一条腿站立，检查另一只鞋底是否沾了什么东西，同时依然保持着身体的平衡）。

弗林纳人的两个灵魂可以同时去天堂，或是地狱，也可以一个去一端而另一个去另一端（死后的安息地点不用"上"和"下"来表示——又一种与人类不同的说法）。如果两个灵魂都去了同一个地方，即使是地狱，也比分开好，因为灵魂一旦分开，人生前形成的个性就会分裂，而个性分裂之后，人就真的死了，不会有什么死后生活了。

霍勒斯对我害怕死亡感到迷惑不解。"你们人类相信你们只有一个综合的灵魂。"他说。我们当时正在收藏室里研究来自南非的类哺乳爬行动物化石。"所以你有什么可担心的？在你们的神话中，你在死后还能保持你的身份。你当然不会下地狱，不是吗？你看上去不像个恶棍。"

"我不相信灵魂或什么死后生活。"

"噢，好。"霍勒斯说，"我觉得非常奇怪，你们这个种族已经发展到这么现代的阶段了，却还是有很多人认为他们有神性，有一个不死的灵魂。为什么一定要把上帝和不死的灵魂联系在一起呢?"

我从来没有这么想过。或许霍勒斯的上帝也经历过哥白尼式的废黜:是的,创世主的确存在,但他的作品没有灵魂。"还有,"我说,"即使我相信我妻子的宗教所描绘的一切,我也不能确定我是否好到足以进天堂。门槛太高了。"

"门槛?"

"一个比喻,指的是门槛越高,你就越难跨越。"

"噢,我们也有类似的比喻:跑道太狭窄了。说了这么多,你一定知道害怕死亡是不理智的,因为每个人都会死。"

这对他来说不过是动一动嘴罢了。他又不是只剩下几个月可以活了。"我知道。"我语气尖刻地说。我深深地吸了口气,努力使自己平静下来。他是我的朋友,他没有必要在我面前尽说好话。"我不是真的怕死。"我撒谎道,"只是不愿意它来得这么快。"我停顿了一会儿,"我仍然对你们还没有征服死亡感到奇怪。"

"大部分人类,"霍勒斯说,"都把死亡看作对头。"

我应该给他看《第七封印》,或者《比尔和泰德的虚幻之旅》。"不管那么多了,"我说,"我觉得你们应该已经发明了延长寿命的方法。"

"是的。在发明抗生素以前,我们的平均寿命只有现在的一半。在发明抗血栓药物前,我们的平均寿命是现在的四分之三。"

"我懂了,但是——"我停顿了一会儿,想找到合适的词来描绘我的问题,"不久以前我在电视上看到一位医生的访谈录。他说历史上第一个长生不老的人可能已经出生了。我们一直以为自己可以征服——对不起,可以避免——死亡,长生不老在理论上不是什么不可能的事情。"

"我不知道我是不是愿意活在这个只有交税是确定的世界上。"霍勒斯说,他的眼柄又做着S形运动,"而且,我的孩子是我生命的延续。"

我眨了眨眼睛。"你有孩子?"我说。我怎么从未向他——或她——问起过呢?

"是的。"霍勒斯说,"一个儿子和一个女儿。"随后,令人吃惊地,外星人像普通人类一样问了一句:"你想看他们的照片吗?"

我点了点头。全息投影仪发出一阵轻微的嗡嗡声,随后忽然间另外两个弗林纳人出现在收藏室里。他们如同真人般大小,但是不会动。"这是我儿子卡苏德。"霍勒斯说,用手指着左边的一位,"还有我女儿皮尔顿。"

"他们都是成年人吗?"我问道。皮尔顿和卡苏德看上去和霍勒斯大小差不多。

"是的。皮尔顿是一个——你们怎么说来着？一个在剧院工作的人,告诉表演者该怎样表现角色。"

"导演。"我说。

"是的,一个导演。我之所以看你们的电影,一部分原因是想从中比较人类和弗林纳人戏剧的异同之处。我的儿子卡苏德是一个——精神病医生,我想应该这么叫。他医治精神异常的弗林纳人。"

"我敢说你一定为他们感到骄傲。"我说。

霍勒斯上下跳跃着,"你根本不知道我有多骄傲。"外星人说。

霍勒斯在下午刚过一半的时候就消失了。他——不,她,看在上帝的分上,她是个妈妈——她说她要参加别的研究。我利用这空当理了堆在我桌子上的文件,又回想了一会儿我昨天干的事。我最喜欢的专栏作家艾伦·德修韦茨曾经说过:"在祈祷时我对上帝的怀疑最深,仰望星空时我的信仰最坚定。"我在想是否——

投影仪发出哔哔两声。吓了我一跳。我以为今天看不到霍勒斯了,但她现在又忽闪忽闪地回到了我的办公室,她看上去前所未有的激动:眼柄快速地挥动着,圆形躯干起伏不止,仿佛有一只看不见的手在挠痒痒。

"我们来这儿之前访问过的最后一个恒星,"一等到她的幻影稳定下来,霍勒斯就开口了,"叫作Groombridge1618,离这儿大约十六光年。这颗恒星的第二颗行星曾经有过一个文明。但像我们访问过的其他世界一样,当地居民都不见了。"

我笑了。"欢迎你回来。"

"什么?哦,谢谢。但我们现在找到他们了。我们找到了消失的居民。"

"就在刚才?怎么找着的?"

"每当我们发现一个明显被遗弃的星球,我们就会扫描它的整个天空。我们的理由很简单:如果居民抛弃了他们曾经的世界,那么他们可能依靠宇宙飞船来做到这一点,而且,宇宙飞船很可能走在一条被遗弃的世界和他们要去的新世界之间距离最短的路线上。这样,飞船的核聚变尾气——假设它是由核聚变推动的——可能会对准他们原来的星球。我们检查了Groombridge方向七十光年内所有F、G及K等星,设法找出混杂在恒星光谱内的人造核聚变的痕迹。"

"你们找到了些东西?"

"没有,直到昨天为止,我们从未找到过任何痕迹。我们把整个扫描都保存在计算机里。我重新调出了这些数据,编了个程序对其进行更大范围的搜寻,检查了在五百光年内——弗林纳的光年,相当于七百二十地球光年——所有各种等级的恒星。那个程序终于找到了点东西:位于 Groombridge 和 Alpha Orionis 之间直线上的核聚变尾气。"

那是猎户座内最亮的恒星,好像是——"猎户座一等星?"我说,"你是说猎户座一等星?但它是颗红巨星,不是吗?"在冬天的星空中我无数次看到过这颗恒星,它位于我最喜爱的星座猎户座的左肩,我甚至认为它的名字在阿拉伯语中是"猎人的左肩"的意思。

"是的,猎户座一等星。"霍勒斯说。

"我敢担保没有人会搬到那个恒星系去的。那儿不会有适合居住的行星。"

"那也正是我们的想法。在我们这三个世界上,猎户座一等星都是天空中肉眼所见的最大的恒星。如果把它放在你们太阳的位置,它的外缘能达到火星轨道。它的温度比你们的太阳,或是孔雀星座第四及长蛇星座第二低得多。那也正是它发出红光的原因。"

"猎户座一等星有多远?"我问道。

"离太阳 429 地球光年——差不多正是它离 Groombridge 1618 的距离。"

"那可是一段相当长的距离啊。"

"只不过相当于银河系直径的百分之零点五。"

"即便如此,"我说,"我还是无法想象他们为什么会派船去那儿。"

"我们也不知道。猎户座一等星是超新星爆炸的主要'候选人'之一。它一点也不适合成为一个殖民地。"

"那为什么去那儿呢？"

"我们不知道。当然,有可能这艘飞船是飞往位于猎户座一等星同一直线后面的某个地方,或者它计划把猎户座一等星当成一个加油站——可能在低密度的红巨星稀薄的外层大气中更容易采集到氢气。还有可能是这艘船想把猎户座一等星当成一个引力弹弓,获得加速度后改变航程驶向别的目的地。"

"你有没有发现证据显示 Groombridge 的人还派出了其他飞船?"

"没有。但是如果他们中的任一艘哪怕只是稍微改变一下航线,那么它的聚变尾气就不会对准他们原来的星球,我们也就无法探测到了。"

"这艘方舟是多久以前发射的? 它还需要多长时间才能到达猎户座一等星?"

"判断星际间的距离是非常困难的,特别是在缺乏校准视差的基准线的情况下。这艘方舟已经航行了五千年之久——很明显,他们从未发展出我们拥有的高亚光速核聚变动力飞船——已经完成了猎户座一等星之旅的超过六分之五的航程。"她停顿一会儿,躯干上下振动,表达着她激动的心情,"但是你看到了吗,汤姆? 或许你所想象的事确实在其他五个星球上发生了,或许它们的居民的确把自己上传进了计算机。但 Groombridge 的居民却没有这么干。他们造了艘方舟,他们仍然活着。而且那艘方舟的速度没有我们的飞船快。我们或许能赶上它。那就意味着——"

她又跳了几下——"我们又可以拜访一个新的种族了。"

第二十六章

博物馆在六点时对公众关闭了。霍勒斯和我又一次单独走在布尔吉斯页岩展中。

"我注意到了，"外星人说，"你们展出的许多化石是模型。"

"嗯，这些都是真的。"我指着我们周围的页岩说，"这些东西，我们要么与其他博物馆交换，给他们一个他们想要的化石，从他们的手中换取一个我们想要的；要么我们会直接从他们手头购买。"我停了下来指着上方，"那个在探索馆中的霸王龙是个模型。但是，我们的似棘龙是个抢手货。我们刚刚为一家赫尔辛基的博物馆完成了一个模型。"

"这些化石太让我着迷了。"霍勒斯说，"我们不会做实物模型，但我们会用高清晰度全息扫描仪记录我们感兴趣的东西。"她停顿了一会儿，"能允许我扫描这些化石吗？"

"扫描布尔吉斯页岩物种？"

"是的。"霍勒斯说，"整个过程是不接触的，不会对化石造成损害。"

我挠了挠曾经是我右鬓角的地方。"我想应该没什么问题，但是——"我立刻变成了个精明的商人，"但是，就像我说过的，我们通常交换或者卖出我们的化石。你可以给我们提供什么回报呢？"

霍勒斯思考了一会儿。"我可以向你提供一个长蛇星座第二对应的寒武纪大爆炸扫描图书馆。"

伊丽莎白·区波乐·罗斯五阶段中的第三个是讨价还价。此类还价通常没有什么效果，但至少它教会了我不要轻易放弃。"我还要一个孔雀星座第四对应的寒武纪大爆炸扫描图书馆。"霍勒斯的眼柄移到一个位置上，我已经明白了那个姿势的含义：她要拒绝我的开价。但在她开口以前我继续施加压力，"毕竟，你肯定会与吕特人分享这批数据，所以他们也要为此付出价钱。而且我还需要两份拷贝，因为我必须给史密森学会一份。"

霍勒斯考虑了一会儿，然后她的眼柄泛起了波纹。"成交。"她说。

"怎么进行扫描？"我问。

"我们必须亲自下来几个人，还得带上仪器。"

"真的吗？嗨。"我笑了，"很高兴能再次见到你——我是指你的肉身。整个过程需要多长时间？"

她看着周围的展柜，仿佛在估计任务量。"我觉得大约需要一天时间。那么高的解析度，扫描很花时间。"

我皱起眉头。"好吧，但不管怎样，我们必须在博物馆关门后才能进行。如果博物馆仍对公众开放时你的肉身出现在这儿，对你来说过于危险。而且，如果扫描要花这么长时间的话，我们就只能在星期天晚上开始，持续到星期一。博物馆星期一不开门。"麦克·哈里斯最近一轮补贴削减使得我们每星期只能开门六天。"我想我们没有理由耽搁。这个星期天晚上怎么样？"

"那是哪天？"霍勒斯问道。

"两天以后。"

"好的。"外星人说,"时间刚好合适。"

对于我而言,淋浴一直只是为了迅速把自己洗干净——现在就更快了,因为没有头发要洗。而对于苏珊,它是她的一种享受。她在平常工作日不得不洗得很快,但在星期六的早晨,她会花上半小时的时间,享受温暖的水按摩全身的感觉。今天,她在淋浴时,我正躺在床上,看着天花板上的装饰,陷入沉思,想要理出头绪来。

我最爱看的一部电影是《风之继承》——最早的版本,斯宾赛·特雷西、弗雷德里克·玛西和吉尼·凯利分别扮演克莱伦斯·达鲁、维廉姆·钱宁斯·布莱恩和H.L.麦克肯。还有几部模仿电影拍制的电视剧。我不知道为什么他们总是复制好的电影。为什么不能改编一部差的电影并改正其中的一些错误呢?我会很乐意看到一部像样的《沙丘》《瓦尔舍斯基》,或者是《幻影威胁》——新版本。不过他们的确重新制作了《风之继承》,这一次是由詹森·罗伯茨,柯克·道格拉斯和老家伙达伦·麦克戈文主演的。《夜游者》中的卡尔·库恰克也考虑过参演这部片子。麦克戈文和库恰克演技都差不多,除了演吸血鬼以外。

我又走神了。上帝,我希望我能更专心一点。

我希望疼痛能够消失。

我希望——该死的,我多么希望——我的思维是连贯的,有条有理,是我真正想要思考的,而不只是疼痛和药物带来的胡思乱想。

当我第一次看《风之继承》,等到斯宾赛·特雷西摧毁了弗雷德里克·玛西,将这位原教旨主义者变成一个在证人席上胡言乱语的傻瓜这一场景出现时,我禁不住自鸣得意地大笑起来。活该,我想,真是活该。

我以前在多伦多大学教过书。我提到过这段经历,是吗?当达尔文首次提出他的理论时,科学家们认为化石记录可以揭露真相:我们可以看到从一个物种到另一个物种渐进的变化,缓慢的变化随着时间的流逝积聚起来,直到一个新的物种出现。

但是真正化石记录与想象中的并不相同。自然界中的确存在转型中的物种:鱼石螈,它似乎是一种鱼类和两栖类之间的中间状态;尾羽龙,一个恐龙和鸟的混合物;甚至还有南方古猿,一种经典的猿人。

但是渐进的变化呢?微小变异随着时间流逝积聚起来?没有。鲨鱼四亿年来一直是鲨鱼;乌龟两亿年来一直是乌龟;蛇八千万年来一直是蛇。事实上,化石记录最缺乏的就是渐进序列,渐进的变化。我们拥有的最详细的脊椎动物系列是马的进化,正因为这个原因,几乎所有博物馆都像安大略皇家博物馆一样有一个马的进化系列化石展。

斯蒂文·杰·古德和纳欧斯·埃尔基提出了一种解释,阶段性均衡理论——我们在进化学中称之为punky-E。物种在很长一段时间内是稳定的,然后突然地,当环境发生改变时,它们迅速进化成另外的形式。90%的我希望相信斯蒂文和纳欧斯,但我剩余的10%却觉得他们的理论有点像文字游戏,就像古德的"无交界磁场"科学和宗教那种和稀泥的说法,在这儿则是用难以理解的话来解释为什么化石记录并不像达尔文所预测的那样,好像起个漂亮名字就可以解决问题似的。(古德并不是第一个这么干的人——"适者生存"不过是一种循环定义罢了,因为"适者"从来就没有明确定义,那些侥幸活下来的生物则被说成是"适者"。)

环境在很长一段时间内是稳定的。二月份，多伦多的温度经常在二十华氏度左右，大街上的雪能没过大腿。空气太干燥了，皮肤起皮嘴唇干裂。如果不穿上厚重的毛衣和长皮大衣，戴上围巾和帽子，你会轻易地死于严寒。

六个月之后，在八月份，气温经常徘徊在九十华氏度左右，也有超过一百华氏度的日子。空气中满载着潮气，单单站着不动就会使你满头大汗。阳光十分强烈，不戴遮阳帽的话，在太阳底下站上一会儿就能使你头晕。收音机中经常播报要求老人和心脏不好的人待在室内的消息。

阶段性均衡理论说，环境在很长的一段时间内都是稳定的。而在现实中，在世界上的多数地方，环境甚至几个月内都会发生很大变化。

但是我仍然在捍卫，我们都是——所有教授进化论的人。我们把阶段性均衡理论加入自己的教案，并且在天真的学生问到缺失的环节时歉意地摇摇我们的头。

这已经不是我们第一次孤芳自赏了。在1953年，当哈诺德·乌瑞和斯坦利·米勒通过给原始汤——他们眼中的原始的地球大气——通电合成了氨基酸之时，进化论者傲慢地不屑一顾。为什么不呢？我们已经快要实现在瓶子中创造生命了，正在取得进化理论的全面胜利，证明生命确实是从简单的自然过程中产生的。只要我们配制了合适的原始汤，能自我复制的生物体随时都可能出现。

我们仍然不知道氨基酸是如何发展成能自我复制的生物的。当我们在电子显微镜下观察细胞时，我们看到了达尔文做梦也想不到的东西。纤毛自身的功能是如此复杂，似乎不太可能沿着进化论所允许的一步接着一步进化而来。它那复杂的功能和结构似乎是一下子被创造出来的。

还有，以同样的自大态度，我们也没有理会生物化学的证据。我记得老琼斯曾经给我看过他那本《多疑的询问者》中的一篇文章。在文章中，马丁·加德纳简直想把麦克尔·贝黑撕成碎片。麦克尔·贝黑是莱赫大学的教授，《达尔文的黑匣子：生物化学对进化论的挑战》一书的作者，他这本书提出了非常有力的创世论的证据。加德纳说贝黑这个名字听上去像是开玩笑似的"嘻嘿"，因此他的话也就不必认真对待。而且，仅仅因为我们现在不知道纤毛的进化的系列步骤，或者是形成血栓的过程，或者是人眼复杂功能的进化过程，或者是ATP驱动的细胞新陈代谢过程——并不意味着这一系列步骤不存在。

而且，我们一直在说宇宙就是应该有丰富的生命，地球没有什么特别之处，只是一颗十分普通的行星，就像地球上到处存在的泥土一样普通。

但是，在1988年，发现了首个太阳系外的行星，它围绕着恒星HD114762公转。当然，在那时我们并不认为它是颗行星，以为它只是一颗棕矮星。毕竟，它的质量是木星的九倍，围绕HD114762的轨道半径比水星围绕太阳的轨道半径还要小。但是在1995年，另一颗太阳系外的行星又被发现了，它的质量至少是木星的一半，并且它围绕恒星51Pegasi的轨道半径也相应比水星的要小。随后又发现了更多类似行星，但它们都来自与我们的太阳系很不同的恒星系。

在我们的太阳系中，那些气体巨人——木星、土星、天王星和海王星——都在离中央恒星很远的地方公转，近日轨道上的都是些小个子的岩石行星。我们的行星系看上去根本就不普通,几乎像是个怪物。但是我们这个行星系的布局对于产生并维系生命却是至关重要的。如果没有我们那颗巨大月亮——几乎是个姐妹行星,由一颗小行星在远古时代撞击当时还是液态的地球形成的——引力效应,地球就会以一种不稳定的姿态摇摆运行,我们的大气也会稠密到足以把人压扁,就像金星上的一样。而且,如果没有木星巡逻在近日和远日轨道之间,用它的巨大引力将彗星和小行星吸引开,那么我们的世界就会经常被这些玩意儿击中。在六千五百万年之前,一次流星的撞击很明显地将地球上的生命几乎一扫而光;我们绝不可能承受更多的轰炸。

霍勒斯那儿的恒星系与我们的明显相似,吕特人的也一样。但尽管如此,类似于我们太阳系的恒星系是非常稀有的。我们这类系统只是个例外,而不是什么惯例。细胞也并不简单,它们其实是异常复杂的。至于令人着迷且又头痛的化石记录则显示进化是大步跳跃的,而不是细微变化积累起来的。

我从成年后就一直是个新达尔文主义进化论学者。我当然不希望临死之前改变自己的主意。

但是——

但是,就像霍勒斯所相信的,或许生命还有更多的未解之谜。

我知道进化的确发生了,我知道这是个事实。我见到过化石,见到过DNA研究者说我们和大猩猩在遗传物质上有98.6%是相同的,因而我们肯定共同拥有一个近代的祖先。

跳跃式前进……

通过……或许有可能……通过量子跳跃。

牛顿在十七世纪提出的物理学原理大部分是正确的,它们可以被用来较为可靠地预测很多事情。我们没有抛弃它们，而是在二十世纪又将它们融入到一个新的、更广泛的物理学原理中——相对论和量子力学。

进化论是一个十九世纪的概念，它是达尔文1859年在他的一本书中提出的，书的全名为《物种起源：自然选择或是物竞天择》。但是我们知道得越多，自然选择本身单独作为一个产生新物种的机制就越发显得不够充分。哪怕我们最成功的，有主观意识的人工选择的尝试，也不能完成制造新物种的任务——所有的狗仍属于犬科。

现在已经是二十一世纪的开端了，为什么就不能将达尔文的理论并入一个更全面的理论中，就像牛顿的理论那样呢？

该死！

真该死！

我憎恨疼痛慢慢侵袭的感觉——就像一把刀在切割我的身体。

我把手伸向凌乱的床头柜。我的止痛片在哪儿？在哪儿？

第二十七章

矮矮的、健壮的、长着一头银发的朗达·韦尔是多伦多警察局的警官。她的电话在星期天下午一点十一分响了起来。她拿起听筒道:"这是韦尔警官。"

"你好。"一个刺耳的、愤怒的男人声音在电话的另一头说道,"我希望这次找对了人。我的电话已经被转了好几次了。"

"你有什么要帮忙的?"朗达问道。

"我叫康斯坦丁·凯利佩德斯。"那声音说道,"我是艾托比克湖岸汽车旅馆的周末值班经理。我的清洁工刚刚在一个房间里发现了一把枪。"

"什么样的枪?"

"一把手枪。她还发现了一个枪匣子,就是你们常常用的那种。你们怎么叫来着? —— 一种攻击性武器。"

"客人已经结账走了?"

"客人们,两个人。没有。他们的房间一直订到星期三早晨。"

"他们的姓名?"

"一个叫J.D.艾维尔,另一个叫C.弗西。他们的车牌是阿肯色州的。"

"你记没记下车牌号码?"

"没有,但他们自己在登记簿上写下了。"他把一串号码读给朗达。

"清洁工已经打扫完房间了吗?"

"没有。在发现枪之后,我就让她停止打扫了。"

"太好了。"朗达说,"你的地址?"

他告诉了她。

"我大约在"——她看了一眼手表,默算一下。星期六下午的交通应该比较通畅——"二十分钟后到你那儿。如果艾维尔和弗西回来了,尽可能缠住他们,但不要冒险,明白吗?"

"是的。"

"我这就出发。"

湖岸旅馆当然如它的名字所显示的位于湖边。朗达·韦尔和她的搭档汉克·李在旅馆入口前停好他们那辆没有标志的车。汉克从他们的车开始往左检查其他车的车牌,朗达则往右。六辆车来自美国——两辆来自密歇根,两辆来自纽约,剩下的分别来自明尼苏达和伊利诺伊——但没有一辆是从阿肯色来的。天上下起了小雨。雨肯定会变大的,空气中充满了清新的气味。

康斯坦丁·凯利佩德斯原来是个满脸胡子茬的大肚子希腊人。他领着朗达和汉克走向一排单元房,经过一扇又一扇门,最后来到一扇开着的门跟前。在那儿他们看到了那个来自印度东部的清洁女工,他把她一块儿带进118房间。凯利佩德斯拿出他的备用钥匙,朗达伸手要了过来。她自己用钥匙带动门把手把门打开了,以防破坏可能留在把手上的指纹。这是个小而简陋的房间,墙上歪歪扭扭贴着两幅画片,蓝色的墙纸在接口处已经开裂。房间里有两张双人床,其中一张旁边还放着氧气瓶,好像是为某种睡眠呼吸暂停症病人准备的。两张床都乱糟糟的,显然女清洁工发现枪时还没来得及整理床铺。

"枪在哪里?"朗达问道。

那个年轻女人用手指了指。枪就躺在一个衣箱旁的地板上。"我得挪那个箱子,"她说话带点口音,"它挡住了插座,我要接上吸尘器。它可能一直没关上,枪一下子就掉了出来。在箱子后面有个木头匣子。"她指着说。

"一把格鲁克9毫米手枪。"汉克瞥了一眼那把枪之后说。朗达看着那个匣子。它镶嵌着黑色的胶条,刚好合适装一把因特科Tec-9卡宾枪,一种火力强劲的武器——简直就是一挺轻机枪,长短相当于人的前臂。在加拿大持有武器是非法的,更令人不安的是他们留下了手枪而选择了Tec-9,这种武器的子弹夹盛弹三十二发,连美国都属被禁武器。朗达把手背在身后,开始慢慢搜查整个房间。房间里有两个烟灰缸,这是个吸烟房。里面还有个可以连接调制解调器的数据接口,但周围没看到笔记本电脑。她走进厕所。里面有两把刮胡刀和一瓶剃须液,还有两把牙刷,其中一把磨损得很厉害。

退回到房间之后,她注意到床头柜上放着一本黑色封面的《圣经》。

"理由充分?"朗达对她的搭档说。

"我觉得是。"汉克说。

凯利佩德斯看着他们,"什么意思?"

"我们是指,"朗达说,"表面上的证据已足够表明发生了犯罪行为或是将要发生,我们有充分的理由在没有搜查证的情况下彻底搜查整个房间。你可以留下来看着我们——事实上,我们希望你留下来。"警察局已经不止一次被人告上法庭,说是搜查之后不见了贵重物品。

凯利佩德斯点了点头,扭头对女清洁工说:"回去工作。"她急忙出了门。

朗达拿出一块手绢,把它支在两根手指之间,拉开其中一张床头柜的抽屉。抽屉里还有一本《圣经》,红色封面,典型的基顿版。她走向另一张床头柜,从口袋里拿出一支笔,用它挑开床头柜上那本《圣经》的黑色封面。这一本不是基顿版,封面内侧还用红墨水写着"C.弗西"。她看了一眼轻机枪的匣子后说:"我们的圣经小子们应该多读读熔剑为犁那一段。"

汉克哼哼两声算是回答。他正用自己的笔挑开梳妆台上的乱纸。"看这个。"他突然说道。

朗达走了过来。汉克发现了一张摊开的多伦多地图。他小心翼翼捏着地图的边,把它翻了个个儿,指着那块合起来之后会是封面的地方。封面上有一张"巴恩斯和诺贝尔"——一家美国连锁书店,在加拿大有分店——的价格标签。弗西和艾维尔可能是在阿肯色买的这张地图。汉克慎重地把它翻了个面。这是一张有各种图形和标记的彩色地图。朗达盯着看了一会儿,发现标着基普林和奥纳的地方被人用圆珠笔画了个圈。那儿离他们现在待的地方还不到两公里。

"凯利佩德斯先生。"朗达叫道,示意他过来,"这儿离你们很近。能告诉我基普林和奥纳的十字路口那儿有什么东西?"

他挠着腮边的胡子茬。"一家牛奶店,一个小饭馆,一个干洗店。哦,我想起来了——还有一家前不久被炸过的诊所。"

朗达和汉克交换了个眼色。"你确定吗?"朗达问道。

"当然。"凯利佩德斯说。

"上帝,"汉克说,显然他意识到了事情的严重性,"上帝。"

他们又急忙查看起地图,看看是否能找到其他记号。地图上还有三个记号,其中一个是用铅笔画的圈,位置在布罗街用红色长方形代表的建筑旁。朗达不用问就知道那是什么地方,旁边的斜体字清楚地表明它是安大略皇家博物馆。

被标上记号的还有天空圆顶——那个体育馆是蓝爵士队的主场——和加拿大广播公司演播中心,它位于天空圆顶以北几个街区。

"都是些旅游景点。"朗达说。

"但是他们拿着半自动武器。"汉克说。

"蓝爵士今天有比赛吗?"

"有。和密尔瓦基队。"

"在加拿大广播公司有什么?"

"星期天? 我知道早晨他们在大厅有个直播。不太清楚下午有什么活动。"汉克看着地图,"还有,他们也可能去这些记号以外的地方。毕竟他们没有带上地图。"

"尽管如此……"

汉克不需要听到朗达说出后果。"是啊。"

"我们把赌注押在博物馆上——他们那儿有个外星人。"朗达说。

"他不是真的在那儿。"汉克说,"只是个从母船上传过来的幻影。"

朗达哼了一声,表示她知道。她从口袋里拿出手机。"我会向加拿大广播公司和天空圆顶派出两个小队,要求派几个警察来这儿,以防弗西和艾维尔万一回来。"

下午三点半左右,苏珊开车送我到了道斯维尔地铁站。天上云层很厚,阴沉沉的,一场暴雨就要来了。里奇今天下午和胡一家待在一起——我的儿子已经习惯越南菜了。

星期天地铁的班次较少。为了节省时间,我没有从北约克中心上车,而是从位于市中心的斯班迪纳线的北端道斯维尔站搭乘地铁。我吻了吻我的妻子,她吻了我很长时间。我冲她笑笑,她也给我一个笑脸。

随后,我拿起纸袋,里面装着苏珊给我准备的三明治,走进地铁站,上了自动扶梯,逐渐深入地下。

朗达·韦尔和汉克·李从凯利佩德斯那儿掌握了弗西和艾维尔的大致长相。凯利佩德斯分不清他们两个,但说他们中的一个有二十多岁,金发,身材消瘦,大约五英尺八英寸高,尖嘴,剃了个小平头;另一个三十多岁,比他的同伴高出三到四英寸,长脸,棕色头发。两个人都是美国南部口音。其中一个人带着一挺Tec-9轻机枪,可能就藏在他的外衣底下。虽然星期天博物馆游客很多——它是离婚后的父亲最喜欢带孩子去的地方——但是朗达和汉克仍然有很大的机会发现他们。

他们把车停在位于天文馆南面的布拉·拉斯金法律图书馆的小型停车场内,随后走向博物馆,穿过大门向拉尔布走去。

朗达出示她的证件并描绘了她和汉克要找的人。

"他们来过这儿,"拉尔布说,"就在几天以前。两个南方口音的美国人。我记得他们,因为他们中的一个把布尔吉斯页岩叫作'假页岩'。我回家后和我妻子还说起这件事呢,她觉得挺好笑。"

朗达叹了口气。"看起来他们不太可能再来了。但这是我们仅有的线索。如果可以的话,我们想四处看看。""当然。"拉尔布说。他用对讲机通知了其他保安,让他们也注意有没有那两人的踪迹。

朗达再次拿出手机。"我是韦尔。"她说,"嫌犯上星期来过博物馆。我们还要在这儿待上一会儿,看看他们会不会再来,但我会把注意力集中到天空圆顶和加拿大广播公司。"

下午四点三十分,我到了博物馆。我从员工入口处进到里头,直接去了布尔吉斯页岩展室。在那儿我到处看了看,以确保在霍勒斯一行到来之前一切都正常。

四点四十五分,朗达·韦尔、汉克·李和拉尔布在大厅再次会面。"运气不好。"朗达说,"你呢?"

汉克摇了摇头,"我忘了这地方有多大了。即使他们已经来了,也可以躲在任何地方。"

"我们的人也没有发现。"拉尔布说,"很多游客手里都拿着外套。我们从前有过免费存衣处,但那是在经费削减以前的事了。"他耸了耸肩,"人们不喜欢付钱。"

朗达看看手表,"快关门了。"

"团体入口处周末不开放。"拉尔布说,他指着彩色玻璃窗下的玻璃门,"他们都得从大门出去。"

朗达皱着眉,"可能根本就不在这儿,不过我们还是在外头等着,看能不能发现他们。"

汉克点了点头,随后两位警官穿过玻璃门。看上去很快就要下雨了。朗达又一次掏出手机。"有什么新消息吗?"她问道。

一个警察的声音在手机那头响起:"他们肯定不在演播中心。"

"我把赌注放在天空圆顶。"朗达对着手机说。

"我们也是。"

"我们很快就去。"她把手机放回口袋。

汉克看了看阴沉的天空,"希望来得及看他们怎么合上体育馆的圆顶。"

J.D.艾维尔和库特·弗西靠在下厅的一面墙上。弗西戴着一顶昨天在天空圆顶看比赛时买的多伦多蓝爵士的帽子。一个预先录制带有牙买加口音的男子声音从广播系统中传了出来:"女士们,先生们,博物馆就要关门了。请所有的游客马上从大门出口离开。非常感谢你们的光临,希望你们再次赏光。女士们,先生们,博物馆就要关门了。请——"

弗西冲着艾维尔笑了笑。

博物馆剧院有四扇双开门,平常是不上锁的。好奇的游客有时会把脑袋探进去,但是如果里面没有表演的话,他们看到的只不过是一间大黑屋子。

艾维尔和弗西一直等到下厅没有其他人了,随后走下九级台阶进了剧院。他们一动不动地站了一会儿,适应里头的黑暗。虽然剧院没有窗户,里头还是有些光线的:紧急出口标志泛着红光,从门底缝中穿过来的微光,一个挂在门上方墙上的会发光的大钟,烟雾警报器的红色发光二极管,还有些光线从入口上方的五个小放映口透过来。

今天早些时候,弗西和艾维尔看了一场似乎永远都不会结束的电影。电影讲的是一个男性加拿大土著坐着个独木舟在不同河流上旅行的故事。他们没把心思放在电影上，而是认真检查了剧院的结构：银幕前方的舞台、椅子的排数、走廊的位置、通向舞台的梯子的位置。

现在，他们在黑暗中迅速沿着左边的走廊移动，找到通向舞台的梯子，爬了上去。然后穿过从屋顶上垂下来的银幕的后面，进入后台。

后台的光线更明亮些。一侧有个小小的厕所，里面的灯开着，门也微敞着一条缝。地上散放着几把不配对的椅子，还有一些照明器材、麦克风架子之类的杂物。一条绳子从天花板像条蟒蛇般垂下来。到处都是灰尘。

艾维尔丢下夹克衫，露出藏在底下的轻机枪。可能觉得老拿着它太麻烦，他把枪放在地上，在一张椅子上坐了下来。

弗西找了另外一张椅子坐下，双手放在脑后往后靠去，耐心地等待着。

第二十八章

晚上十点。市中心的车流几乎完全消失了。霍勒斯的飞船从空中静悄悄地降下来。这回它没有降落在上回那个地方——天文馆的前方，而是停在博物馆后面，菲利斯多佛街一块多伦多大学的停车场。虽然飞船的降落毫无疑问会引起一些人注意，但是至少从博物馆前的大街上看不到。

克里斯蒂·多罗迪坚持要等外星人。我们讨论了用什么方法最能确保安全，最后决定不做特别的安排才是最实际的做法。如果我们要求警方和军队协助，那样可能会招致大批人围观。随着日子一天天过去，博物馆周围的疯子剩得不多了，而且现在已经这么晚了，剩下的也都走光了——大家都知道，霍勒斯和我保持正常的工作时间。

自从克里斯蒂打算赶走我之后，我们之间的关系就一直很紧张。但我觉得，她现在看着我时就应该知道，不管怎样我的任期马上就要结束了。我仍然尽量避免照镜子，但我可以看到其他人对我容貌的反应：那些被迫发出的、虚假的问候，说我看上去还不错；和我握手时都不敢用力，怕把我的骨头捏碎了；隔上一段日子再见到我时，他们会对我的状态不自觉摇头。克里斯蒂马上就能得逞了。

我们站在天文馆和博物馆之间的小路上看着飞船降落。菲利斯多佛街很荒凉，是那些你不愿意在晚上逗留的地方。霍勒斯，另一个弗林纳人，还有两个吕特人从黑色的楔形飞船中走出来。霍勒斯仍旧缠着我们初次见面时那块浅蓝色长布，另一个弗林纳人则披着黑黄相间的布。四个外星人手中都拿着看上去非常精致的仪器。我迎上前去，随后领着这群人沿着小路走进员工入口。入口与街面平齐，实际上是博物馆的地下室（博物馆的大门外有台阶，把大门整整从街面抬高了一层）。一位保安在那儿守着，他正聚精会神地读着一本杂志，而不是看着从监控摄像头传来的不断变化的黑白图像。

"最好把警报器关了。"克里斯蒂对保安说，"如果我们要在这儿待一晚上，我们肯定会在房子内到处转转的。"保安点了点头并在他面前的控制台上按下一些按钮。

我们走向博物馆深处，里面大多地方是漆黑一片。两个吕特人都戴着我以前见过的多功能带，但他们身上还有别的：他们的四个手臂之间有十字形的甲胄。"那是什么？"我指着其中一个问霍勒斯。

"反作用力装置。帮助他们在这儿正常行走。地球的引力比他们自己的星球大。"

我们乘上电梯去了一楼。电梯一次只能装载一个弗林纳人，所以我们分成先后两拨。我领着第一拨。霍勒斯已经无数次看到我运行电梯了，所以她就成了第二拨的操作员（她说如果向吕特人解释数字代表楼层的话会花去我们太多的时间）。两个吕特人对红松木制成的巨大图腾柱特别感兴趣。他们很快沿着缠绕着图腾柱的楼梯上到三楼，然后又回到一楼。随后我领着所有人穿过大厅来到葛菲尔德·韦斯顿展室。我们走路时，霍勒斯的两个嘴巴忙个不停地说着她本族的语言。可能在充当另一个弗林纳人和两个吕特人的导游。

我对第二个弗林纳人很感兴趣。他的名字叫巴布肯，长得比霍勒斯大，肤色也稍浅。

锁位于玻璃双开门的底部。我呻吟着弯下腰，用钥匙开了锁，把门拉开到最大位置。随后我进去开了灯。其他人随着我进了展室。两个吕特人小声商量着，过了一会儿，他们似乎达成了一致意见。虽然他们没有转过身来，但是其中的一个显然开始和霍勒斯说话了：发出一串石头碰撞的声音，随后，这声音被翻译成了音乐般的弗林纳语。

霍勒斯挪到我身旁，"他们可以开始扫描第一个展柜了。"

我走上前去，用另一把钥匙打开展柜的三角形玻璃门，把它掀了上去。铰链把门固定在最大位置。人在展柜里工作时，玻璃门不可能自己砸下来。博物馆以前可能没有采取措施保护员工的安全，但现在他们已经改进了。

扫描仪底部是一个金属平台，平台上伸出十几根看上去非常复杂的机械臂。每根机械臂末端都有一个垒球大小的透明球体。一个吕特人忙着放置这些机械臂——一些在柜子上，一些在下面，更多的在侧面——另一个则忙着在平台的发光控制面板上做出调整。他似乎对仪器的影像显示不满意，继续拨弄着面板。

"这是一项精细工作。"霍勒斯说。她的同胞安静地站在她旁边。"在这个精度上扫描只能承受非常小的震动。"她顿了顿，"我希望地铁不会对此造成影响。"

"他们今晚的营运很快就要停了。"克里斯蒂说，"再说，虽然在楼下的博物馆剧院你能感觉到地铁经过，但我从来没有在博物馆的其他地方感觉到震动。"

"我们可能会无事可做。"霍勒斯说，"但是扫描期间我们必须禁止使用电梯。"

另一个弗林纳人"唱"了起来，霍勒斯随即对我和克里斯蒂说了声对不起。他们俩迅速穿过展厅，帮忙搬来另一台仪器。霍勒斯显然不擅长操作扫描仪，但她是个搬东西的好帮手。

"太神奇了。"克里斯蒂看着在展室里忙作一团的外星人说。

我不想和她交谈，但她毕竟是我的老板。"说得也是。"我淡淡地说。

"你知道吗？"她说，"我从来不相信有外星人。我是指我知道你们生物学家常说的：地球没有什么特别之处，宇宙中到处都有生命等等。但是在我内心深处我一直以为我们是宇宙中独一无二的。"

我决定不和她争论我们的星球有没有特殊的地方。"我很高兴他们来这儿。"我说，"我很高兴他们来拜访我们。"

克里斯蒂打了个大大的哈欠——这么做时，她的马嘴看上去太突出了，尽管她想用手捂着她的嘴。天已经很晚了，但我们才刚刚开始。"对不起。"打完哈欠之后她说，"我希望能想个办法让霍勒斯在这儿做些公共项目。我们会——"

就在这时，霍勒斯加入了我们。"他们可以开始扫描了。"她说，"仪器会自动执行，我们最好离开这儿，减少震动。"

我点了点头，我们六个向外来到大厅。"扫描要多长时间？"

"第一个展柜大约需要四十三分钟。"霍勒斯说。

"那么，"克里斯蒂说，"没有必要就在这儿等着。为什么不去看看远东工艺品呢？"那个展室也在一楼，离我们现在所处的位置很近。

霍勒斯和其他三个外星人说着什么，应该是在取得他们的同意。"好的。"她转过身来对我们说。

我让克里斯蒂领头，毕竟这是她的博物馆。我们再次沿着对角线穿过大厅，经过图腾柱，来到T.T.崔的中国艺术品展（以为此次展览捐款的港商命名）。博物馆拥有西方世界最好的中国工艺品收藏。我们在展室里转了一圈，里面的展柜装满陶瓷制品、青铜器和珠宝。最后我们来到中国墓葬区。过去几十年，这些坟墓一直在外头承受多伦多的日晒雨淋，现在它们终于被搬到了博物馆一层。这儿的外墙是玻璃的，透过它可以看到湿漉漉的布罗街。必胜客和麦当劳在街的对面正对着我们。屋顶上开了个天窗，雨点打在它上面发出哗哗的响声。

墓葬区由两个巨大的拱门，两个石骆驼，两个巨大人形塑像和一个圆顶坟墓组成，没有被绳子围起来。另一个弗林纳人巴布肯伸出六指手摸着离他近的那个拱门上的雕刻。我猜，如果你一直通过幻影做事，用你有血有肉的手指去触摸东西会带来一种特殊的感觉。

"这些墓葬品，"克里斯蒂站在一头石骆驼旁说，"是博物馆在1919和1920年之间从一个叫乔治·格劳弗茨的人那儿购买的。他当时是一个在天津做生意的英国皮货商和艺术品商人。这些墓葬据说来自河北省丰台庄，属于一个著名的明朝将军祖大寿，他死于1656年。"

外星人中发出一阵嗡嗡声。很明显他们非常感兴趣。或许他们不会为死人建造纪念性的建筑。

"那时候的中国人相信宇宙是一个有高度秩序的地方。"克里斯蒂继续着，"这个墓葬反映了他们的观点，而且——"

一开始我还以为是雷声。

一阵巨响传进墓葬区,回荡在石墙之间。

一阵我只在电视和电影上听到过的巨响。

一阵急促的枪声。

我们太愚了,居然从墓葬区奔向声源。弗林纳人很快就跑在我们人类前面,吕特人则落在最后。我们急匆匆地穿过T.T.崔展室来到漆黑的大厅。

声音来自葛菲尔德·韦斯顿展室——来自布尔吉斯页岩展厅。我无法想象谁会成为射击对象:除了在员工入口处的保安,我们是整幢建筑里仅有的一群人。

克里斯蒂带了个手机。她已经打开了手机的翻盖,应该是正在拨打911。又一阵齐射撕裂了空气,已经跑近的我还听到了我非常熟悉的声音:岩石的碎裂声。突然间我意识到发生了什么。有人正在向那些无价之宝、已有5亿年历史的布尔吉斯页岩射击。

吕特人到达大厅时,枪声停止了。我们一行很难说是安静的:克里斯蒂在对手机讲话,我们的脚步声回响在大厅里,而且吕特人出于好奇——或许他们从来没用过火器——在互相激动地讨论着什么,尽管我一再示意他们闭嘴。

即使被他们自己的枪声震了个半聋,向化石射击的那些人还是听到了我们发出的声音。一个人从展厅内现身了,随后又是一个。第一个出来的人身上沾满木屑和石头碎片,手里还拿着某种半自动武器——可能是一挺轻机枪。他瞄准了我们。

那个动作足以使我们做出最明智的选择。我们全都停住不动了。但我偷偷地向克里斯蒂做了个询问的表情,无声地问她是否拨通了911。她点了点头,将她的手机转了个小小的角度,让我看到还在发光的屏幕。电话还通着。感谢上帝,接线员很聪明,他在克里斯蒂住嘴的同时也闭上了他的嘴。

"上帝。"拿着枪的那个人说。他转过身半对着他那个剃着小平头的同伴。"上帝,你看见他们了吗?"他有美国南方口音。

"外星人。"剃着小平头的人以不太确定的语气说。他有相同的口音。过了一阵子,等到确定了眼前所见之后,他又开口了,语气肯定了很多。"外星人。"

我向前迈了半步。"他们只是投影。"我说,"不是真的在这儿。"

弗林纳人和吕特人的思维方式可能和人类不同,但此时他们并没有蠢到反驳我。

"你是谁?"带枪的人问,"你在这儿干什么?"

"我是托马斯·杰瑞克。"我说,"我是——"我大着胆子提高声音,希望911接线员能听到我的话,以防克里斯蒂没有和他说我们在什么地方——"安大略皇家博物馆古生物学部门的领导。"当然,都已经这个时候了,博物馆自己的夜班保安肯定察觉了这儿发生的事,可能已经报告了警察局。

"晚上这个时候这儿应该没人了。"小平头说。

"我们在拍些照片。"我说,"想在博物馆没人的时候拍。"

我们和他们之间可能有二十米距离。展厅里可能还有第三或第四个闯入者,但我没有发现。

"我能问你们在干什么吗?"克里斯蒂说。

"你是谁?"持枪者问。

"克里斯蒂·多罗迪博士。我是博物馆的馆长。你们在干吗?"

那两个人互相看了一眼。小平头耸了耸肩。"我们在毁灭那些骗人的化石。"他看着外星人,"你们外星人到地球上找错了人。这些科学家——"他几乎是骂着说出这个词的——"在用化石欺骗你们。这个世界有六千年了,上帝在六天之内创造了它,我们是上帝的选民。"

"噢,上帝。"我说,调用着他们相信而我却不信的神的称呼。"创世论者。"

持枪者开始不耐烦了。"够了。"他用枪指着克里斯蒂说,"扔掉手机。"

她照办了。手机砰的一声砸在大理石地面上,翻盖也摔脱了。

"我们在这儿要干很多事。"持枪者说,"你们都给我躺在地上,我们要继续了。库特,看着他们。"

另一个人从他的夹克兜里掏出一把手枪,指着我们说:"都聋了吗?躺下。"

克里斯蒂躺在了地上。霍勒斯和另一个弗林纳人则以我从未见过的方式盘坐着,他们的圆形躯干被放低到了地面。两个吕特人还保持着站姿,他们要么没听懂,要么天生就无法躺下。

我也没有躺下。毫无疑问我很害怕。我的心在剧烈跳动,我还能感觉到额头冒出的汗珠。但这些化石是无价的,是整个世界最重要的珍宝,而且我是那个安排它们在这儿展出的人。

我向前跨了一步。"别。"我说。

展馆里传来更多断断续续的枪声,子弹就好像直接钻进了我的体内。我能想象页岩在破裂,已经存在了五亿年的化石正在被炸成碎片。

"别,"我哀求地说,"别这么干。"

"回去。"小平头说,"站那儿别动。"

我吸了口气。我不想死——但无论如何我的死期已经不远了。不管是在今天晚上,还是在几个月后,它总是会来的。我又向前走了一步。"如果你信仰《圣经》,"我说,"那么你就应该遵守十诫。其中的一条是——"要是我能说出哪一条就更有说服力了——"不能杀生。"我又朝他走了两步,"你可能想毁了那些化石,但是我不相信你会杀我。"

"我会的。"这个人说。

更多枪声,中间夹杂着玻璃和岩石的破裂声。我觉得我的胸膛都快爆炸了。"不,"我说,"你不会的。上帝不会原谅你这么做的。"

他用枪猛地向我一指。我们之间大约只有十五米的距离了。"我已经杀过人了。"他说。他听上去像是在招供,声音中充满痛苦,"那个诊所,那个医生……"

更多的枪声回荡着。

上帝,我一下子想起了堕胎诊所爆炸案。

我咽了口唾沫。"那是个意外。"我说,"你不会面对面杀我。"

"我会的。"那个被他的同伴称为库特的家伙说,"我会的。所以你最好退回去。"

要是霍勒斯不是真的在这儿就好了。如果她只是个幻影,她就可以随便操起什么家伙而不用担心被子弹射中了。但是她是真的,也会受到伤害——其他外星人也一样。

突然间,我听到了越来越近的警笛声。库特肯定也听到了。他转过头冲着他的同伴喊道:"警察!"

另一个人从展室中再次走了出来。我不知道他已经毁掉了多少化石。他仰着头倾听着。一开始他似乎没有听到警笛声,毫无疑问他的耳朵里依然回荡着枪声。但过了一会儿,他点了点头并用轻机枪示意我们开始移动。克里斯蒂爬了起来,两个弗林纳人也收起他们的躯干。

"让我们离开这儿。"那人说,"把你们的手都举起来。"

我举起手,克里斯蒂也照办了。霍勒斯和另一个弗林纳人交换了一下眼色,随后举起了双臂。等了一会儿之后,吕特人也加入了行列,各自举起了他们的四只手臂并叉开所有的二十三根手指。那个不叫库特的人——他比库特高,年纪更大——驱赶我们进入大厅黑暗的深处。在那儿我们能清晰地看到玻璃大门的门廊。五个穿着制服的特别行动小组警察正在顺着博物馆玻璃大门外的台阶飞快爬上来。其中两人挥舞长枪,一人手里拿着个扩音器。"我们是警察。"那个警察叫道,声音在透过两道玻璃门之后稍稍有点变音,"我们已经包围了整幢建筑物。举起手走出来。"

持枪的那个人示意我们继续前进。四个外星人落在了后面,在我们几个人和外面的警察之间筑起了一座墙。我现在后悔让霍勒斯把飞船降落在后面的菲利斯多佛街上。如果警察们能看见飞船,他们可能就会意识到这些外星人不是他们在新闻中得知的全息投影,而是真实的血肉。现在,警察们在射击躲在外星人后的歹徒时根本不会顾忌子弹会伤到外星人。

我们退到大厅的尽头,走上两根图腾柱之间的四级台阶。然后——

然后所有糟糕的事都发生了。

一个穿着防弹衣,手持自动武器的特别行动小组成员静悄悄站在我们右面通向地下室的楼梯上。警察聪明地利用大门外的行动吸引了歹徒的注意,同时不露声色地从博物馆和天文馆之间的员工入口派进了另一个行动小组。

"J.D.,"小平头发现了警察,叫了起来,"看!"

J.D.举枪开火。警察被子弹冲击得从宽宽的台阶上连连后退。他的防弹衣经受了一次考验。上面一下子裂开无数个口子,白色的纤维填充物飞了出来。

趁着J.D.忙于对付这边,大门外的警察不知用什么法子打开了门——最左面那一扇,它是残疾人通道。可能是博物馆的保安给了他们钥匙。两个警察躲在防暴盾后进入两道玻璃门之间的门廊。里头的那排门没有上锁,没有这个必要。其中一个警察向前探出身子,按了一下便于残疾人开门的红色按钮。门慢慢开了。街灯和大街上警车的旋转警灯照出警察们的轮廓。

"站那儿别动!"J.D.在大厅这一头喊着。巨大的大厅分隔着警察和我们这一小堆人。"我们有人质。"

那个拿着扩音器的警察是两个进来者之一,他可能太习惯于用它说话了。"我们知道外星人不是真的。"他说,他的声音在黑暗的圆形大厅中回荡,"举起手,慢慢走出来。"

J.D.把他那把大枪对准我。"告诉他们你是谁。"

以我目前的肺部状态,我很难高声叫喊,但我还是把手拢在嘴巴周围尽力喊道:"我是托马斯·杰瑞克,这儿一个部门的主任!"随后我指着克里斯蒂,"这是克里斯蒂·多罗迪,博物馆馆长。"

J.D.喊道:"让我们安全离开,否则他们两个都得死。"

两个警察蹲坐在防暴盾后。商量了一会儿后,扩音器又响了起来:"你们的条件是什么?"

连我都知道他只不过在拖时间。库特先看了看南面通向上方的楼梯,又看看北面上下都通的楼梯。他一定是认为自己看到了什么东西在移动——甚至可能是只老鼠,像博物馆这样一个古老而又巨大的建筑里会有很多老鼠。他向北面的楼梯开了一枪,子弹击中石头楼梯,从上头迸出了些碎片,在空中飞着,然后——

一片碎片击中巴布肯,那另一个弗林纳人。

巴布肯的左嘴发出一声"哎",随后右嘴又发出一声"呦!"

他的一条腿上绽开了一朵鲜红色的血花,一片泡状皮肤挂在被碎片击中的地方。

库特叫道:"上帝。"

J.D.转过身来,随后他也叫道:"上帝。"

然后,他们在同一时刻意识到了。这些外星人不是幻影。他们不是全息影像。

他们是真的。

然后他们意识到了他们拥有了有史以来最值钱的人质。

J.D.向后走去,挪到我们这堆人的最后。他显然已经意识到他对外星人看得不够紧。"你们是真的吗?"他说。

外星人沉默着。我的心快要跳出胸腔了。J.D.把他的轻机枪对准其中一个吕特人的左腿。"这把枪只要一发子弹就可以把你的腿打断。"他等了一会儿,让这句话的分量充分显示出来,"我再问一次,你们是真的吗?"

霍勒斯开口了。"他""们""是""真""的。""我""们""都""是。"

J.D.的脸上掠过一阵满意的笑容。他朝着警察叫道:"这些外星人不是投影,他们是真的。我们现在有六个人质了。我要所有的警察都撤出去。如果我看到任何花招,我会杀掉一个人质——而且不会是人类。"

"不要成为一个杀人犯。"那个警察通过扩音器喊着。

"我不会成为杀人犯的!"J.D.回喊道,"杀人犯是指杀死另外一个人类。你不可能找到法律来治我的罪。现在,全部退出去,否则外星人就得死。"

"一个人质和六个人质同样有效!"同一个警察喊道,"让他们中的五个走,随后我们再谈。"

J.D.和库特互相看了一眼。六个人质可能不好控制。如果不用看着这么多人,他们可能会轻松点。但另一方面,让这六个人围成一圈,他们站在中间,就能躲过狙击手从任何方向打来的冷枪。

"没门!"J.D.喊道,"你们这些家伙——你们是特别组的,是吗? 所以你们一定是坐着面包车来的。我要你们往后退,退得离博物馆远远的。把面包车留下,不要关上发动机。我们要开着它去机场,在车上带走尽可能多的外星人。我们还要一架飞机在那儿等我们,带我们到——"他支吾着——"到任何我们想去的地方。"

"我们办不到!"那个警察对着他的扩音器喊道。

J.D.耸了耸肩。"如果你们不走,六十秒之后我会杀第一个人质。"他转向他的同伴,"库特?"

库特点了点头,看着他的手表,开始倒计时,"六十,五十九,五十八。"

拿着扩音器的警察转过身冲着他身后的人说话。我能看见他用手指着,可能是在告诉他的手下往哪儿步行撤退。

"五十六,五十五,五十四。"

霍勒斯的眼柄停止左右摇动,分开到了最大位置。我以前看到她这么做过,当时她听到了有趣的东西。不管是什么,我没有听到。

"五十二,五十一,五十。"

警察正从玻璃门廊内撤出,但是他们弄出了很大的声响。那个带着扩音器的一直在说话。"好吧。"他说,"好吧,我们撤退。"他被放大的声音回荡在大厅里。"我们在往外走。"看上去他说的都是些毫无意义的话,但是——

就在此时,我听到了霍勒斯已经听到的声音:一阵轻微的辘辘声。我们左面的电梯正在向下运行。肯定有人在下层按了按钮。那个拿着扩音器的警察是故意掩盖这个声音。

"四十一,四十,三十九。"

我认为这无异于自杀,因为无论谁在电梯里,在金属门从中间分开并向两头滑动时,J.D.可以轻易地把乘员扫倒。

"三十一,三十,二十九。"

"我们正在往外走。"那个警察喊道,"我们正在撤退。"

电梯现在又向上运行了。门上有一排发亮的小方格——B,1,2,3——显示着电梯在哪个楼层。我偷偷向它看了一眼。数字"1"刚刚灭掉,随后,过了几秒钟,数字"2"亮了起来。太棒了!要么是电梯里的人知道二楼有个内阳台,从那儿可以俯瞰整个大厅,要么是博物馆的保安告诉了他们。

"十八,十七,十六。"

当数字"2"亮起来时,我帮了点忙,假装大声咳嗽压住开门声。如果这些日子有什么我擅长的事,那就是咳嗽。

数字"2"还亮着。门现在肯定已经开了,但是J.D.和库特没有听见。可能一个或是更多的武装警察已经到了二楼——那儿有恐龙馆和探索馆。

"十三,十二,十一。"

"好吧。"那个特别行动组的警察通过扩音器喊道,"好吧,我

们正在撤退。"他已经离我们很远了,我看不到他是不是还在和
内阳台上的人交换眼神。我们仍在电梯旁边。我不敢抬头看,
生怕引起歹徒注意到上面还有人。

"九,八,七。"

警察们撤出门廊,隐入外面的黑夜之中。我看着他们顺着
台阶走出我的视野。

"六,五,四。"

从警车顶上照进来的红光开始慢慢消退。外面只剩下了一
盏顶灯在旋转,可能是留下的面包车。"三,二,一。"

我看了看克里斯蒂。她微微点了点头。她也知道将要发生
什么。

"零。"库特说。

"好的,"J.D.说,"让我们往外走。"

最近七个月中我花了很多时间考虑死的时候是什么样
子,但我从未想到我会看到别人死在我前头。我的心跳动得像
个超负荷汽锤。J.D.,我认为他只能活几秒钟了。

他命令我们围成一个半圆,当成他和库特的肉盾。"走。"他
说。虽然我背对着他,我依然能感觉到他来回挥动着枪,准备随
时扫出个扇面。

我开始向前走。克里斯蒂、弗林纳人和吕特人跟在我后
面。我们走出被电梯挡住的庇护所,上了四级台阶,进入大厅,
随后开始穿越通向大门的大理石地面。

我发誓,我首先感觉到的是有东西溅到我的头上,随后才听
到从上方传来的震耳欲聋的枪声。我转过身。要想看清不太容
易。大厅里仅有的光线来自韦斯顿展室渗进来的微光以及从玻
璃门廊和它上方彩色玻璃窗透过来的街上的光线。J.D.的头已

经爆开了，像个西瓜，血溅得到处都是，我和外星人身上都沾到了。他的尸体向前栽去，轻机枪在地板上滑了出去。

第二声枪响几乎与第一声同时响起，但它们之间还是有一定的时间差。或许上方黑暗的内阳台中的两个警察——上面至少有这么多位——无法看到对方。小平头库特及时缩了一下头，然后他突然一个鱼跃向前，想够到J.D.的枪。

一个吕特人挡在了他的去路上。库特把他撞倒。由于外星人挡在四周，狙击手无法清楚地看到库特。

我仍然在震惊之中。我能感觉到J.D.的血滴在我的脖子上。突然间，还站着的那个吕特人腾空而起。我知道他戴着个能使他在地球的重力场中自由行走的装置，但我不知道它的功率强大到足以让他飞起来。

另外一个弗林纳人朝那把大枪踢了一脚，它旋转着滑向大厅远方。摔倒的吕特人又站了起来。同时，飞行中的吕特人升到离地三米左右。

但是库特仍然拿到了枪，在地上翻滚着向黑暗中的内阳台射击。他连续扣着扳机，呈扇面扫射着。子弹击中了有九十年历史的石雕，碎片雨点般落在我们头上。

另外那个吕特人也升空了。我试着躲在几段大厅边缘的活动隔断墙后。霍勒斯行动迅速——但方向相反，而且使我吃惊的是，她把手伸向那根高一点的图腾柱。她弯下六条腿，从台阶跃过一小段距离到了图腾柱上。随即迅速爬了上去，很快就不见了踪影。她可能一直上到了三楼。我很高兴她已经安全了。

"听着。"库特用他的南方口音说。他依次用枪轮着将克里斯蒂、另一个弗林纳人和我指了一遍。声音中已经充满恐惧。"听着，所有人都别动。"

　　警察们现在已经返回玻璃门廊内，楼上的内阳台也有警察，两个吕特人在大厅上空像疯狂的天使般飞舞，一个弗林纳人站在我一旁，克里斯蒂站在另一旁，鲜血从库特的尸体上流出来，大理石地板上到处是血，搞得地板湿漉漉的。

　　"放弃吧，"克里斯蒂说，"你难道看不出你已经被包围了吗？"

　　"闭嘴！"库特叫道。失去J.D.之后，他显然有点不知所措，"闭上你的臭嘴。"

　　就在这时，出乎我意料的是，我听到一个熟悉的双声调的哔哔声。我一直随身携带着的中投影仪正在发出信号，它就要启动了。

　　库特现在已经躲在了内阳台下，他已经看不到狙击手了，这意味着狙击手也看不到他了。霍勒斯的幻影忽闪着出现了，几乎与真的她无法区分。库特转过身来，他已经六神无主，好像没有注意到失踪的弗林纳人突然又加入了我们。

　　"库特。"霍勒斯的幻影勇敢地向前走，"我叫霍勒斯。"库特立刻将轻机枪对准她，但弗林纳人仍然继续走向他。我们都开始后退。我能看到门廊内的警察在那儿迷惑不解，因为霍勒斯很明显地挡在了他们和库特之间。"你还没有打死过谁。"霍勒斯说，声音听上去像是两颗心脏在跳动，"你看到了你同伴的下场，不要让同样的命运发生在你身上。"

　　我做了几个手势，希望其他人能在黑暗中看清。我想让他们散开，不要站在和库特与霍勒斯同一条直线上。

　　"把武器给我。"霍勒斯说。她现在离库特只有四米了。"把它交出来，然后我们都活着走出去。"

　　"退回去！"库特喊道。

霍勒斯继续接近他。"把武器给我。"她再次说道。

库特疯狂地摇着头，"我们只是想告诉你们外星人，那些科学家在撒谎。"

"我知道。"霍勒斯说，同时又向前迈了一步，"我很乐意听你说。先把武器给我。"

"我知道你信仰上帝。"库特说，"但是你还没有被拯救。"

"我愿意听你说任何东西。"霍勒斯说，慢慢向前挪着，"但是你必须先交出武器。"

"让所有警察走开。"库特说。

"他们不会走的。"霍勒斯的六条腿又前进了一个单位。

"不要再接近，否则我会开枪的。"库特说。

"你不会向任何人开枪的。"霍勒斯说，继续前进，"信徒不会杀人的。"

"我发誓我会杀你的。"

"你不会的。"霍勒斯说，她和库特之间的距离越来越近。

"退后！我警告你！"

六条腿还是向前迈进。

"愿上帝宽恕我。"库特说，然后——

然后他扣动了扳机。

然后几颗子弹从枪管里冲了出来——

然后它们进入了霍勒斯的幻影——

然后，形成模拟身体的力场迟滞了子弹的前进速度，它们越飞越慢，从身体另一面飞出，继续在大厅上空飞行了一两米距离，咔哒咔哒掉在了地上。

幻影继续向前走着，伸出了力场驱动的手臂抓住枪管。枪管现在一定非常烫，血肉之手是不可能抓住它的。

在三楼的真霍勒斯把自己的胳膊往怀里猛拽,大厅里她的幻影也重复着相同的动作。库特见霍勒斯中弹却没有倒下之后就被惊呆了,所以他没有挣扎就松手了。幻影转了个身,迅速离开。

警察冲过门廊拥进大厅,然后——

这么干没必要,真的没必要了。

一个警察打了一梭子。

库特被子弹打得连连后退,他的嘴因为吃惊张成一个大大的、完美的"O"形。他撞在一段墙上,在黑暗中滑落,墙上的血线跟着他一起流到地板上。

他的头懒洋洋地靠在一边。

他去见了上帝。

第二十九章

警察盘问了我和克里斯蒂几个小时，但他们让四个外星人立即回到母船，巴布肯的伤口需要马上治疗。最后我叫了辆出租车回了家——连小费在内共三十块——又花了两个小时告诉苏珊发生了什么。

"上帝，"她说，一遍又一遍重复着，"上帝，你可能会被杀死的。"

"霍勒斯救了我。她救了所有人。"

"如果有机会，我会给那个大蜘蛛一个拥抱。"苏珊笑着说。

我也笑了，吻了她一下。但现在我已经筋疲力尽了——骨头都快散架了。我的视野变得模模糊糊，头轻飘飘的。"对不起，亲爱的，"我说，"但是我得睡会儿觉了。"

她点了点头，亲了我一口。我们走向卧室。

我一直睡到星期一早晨十点。枪击事件发生得太晚了，早晨的报纸还来不及刊登。但苏珊告诉我早间新闻已经报道了。她没有去上班，而是待在家里等我醒来。我从床上爬起来时，里奇已经去学校了。

我在中午时分到了博物馆。幸运的是，今天是星期一，博物

馆不对公众开放,博物馆的后勤部门可以趁机打扫干净。我到
的时候他们还在拖地。与此同时,琼斯和他的手下正在葛菲尔
德·韦斯顿馆内尽可能地从那些破碎的页岩中抢救化石。几个
古生物学家也从史密森学会飞过来帮忙。他们有望在今天完成
抢救工作。

我走向我的办公室,瘫倒在椅子上。我揉着太阳穴,想缓解
醒来时已经开始的头疼。我刚坐下后不久,全息投影仪哔哔地
响了起来,随后霍勒斯的幻影忽闪着出现了。

我从椅子上站起来,脑袋里一片轰鸣。"你好吗?"我关心地
问道。

弗林纳人的躯干跳动着。"很悲伤。虽然船上的医生给我服
了药,但我还是没有睡好。"

我同情地点了点头。"我也没睡好。枪声一直在我的脑袋里
回响。"我皱着眉头坐了下去,"他们说会有个审讯。那个警察可
能没必要杀掉库特。"

霍勒斯的眼柄以我一种从未见过的方式舞动着。"我对他没
有多少同情心。"她说,"他伤害了巴布肯,还打算杀死我。"她停
顿了一会儿,"布尔吉斯页岩受到的损害有多大?"

我缓缓摇头,"前面五个展柜中的所有东西都毁了,包括你
们正在扫描的那一个。"计算损失让我感到伤心。它们不仅是世
界上最重要的化石,也保存着世上最完美、最惊人、看上去几乎
是外星生物的化石。损害它们是野蛮行径,是一种亵渎。"当然,
化石是保过险的,"我说,"所以博物馆和史密森学会会收到很多
赔款,但这些化石是无法替代的。"

"还是有幸运的一面。"霍勒斯说,"他们可能是从我们正在
扫描的那个展柜开始的,因为它刚好开着。扫描已经部分完成,

所以至少部分化石可以被挽救回来。我会向你提供复制品的。"

我点了点头，但心里清楚无论复制品看上去有多么真实，多么精确，它们永远不会和正品完全一样。"谢谢。"

"这是个巨大的损失。"霍勒斯说，"我从来没有在其他世界上看到类似品质的化石。它们真的是——"

话说到一半就停住了，她的幻影也凝固在空中，好像在地球同步轨道上母船内真正的霍勒斯被那儿突然发生的事吸引开了。

"霍勒斯？"我说。我并不十分担心，可能船上的一个同伴刚好在问她一个问题。

"请等一会儿。"她回答道，幻影同时也移动了。我听到一阵她与其他同伴交流时发出的弗林纳歌声，随后幻影又停住了。

我不耐烦地叹了口气。这比等着电话被接入还要糟：你还有个该死的幻影占据着办公室的大部分空间。我从桌子上拿起本杂志，最新一期的《新科学家》。部门订的杂志从我这儿开始按职位高低轮一遍。我才翻开封面，霍勒斯的幻影又开始动了。"可怕的消息，"她两嘴交替说道，声音异常微弱，"我——上帝，可怕的消息。"

我丢下杂志，"什么？"

霍勒斯的眼柄前后舞动着，"我们的母船不会受到地球大气散射光线的干扰，甚至在白天，马莱卡斯仍然可以清楚地看到星星。其中的一颗……"

我从椅子上直起身子，"什么，什么？"

"其中一颗恒星开始向——怎么说来着？大爆炸？——阶段转化。"

"超新星爆炸？"我说。

"是的。"

"哈!"我记得在1987年,当多伦多大学的艾恩·谢尔顿在大麦哲伦星云发现一个超新星爆炸时,天文馆变得有多么兴奋。"那太棒了。"

"一点也不棒。"霍勒斯说,"已经开始爆炸的那颗恒星是Alpha猎户座。"

"猎户座一等星?"我说,"猎户座一等星开始爆炸了?"

"是的。"

"你确定吗?"

"毫无疑问。"弗林纳人说,声音听上去在颤抖,"它已经是平常亮度的一百万倍了,亮度还在持续提高。"

"上帝。"我说,"我——我应该给唐纳德·陈打电话。他知道该向谁报告。有一个专门负责宇宙射线的中央委员会,或是类似的机构……"我拿起电话拨了陈的分机号。振铃三声以后他拿起电话,再一次振铃后我就只能听到他的留言机了。

"唐,"我说,"这是汤姆·杰瑞克。霍勒斯跟我说猎户座一等星刚刚爆炸了。"

陈等了一阵子才答话,"猎户座一等星是超新星爆炸的主要'候选人'之一。"他说,"但没人确切地知道它什么时候爆炸。"一个短暂的停顿之后,他好像意识到了什么,"霍勒斯说是猎户座一等星? Alpha猎户座?"

"是的。"

"听着,霍勒斯确定吗? 完全确定?"

"是的,她说她非常确定。"

"该死!"陈冲着送话器说,但我不认为他是冲着我来的,"该死!"

"什么?"

陈的声音听上去很紧张。"我检查了霍勒斯送过来的数据,尤其是关于伽马射线输出那部分。上次超新星爆炸,就是1987年那一次,我们的数据不准确;那时候我们还没有观测伽马射线的人造卫星,康普顿1991年才发射升空。我们仅有的1987A超新星爆炸伽马射线数据来自太阳观测卫星,它不是为银河系外观测而设计的。"

"所以?"

"所以超新星爆炸的伽马射线输出比我们想象的大得多。霍勒斯的数据证实了这一点。"

"还有呢?"我说,"那又能说明什么?"我看了霍勒斯一眼,她正急速跳动着。我从未见过她如此不安。

陈长叹了一口气,叹气声在电话里回荡着。"说明我们的大气层会离子化,说明我们的臭氧层会消失。"他停顿了一下,"说明我们都要死了。"

里奇·杰瑞克正在博物馆以北好几公里的丘吉尔公共学校的操场上玩耍。九十分钟的午休已经过了一半。他的一些同学回家吃饭了,但里奇在学校吃饭,他可以在那儿看动画片。他吃完腊肠三明治和苹果之后就去了外面的操场。老师们走来走去,有的分开打架的孩子,有的拍去孩子们膝盖上的土,做着各种老师该做的事。里奇抬头看着天空。那儿有东西在闪闪发亮。

他穿过操场找到他的老师。"柯汗小姐,"他拽了拽她的衬衣说,"那是什么?"

她手搭凉棚朝里奇指的方向看去,"是飞机,里奇。"

里奇·杰瑞克不是个和老师作对的人。但是他摇了摇头。"不，不是飞机。"他说，"不会是，它一动不动。"

我的脑袋在轰鸣，心里沉甸甸的。又一次超新星爆炸来临了，不仅仅是在多伦多，它同时照亮了整个银河系。事实上，经过足够长的时间之后，其他遥远星系的人也能看到日益明亮的爆炸。这不是想象，猎户座一等星真的爆炸了。

我把唐的电话打在免提上，他和霍勒斯来回讨论着，我也间或插一些我担心的问题。我逐渐明白了正在发生的一切：在所有活跃的恒星中，氢经过聚变后生成氦，氢用完后氦继续聚变成重元素。但是如果一个恒星的质量足够大，当原子反应链到达铁元素时，它便开始吸收而不是释放能量，逐渐形成一个铁核。恒星的密度逐渐增大到无法支撑自己的程度：内部聚变产生向外的张力已经无法与它自身的引力保持平衡。恒星内核被挤压成密度极高的物质——原子的核子被挤压在一起，形成一个直径只有二十公里但质量比太阳大好几倍的球体。当向内压缩的由氢和氦组成的恒星外层突然间撞到这个新形成的球体时，导火索就被点燃了。核聚变爆炸和撞击产生的冲击波反弹回来，将恒星的气体外壳全部炸掉，同时释放出一股由无线电噪声、光、热、X光、宇宙射线和中微子组成的洪流———一阵向各个方向冲决而出的致命的冰雹，一个不断扩张的死亡球体，一个明亮程度超过银河系内所有恒星的超新星大爆炸。

猎户座一等星上正在发生的就是这种事。它的半径正急速增大，几天后就会比整个太阳系更大。

地球短期内是安全的：我们的大气层会挡住最先到达的杀手。但是更多的已经在路上了，很多很多。

我打开收音机调到新闻台。地球上的电视台和电台已经开始播报超新星爆炸的新闻了。有些人立刻逃进山洞或是矿洞。但是这么做毫无用处。世界末日正在来临——在一声爆炸的巨响之中。

访问地球的弗林纳人和吕特人，也许再加上几个人类乘客，或许可以躲过这场劫难，至少可以存活一段时间。他们可以设法将飞船驶入地球背面，将它当成一个厚达一万三千公里的岩石和铁组成的盾牌。但是他们不可能跑赢那个不断扩张的死亡球面。马莱卡斯需要一年时间才能把飞船加速到接近光速。

但是，即使飞船可以逃过一劫，弗林纳人和吕特人的世界却无法逃脱。他们很快也要面对屠杀了，同样会遭到蹂躏。六千五百万年前地球、长蛇星座第二-Ⅲ和孔雀星座第四-Ⅱ遭受的小行星撞击同它比起来是小巫见大巫。那次撞击只不过造成了点皮外伤，各个星球上的生态系统几十年内便开始反弹了。

但是这一次不会有反弹了。它将成为同时降临在这三个世界上的第六次物种大灭绝。无论这个太阳系内的生命是否产生于火星而不是地球，无论弗林纳的星球上是否有过多次生命产生，无论吕特人是否知道这是第"六"次，都不再有任何意义。

因为它将是最后一次物种灭绝了。是结尾，是抹去的痕迹，是生命游戏的最后一次亮相。

第三十章

你在生命的最后时刻会做些什么？和六十亿大多数刚刚接到死刑判决书的人不一样，我早已开始准备迎接我的最后时刻了。但是我以为它会以从容的步伐前来；我躺在医院里，苏珊陪伴着我，还有我的弟弟比尔和一些朋友，甚至可能我的小里奇也会在。

但是猎户座一等星的爆炸根本没有先兆。我们没有料到它会发生。就像霍勒斯以前说过的，我们知道猎户座一等星最终会变成超新星，但根本没有理由相信它现在就会发生。

据收音机里的新闻报道，多伦多的地铁已经挤满了人。人们下到地铁站，挤进车厢，希望待在地底下可以保护他们。他们拒绝离开车厢，哪怕队尾的人都不肯。

博物馆前的路已经变成了停车场，交通完全堵死。我和其他人一样希望能尽快回到家人身边，但是似乎已经没有办法实现这个愿望了。我一直试着拨打苏珊的办公室电话，但电话总是占线。

当然，死亡不会立即降临。生态系统可能在几个星期，甚至是几个月之后才会崩溃。现在，地球的臭氧层正阻挡着高能光子,高能粒子流由于速度没有光速快,还没有到达地球。但很快,来自猎户座一等星的屠杀会剥去臭氧层,随后,来自爆炸的恒星和我们太阳的辐射会到达地面,杀死所有活着的组织。所以,我当然可以在最后的时刻到来之前和我的家庭团聚。但是现在,我的伙伴看来只能是霍勒斯的幻影了。

来自猎户座一等星第一个冲击波已经扰乱了以人造卫星为基础的长话系统,我也不必为幻影的时隐时现感到惊奇,因为来自猎户座的电磁杂音干扰了位于赤道上空的真霍勒斯和在我办公室的幻影之间的联系。

"希望我能和苏珊待在一起。"我在放满了待办文件的办公桌这边看着霍勒斯说。

令我震惊的是,霍勒斯高声地喊了起来,我以前从没见过她这么不耐烦。"至少在世界完结前你还可以看到你的家人。你以为你离家很远吗? 我甚至不能和我的孩子联系。如果猎户座一等星以这种强度轰击地球,它同样也能摧毁长蛇星座第二–III。我甚至不能发个无线电信号和我的孩子说声再见。不仅仅因为干扰太厉害,还因为无线电信号需要二十四年才能到他们那儿。"

"对不起,"我说,"我没有想到。"

"是的,你的确没有。"她又一句话把我呛了回来,唾液的全息投影像从她左嘴里飞出来。但过了一会儿之后,她稍稍冷静点了。"对不起,"她说,"我只是太爱我的孩子了。知道他们——我们整个种族——快要死了……"

我看着我的朋友。她离开她的世界的时间太长了——与她的世界失去联系已经多年了。在她刚开始宏伟的八恒星系之旅时,她的儿子和女儿还是孩子,但是现在——现在,他们可能都已经是中年人了，他们的生理年龄甚至可能比霍勒斯自己还大，因为大多数时候霍勒斯是以亚光速旅行的。

往深处想想事情就更糟了。猎户座一等星位于地球的北星空，长蛇星座第二在南星空，这就是说，地球处于猎户座一等星和长蛇星座第二之间。猎户座一等星增加的亮度要过很多年才能被长蛇星座第二上的人看见。但我们却没有办法向那个世界示警——没有什么能跑得过猎户座一等星的爆炸发出的愤怒的光子。

霍勒斯明显极力控制她的情绪。"来吧。"最后她说道，她的躯干有意识地缓慢起伏着，"咱们还不如到外头去看看这个奇观。"

我们真的这么做了，坐电梯下了楼，来到大街上。我们站在霍勒斯第一次降落的那块水泥场地上。

就我所知，霍勒斯和她的同伴确实将飞船停在了尽可能安全的地方。但是她的幻影却与我站在博物馆前，站在已经被废弃的天文馆的阴影里，朝天空望着。几乎所有过路人也都在朝上看着，而不是看着身形奇特、长得像蜘蛛的外星人。

我们朝着女王公园的方向望去，猎户座一等星清晰可见。它位于南星空上离地三分之一处。在白天看到一颗明亮的星星是令人不安的。我想象着猎户座其他恒星在蓝色天空上的位置，但白天我实在无法确定。

其他工作人员和游客也走出博物馆，加入路边的人群。几分钟之后，天文学家唐纳德·陈，这个活死人，从员工出口走出来，加入我们这群人数更多的活死人之中。

哈勃天文望远镜很快就对准了猎户座一等星。霍勒斯的母船马莱卡斯则拍到了更清晰的照片。这些照片被无偿传送到地球，与地球人共享。甚至早在这颗恒星开始膨胀以前，母船上的望远镜就拍摄过这个红盘子；盘子点缀着温度较低的黑点和温度较高的对流气流，包裹着这一切的是一个壮观的红色日冕。

但是现在，透明的外层大气已经被巨大的爆炸轰走，恒星本身也在急剧膨胀；它的直径已经扩大到平常的好几倍。虽然猎户座一等星可以用肉眼观察到，但是人们却很难凭借肉眼确定它的直径。尽管如此，它从来没有达到过目前的状态：一个黄白色的超高温气体外壳，一个致命的等离子区，正从不断扩张的圆盘中向各个方向散发。

在阳光下，在地面，我们能见到的只是一个亮点，忽明忽暗地闪烁着。

但是飞船的天文望远镜告诉我们更多。

很多很多。

令人难以置信的多。

在他们的照片中，人们可以看到另外还有一次爆炸晃动了恒星——它甚至稍稍改变了在望远镜中的位置，还有更多的等离子气体涌进宇宙之中。

然后，恒星的右方不远处打开了一个看上去像是竖着的裂口。裂口锯齿状的边缘镶嵌着穿透力极强的蓝白色的能量。裂口越长越大，出现更多锯齿，随后——

——随后一种比太空背景更暗的物质从裂口中喷涌而出。物质看上去很黏，好像是从另一端渗漏出的柏油，但是……

但是，根本就不存在"另一端"——宇宙中不可能无缘无故出现一个洞，不可能会有人像掀起帐篷的帘子一样拎起宇宙并在上头开一道门。根据定义，宇宙的能量和物质都是守恒的。

如果那个黑色物质不是来自宇宙外部，那么这个裂口就是一个隧道，一个蠕虫洞，一条捷径——一个连接宇宙中不同点之间的结构。黑色物质在继续流出。它边缘的形状是固定的。当它的四周盖过恒星时，它们都变得不可见了。假设它离猎户座一等星很近的话，它的体积肯定不会小。裂口的长度可能超过一亿公里，它喷出的物质的直径则是它长度的好几倍。当然，由于这东西非常黑，既不发出也不反射光，因而它没有光谱可用来做多普勒偏移分析，也很难借助视差研究来确定它离我们的距离。

不久，整块物质都涌过了裂口。它有一个掌形结构——一个中央肢和六个独立的附属肢。它刚脱离裂口，裂口就关闭并且消失了。

垂死的猎户座一等星开始收缩。唐纳德·陈说到目前为止所发生的只是个序幕。当向内入侵的气体第二次撞击铁核时，恒星会发生真正的爆炸。它会变得如此耀眼以至于我们——四百光年以外——都不能用肉眼直接观察它。

黑色物质在太空中滚动前进，就像一个有轴和轮辐的轮子，似乎——这不可能。不，这不可能——它的六个附属肢得到了宇宙空间的支撑。这个物质朝着猎户座一等星正在收缩的核移动。整个场景的构图容易使人糊涂——直到黑色物质的一肢碰到圆盘的边缘并将它包了起来，我们才知道它离地球的距离要小于猎户座一等星离地球的距离。

在它后面的恒星继续崩塌，而它则继续包裹着恒星，直到完全挡住恒星射向地球的光线。在地面上，我们只知道恒星突然不见了，在白天的天空中太阳已没有了竞争对手。从马莱卡斯的望远镜看过去，黑色物质清晰可见，在星空背景下，它就像是个多根手指形状的墨水斑点。然后——

　　然后猎户座一等星上肯定发生了陈所说的过程——它在黑幕背后爆炸了,释放出相当于一亿多个太阳的能量。从黑幕那边看过去,这颗巨大的恒星必定灿烂无比,释放出令人目盲的强光和可怕的热量,还伴随着喧嚣的无线电噪声。但是从地球上看的话——

　　从地球上看的话,一切都被隐藏起来。但是墨水斑点仿佛朝向望远镜的镜片膨胀了,似乎被什么东西从后面打了一拳。它的中央肢由于距离变近几乎充斥了望远镜的整个视野。同时,六个附属肢也被炸得往后退却,看上去就像受到威胁的章鱼的腕足。

　　不管这个物质是什么,它承受了爆炸的冲击力,保护了地球——还有弗林纳人和吕特人的家园——免遭屠杀。

　　站在博物馆外面,我们不知道发生了什么——那个时候还不知道。但是,真相慢慢地披露了。虽然超新星爆炸仍然发生了,但是出于某种原因,我们三个世界却仍能逃过这一劫。

　　生命仍将持续。不可思议地,心存感激地,迷惑不解地,生命仍将持续。

　　至少对大部分人是这样。

第三十一章

那天晚上最终我还是回到了家。那些在地铁里的人也听说了不知是什么原因灾难转移了。晚上八点我设法挤上一辆人满为患的地铁。虽然不得不一路站着回家，但是我想见苏珊，想见我的儿子里奇。

苏珊紧紧拥抱了我，我都感到有点疼了。里奇也抱了抱我，然后我们坐在沙发上。里奇坐在我的怀里。我们一家子又拥抱了几回。

最后苏珊和我把里奇放在床上。我亲了亲他，我的儿子，我的心肝宝贝，祝他晚安。最近他的生活中发生的事太多了，不过他还太小，不知道今天发生的意味着什么。

晚上十点，苏珊和我回到沙发上。我们一块儿看了马莱卡斯的望远镜拍摄的相片。电视台正在播报这些相片。主持人显得比往常沉默了许多。放完了马莱卡斯传来的片段之后，唐纳德·陈出现在演播室，详细解释了所发生的事，并确认那个黑色反常物质（唐是这么说的）仍旧处于地球和猎户座一等星之间，保护着我们。

主持人用"我想有时候我们的运气还不错"这句话结束了访

谈,他转向镜头说:"今天其他新闻有——"

但是其他都算不上新闻——根本不重要,根本无法与今天下午发生的相比。

"有时候我们的运气还不错。"主持人是这么说的。我用一只胳膊圈住苏珊,将她拉近我。我感受着她的体温,闻着她头发里残留的香波的味道。我第一次想到我们过去的那些幸福时光,而不是哀叹我们的时间所剩无几。

主持人是对的。有时候我们确实很幸运。

我是在第二天从家去博物馆的地铁上想到的,我找到了启示。

我到了办公室一个小时之后,霍勒斯的幻影才出现。我一直在坐立不安地等她出现。

"早上好,汤姆。"她说,"我为昨天不近人情的话向你道歉。我——"

"别担心,"我说,"当我们得知自己快要死时,我们都会变得不太正常。"我说个不停,不让她抢过话头,"忘了它吧。但是听着,今天早晨在地铁和其他人挤在一起时,我突然想到了些什么。那个拱顶建筑是什么意思?还有从 Groombridge1618 飞往猎户座一等星的飞船?"

"拱顶建筑肯定被烧成了灰烬。"霍勒斯听上去很悲伤,"死星的第一个攻击波就能做到。"

"不,"我说,"不,那不是真正发生的事。"我摇了摇头,我仍旧处于对暴行的震惊之中,"该死,我应该早就想到——他也应该想到。"

"谁?"霍勒斯问道。

我没有回答——还没到时候。"Groombridge 的居民没有抛弃他们的星球。"我说,"他们也上传进了一个虚拟的世界,像其他人那样。"

"在他们星球的表面我们没有发现警示性建筑。"霍勒斯说,"而且,为什么他们要派一艘飞船去猎户座一等星?你是说他们是一个分裂的小团体,不愿意上传?"

"没人能去猎户座一等星那儿生活;就像你说的,它太不稳定了。再说四百光年的距离,如果只是为了得到引力加速度,距离未免也过于长了。我确信你们发现的飞船上没有船员或是乘客,Groombridge 上的所有居民仍然在他们自己的星球上,都已经进入虚拟世界。他们送往猎户座一等星的是一艘无人飞船,上面装载的是某种催化剂——某种能够引发超新星爆炸的导火索。"

霍勒斯的眼柄停止了舞动,"导火索?为什么?"

我的脑海中激起层层巨浪。这个想法太不一般了。我看着这位弗林纳人。"为了蒸发银河系这边的世界。"我说,"为了清除上面所有的生命。如果你将你所有的意识上传进入一个计算机并把它埋入地底深处,你最担心的是什么?你最担心的是会不会有人过来把计算机挖出来,将它摧毁或是重新格式化。你到过的世界中,大多数都建起了警示性建筑,想把那些好奇的人吓走。但是在 Groombridge 上,他们要做的更绝。他们要确保没有人能路过此地并干扰他们,甚至生活在附近恒星系的人也不能。他们知道猎户座一等星——本地星空中最大的恒星——最终会变成超新星并爆炸。所以他们只是派出了一个催化剂,一个炸弹,一个能在它到达时引发超新星爆炸的装置,把爆炸提前了。"我停顿了一会儿,"事实上——事实上,这也是你们仍然可以检测到核聚变尾气的原因。因为它一直是在对准猎户座一等星航行，既没有改变航向，也没有减速。它一头扎进那颗恒星的中心，启动了超新星爆炸。"

"这简直是——简直是魔鬼的行径。"霍勒斯说，"完全位于左边。"

"的确如此。"我说，"当然，Groombridge 可能不确定在其他地方是否存在生命。毕竟他们是在与世隔绝的情况下达到智慧阶段的——你说过那个方舟已经航行五千年了。对于他们来说，这可能是个谨慎的预防措施。他们并不确定他们是不是会消灭其他文明。"我停顿了一会儿，"或者他们根本就不在乎。可能他们认为自己是上帝的选民，还可能以为上帝把猎户座一等星放在那儿就是让他们这么用的。"

"可能他们真的这么想。"霍勒斯说，"但是你知道他们的想法是不对的。"

她是对的。我完全清楚。我已经看到了冒烟的枪。我已经看到了对于我来说完全足够的证据。我深深地吸了一口气，想要使自己平静下来，好好整理我脑中乱作一团的思路。当然，它也可能是更发达的种族造的，它可能是个人造的超新星爆炸盾牌，它也可能是……

但在这一刻，最简单的理论——包含最少条件的理论——不得不入场了。在这一时刻，你不得不停止要求更多的证据来证明他的存在。在这一时刻——或许离生命终结已经不远——你必须面对他。在这一时刻，心头的栅栏必须倒塌。

"你想让我说出来吗？"我说。觉得自己稍稍耸了一下肩，好像这个想法是件穿得不太贴身的毛衣，抖动一下能让自己更舒服一点，"是的，上帝是存在的。创世主是存在的。"

我停了下来，让我的话在空中回荡。我在想我是不是应该收回它。

但是我没有。"你以前说过，霍勒斯，上帝是一个幸免于上次宇宙崩塌的实体，一个继续存在于这个宇宙中的实体。如果你说的是对的，那么他应该是这个宇宙的一部分。他可能具有——神学家用哪个词？——转世的能力。上帝以一种具体的物质形态出现了，并且挡在了我们和爆炸的恒星之间。"

突然间我又冒出了一个想法。"事实上，这并不是他的第一次！"我说，"还记得公元1320年船帆座的超新星爆炸吗？那次爆炸离我们的距离几乎和这次一样近。它的残余物已经被检测到了，但是没有人见过爆炸。地球上的中国人没有记录，地球上的其他人没有，你们的和吕特人的世界上也没有。那一次，这个实体同样干预了爆炸，保护我们免遭辐射的危害。在我们第一次讨论上帝的时候，你自己也说过，超新星形成的概率必须是精心制定的。这么说吧，如果超新星爆炸无法避免的话，遮挡爆炸的盾牌是他至少能为我们做到的。"

霍勒斯的两根眼柄贴得很近。她看上去像是矮了一截，似乎她的六条腿无法承受她的重量。毫无疑问，她肯定比我更早产生了这个实体就是上帝的想法，但是她肯定没有想过发生在船帆座的爆炸与这一次的关系。"上帝不仅仅制造了物种大灭绝，"弗林纳人说，"当与他的意愿一致时，他也时不时地防止它们。"

"难以置信，不是吗？"我说。我与霍勒斯一样感到站立不稳。

"或许我们应该去看看。"霍勒斯说，"如果我们现在知道上帝在什么地方，或许我们应该去拜见他。"

这个想法太令人震惊了。我觉得我的心脏又变成了一个汽锤。"但是——但是我们看到的是发生在猎户座一等星附近四百多年以前的事。"我说,"你们的船到那儿还得花四百多年。上帝凭什么会在那儿待上一千年呢?"

"一个典型的地球人或是弗林纳人的寿命大约是一个世纪,也就是五千万分钟左右。"霍勒斯说,"上帝应该至少和宇宙一样老,而宇宙已经有一百三十九亿岁了。即使上帝的寿命快到头了,一千年对他来说也就相当于我们的四分钟。"

"尽管如此,他也可能不愿意为等我们而浪费时间。"

"也许不是。或者,可能他知道他的行为可以被观察到,从而引起我们的注意。或许他会设法在那儿重新出现——我们唯一能确定他的所在之处,在适当的时候,把那儿当作一个汇合点。他可能在此期间离开去处理其他事,然后再回来。看样子他非常忙,因为如果他有空闲时间的话,一旦知道Groombridge的方舟会引爆猎户座一等星,他可以在第一时间摧毁方舟。好在爆炸刚发生时,他就及时赶到了。所以当我们到那儿时,他也能很快返回。"

"如果他愿意和我们见面的话。问题在于如果,这是个风险很大的投资,霍勒斯。"

"确实如此。但我们的旅程就是为了寻找上帝;现在是我们最接近目标的时候,我们必须追随这个线索。"她的眼柄注视着我,"欢迎你加入我们的旅行。"

我的脉搏又开始飞快搏动了,甚至比刚才还要快。但是我没有资格参加。"我剩的时间不多了。"我轻声地说。

"马莱卡斯可以在不到一年的时间内加速到非常接近于光速。"霍勒斯说,"一旦达到那个速度,大多数航程可以在看起来非常短的时间内完成;当然我们还需要一年时间减速,但是在两年多一点的时间里,我们就能到达猎户座一等星。"

"我没有两年时间。"

"是的,"霍勒斯说,"是的,如果你一直醒着的话。但我相信我已经和你说过吕特人在旅行时会把自己冰冻起来;我们可以为你做同样的事,直到到了猎户座一等星才把你从深冻中唤醒。"

我的视线开始变得模糊。这个邀请诱人到了极点,它是一个绝妙的提议,一个无法想象的礼物。

事实上——

事实上,或许霍勒斯可以将我一直冰冻到——"你能无限期地将我冰冻吗?"我问,"最终,癌症可以被治愈,然后——"

"对不起,不行。"霍勒斯说,"这个过程中会产生组织退化。这项技术在四年期间内就像麻醉一样安全,但是我们从来没有成功地救活过一个冰冻了十年以上的人。它只不过是一种方便旅行的办法,不是把人送往未来的时间机器。"

好吧,我也不是十分乐意成为睡美人。但是能够和霍勒斯一起,坐在马莱卡斯上飞行,去看看真正的上帝是什么样子……这是一个难以置信的主意,一个令人震惊的想法。

而且,我突然意识到,这是个最好的办法:让苏珊和里奇脱离我生命最后几个月的苦难。

我告诉霍勒斯我必须想一想,还得和我的家人讨论一下。这么急的时间,这么诱人的邀请……还有其他很多因素要考虑。

我说过库特去见上帝了——但我不相信他真的能,他只是死了。

但也许我能见到上帝……而且当我还活着时。

第三十二章

"霍勒斯给了我一个机会,让我和她一起去她的下一个目的地。"那天晚上回到家之后我对苏珊说。我们坐在起居室内的沙发上。

"去 Alpha Centauri?"她回答道。那的确曾经是马莱卡斯航行的下一个,也是最后一个目的地。在那之后,它就会回家了,先是到孔雀星座第四,随后是长蛇星座第二。

"不是,他们改变了主意。他们要去的是猎户座一等星。他们想看一看那儿究竟有什么东西。"

苏珊沉默了一会儿,"猎户座一等星不是在四百光年以外吗?"

我点了点头。

"所以在一千年之内你回不了家?"

"从地球上看,是的。"

她又沉默了一阵子。过了一会儿,我决定打破沉寂,"为了减速,他们的船在航行到一半时就得掉头,将聚变喷口对准猎户座一等星。所以,在二百五十年之内,那个——那个实体就能看到明亮的尾喷口了,而且知道有人来了。霍勒斯希望他会等着我们前去，或者会从其他地方赶回来和我们会面。"

"那个实体？"

我实在无法在她面前说出那个词。"就是挡在我们和猎户座一等星之间的那个东西。"

"你认为那就是上帝。"苏珊简单地说了一句。她经常去教堂；她也懂《圣经》；而且她已经好几个星期一直在听我在餐桌上讲物种的起源、基本常数和智慧设计。只要她在场，我很少说到上帝这个词。这个词对于她比对于我重要得多，所以我尽量和这个词保持一定的距离。但是她明白。她什么都明白。

我耸了耸肩。"可能吧。"我说。

"上帝。"苏珊重复道，再次明确了这个词，"而且你有机会能看到他。"她望着我，头歪在一边，"他们还会带上其他地球人吗？"

"是的，有那么几个吧。"我试着回忆那个名单，"一个患有严重精神分裂症的西弗吉尼亚女人，一只布隆迪的银背大猩猩，一个很老的中国老头。"我耸了耸肩，"都是外星人在地球上的伙伴。他们都立刻接受了邀请。"

苏珊看着我，脸上没有特别的表情，"你想去吗？"

是的，我默想着。是的，全心全意地。虽然我希望有更多时间能和里奇待在一起，但是我宁愿他记得我健康的样子，记得我还能自己走动，记得我还能抱起他。我点了点头，没有开口。

"你有个儿子。"苏珊说。

"我知道。"我轻声说。

"还有个妻子。"

"我知道。"我重复着。

"我们——我们不想失去你。"

我温柔地说:"但你会的,而且很快。"

"但不是现在,"苏珊说,"不是现在。"

我们静静地坐着。我的脑子乱成一团。

六十年代,苏珊和我就已经在大学里互相认识了。我们约会过,但我离开了,去了美国追求我的梦想。那时她没有阻止我。

现在又一个梦想降临了。

但情况已经不同了,大不相同了。

现在我们结婚了。我们有个孩子。

如果这些就是等式的全部,那么我就是个傻瓜。如果我很健康,如果我没病,我不可能被诱离他们,连想一想都不可能。

但是我根本就不健康。

我有病。她当然知道这一点。

我们的婚礼是在教堂里举行的,因为这是苏珊的愿望。我们按照传统仪式发了誓,包括"直到死亡把我们分开"。当然不会有人站在教堂里确认誓词是否预计到了癌症。人们不会希望他们的生活里出现横祸,带来折磨和苦难。

"让我们再想想。"我说,"马莱卡斯三天之后才会启程。"

苏珊缓慢地点了点头。

"霍勒斯,"第二天我在办公室中说,"我知道你和你的伙伴肯定非常忙,但是——"

"我们的确很忙。驶向猎户座一等星以前我们得做很多准备工作。而且我们还陷入了热火朝天的道德争论之中。"

"争论什么?"

"我们相信你所说的是对的:Groombridge1618上的人确实是

想消灭宇宙这一地区所有的生命。这是任何一个弗林纳人或是吕特人都不会想到的做法。请原谅我这么说，但它是如此的野蛮，只有人类——或者，明显的，Groombridge上的人——才能想到。我们在争论是否应该向我们的世界发出信息，告诉他们Groombridge上的人所做的事。"

"听上去很合理啊。"我说，"为什么不告诉他们呢？"

"吕特人不是什么暴力的种族，但是，就像我曾经告诉过你的，我的种族很——'热情'可能是个合适的词。很多弗林纳人肯定会为这种预谋而寻求正义。Groombridge1618离长蛇星座第二大约有三十九光年的距离，我们很容易就能派飞船到那儿。令人遗憾的是，当地居民没有在他们的埋藏地点留下警示性建筑——所以如果我们要确保将他们摧毁，我们可能不得不毁灭他们整个世界，而不只是一小块。Groombridge上的人从来就没能发展出我们拥有的超高能核聚变技术。否则他们肯定能更快地将炸弹送到猎户座一等星。这项技术给了我们足以摧毁整个星球的能力。"

"啊！"我说，"的确是个进退两难的道德问题。你会告诉你们世界上的人吗？"

"我们还没有决定。"

"吕特人是出色的道德家。他们认为你们该怎么办？"

霍勒斯沉默了一会儿，"他们建议我们用马莱卡斯上的核聚变炉杀死长蛇星座第二-Ⅲ上的所有生命。"

"弗林纳人的家园？"

"是的。"

"上帝，为什么？"

"他们没有解释清楚，但我怀疑他们是在表现——怎么说来着？我又忘了——黑色幽默。如果因为曾经受到他们的威胁便要去毁灭他们，那么我们和他们又有什么分别呢？"霍勒斯停顿了一下，"我不是故意把你拖进我们的麻烦事。你有什么要我帮忙的？"

"嗯，和你所说的相比，我的事简直是小菜。"

"小菜？"

"无所谓的小事。但是，嗯，我想和吕特人谈一谈。我有一个道德上的难题，我无法解决它。"

霍勒斯被水晶覆盖的眼睛看着我。"关于你是否应该和我们一块儿到猎户座一等星去？"

我点了点头。

"我们的朋友卡纳现在正忙于和上帝进行心灵感应，但是他一个小时以后有空。如果你能把投影仪带到一个更大的房间，我会叫他加入我们的。"

其他人显然也得出了与我相同的结论：唐纳德·陈所称的"反常体"和主持人所说的"运气"，世界各地的人都当成神的干预的体现。当然这些人都有自己的说法：我所说的冒烟的枪被他们说成了神迹。

尽管如此，还是有一小部分人持反对意见：他们中的大多数一点都不懂超新星爆炸，还有些人，不相信马莱卡斯上的天文望远镜拍下的照片。其他人则声称我们看到的是魔鬼的活动：炽热的地狱匆匆一闪，随后被黑暗包围。一些信奉撒旦的人正在寻求支持。

与此同时，基督教原教旨主义者正在查阅《圣经》，想找到可以被说成预言了此次事件的记录。还有些人则翻着各种古老的预言。一个耶路撒冷希伯来大学的犹太数学家指出这个六肢实体在拓扑学上相当于大卫六角星,并且暗示,我们所见的景象象征着摩西的到来。一个叫猎户座一等星教的组织已经建起了网站。所有关于古埃及和猎户座——发生超新星爆炸的那个星座——的伪科学都在电视上露了脸。

但是那些人所能做的只是猜测。

而我却有机会到那儿去看一看——确定究竟发生了什么。

我们又去了医药中心五楼的会议室,但这一次四周没有摄像机。这儿只有我和那个小小的投影仪——还有两个地外生物的投影。霍勒斯安静地站在屋子一端。卡纳站在另一端。他们中间隔着会议桌。卡纳今天戴了根绿色的而不是黄色的多功能带,仍旧装饰着银河之血的图案。

"你好。"等到吕特人的投影稳定下来之后我开了口。

一阵石头互撞的声音,随后响起一个机械声音:"你好被回应了。这次见面你要得到什么?"

我点了点头。"建议。"我说,轻轻拍了拍我的脑袋,"你的忠告。"

吕特人一动不动地听着。

"霍勒斯告诉过你我得了致命的癌症。"我说。

卡纳碰了碰他的带扣,"歉意被再次表达了。"

"谢谢。但是,你看,你们给了我一个机会和你们一起去猎户座一等星——去拜见那儿的无论什么东西。"

一个鹅卵石撞击地面的声音。"是的。"

"我很快就要死了。我不能确定到底是什么时候,但是——但是应该是在两个月以内。问题是,我应该把最后几个月的时间留给我的家人呢,还是应该和你们走? 一方面,我的家人希望每一分钟都和我待在一起,而且我想,当我离开这个世界时,他们希望能陪在我的身边。当然我也非常爱他们,希望和他们待在一起。但是,另一方面,我的情况会不断恶化,加在他们身上的负担也越来越重。"我停顿了一下,"如果我们住在美国,我们可能会有钱方面的问题。在那个国家,在医院里度过生命的最后几周可是要花上一大笔钱的。但在加拿大,这不会构成什么问题。所以与我及我的家庭有关的因素仅是道德上的问题。"

我意识到我在以数学方式表达我的问题——因素、等式、钱——但这些话就像潮水般从我的嘴中涌出,我根本没有时间准备。我希望我没有将吕特人说得晕头转向。

"所以你问我你该如何选择?"翻译过的声音说道。

"是的。"我说。

一阵磨石头的声音,随后是短暂的寂静,然后,"符合道德的选择很明显,"吕特人说道,"答案一直就在那儿。"

"是吗?"我说,"答案是什么?"

更多的岩石碰撞声,随后,"道德不可能从外部被灌输。"说到这儿,吕特人的四只手都放在倒鸭梨形的胸部,"它必须从内部产生。"

"你不会告诉我答案的,是吗?"

吕特人忽闪着消失了。

那天晚上,里奇在地下室看电视时,苏珊和我坐在沙发上。我告诉了她我的决定。

"我会永远爱你。"我对苏珊说。

她闭上了眼睛,"我也会永远爱你。"

怪不得我这么爱看《卡萨布兰卡》。伊尔莎·朗德会和维克托·拉扎洛一起走吗？或者她会留下来和里克·布莱恩待在一起？她会跟随她的丈夫，还是她的心？

会有比她更重要的东西吗？比里奇重要？比他们两个都重要？在等式中需要考虑其他因素吗？还有其他条件吗？

但是——让我们诚实一点——在我的问题中还有比他们更重要的东西吗？当然，上帝可能是整个问题的核心，但是即使我去了也并不能改变什么，我很确定……在《卡萨布兰卡》里却不是这样，维克托继续与纳粹抗争有助于拯救世界。

尽管如此，我还是做出了决定。

虽然困难到了极点，我还是做出了决定。

即使我永远都不会知道它是否正确。

我靠上前吻了苏珊，仿佛这已经是最后一次。

第三十三章

"你好,小家伙。"我走进里奇的屋里说。

里奇坐在桌子旁边,桌子表面压着一张世界地图。他正用彩色铅笔画着什么,舌头伸出来拖在嘴角,完全一副孩子气的聚精会神的模样。"爸爸。"他答应道。

我看了看四周。房间很乱但还没有到不可收拾的地步。地板上有一些脏衣服。我通常会对这种事表示抗议,但今天我不会这么做。他有一些我买给他的小型塑料恐龙骨架,一个作为圣诞节礼物的武打玩具;还有书,很多小孩读的书:我们的小里奇会成为一个读书人。

"儿子。"我说,等着他把注意力集中到我身上。他正在完成画的某一部分——看上去像是架飞机。我等着他。我知道没有做完的事会有多么恼人。最后他抬起头来,似乎对我还在这儿感到奇怪。他疑惑地抬起了眉毛。

"儿子,"我又开口了,"你知道爸爸病得很重。"

里奇放下他的彩色铅笔,意识到我们正在进入严肃的交谈。他点了点头。

"而且,"我说,"我想你知道我不会变好了。"

他咬着嘴唇勇敢地点了点头。我的心都碎了。

"我要走了。"我说,"我要和霍勒斯一起走了。"

"他能治好你吗?"里奇问道,"他说过他不能,但是……"

里奇显然不知道霍勒斯是个女的,我也不想改变话题。"不是,不是的。他什么也做不了。但是,他即将踏上旅途,我想和他一块儿走。"我已经旅行过无数次了——去挖化石,去开会。里奇已经习惯了我经常出门。

"你什么时候回来?"他一脸天真地问道,"你会给我带点礼物回来吗?"

我闭上眼睛。我的胃里在翻腾。

"我,嗯,我不会回来了。"我轻声说道。

里奇沉默了一阵子,试着理解这句话,"你是说——你是说你要离开这儿去死?"

"对不起。"我说,"很对不起我要离开你了。"

"我不想让你死。"

"我也不想死,但是……但是有时我们没有选择。"

"我能——我能和你一起去吗?"

我悲伤地笑了笑,"你不能,里奇。你得待在这儿上学。你得待在这儿帮助妈妈。"

"但是……"

我等着他结束,说完他的想法。但是他没有。他只是简单地说:"不要走,爸爸。"

但我终究要离开他的。无论是在这个月,在霍勒斯的船上,还是在几个月以后,躺在医院的床上,手臂、鼻孔和手背插满了管子,生命监控仪器在背后发出嘀嘀的声音,医生和护士出出进进。无论如何我都会走的。我无法选择走或不走,我能选择的只是走的时机。

"没有什么……"我说,"能比离开你更让我难过的了。"

告诉他我想让他记住我现在的样子没有任何意义,因为我真正想让他记住的是一年以前的我,体重比现在多七十磅①,长满头发。但是,现在仍然比几个月以后强得多。

"那么就别走,爸爸。"

"对不起,小家伙。我真的很抱歉。"

里奇和其他同岁的孩子一样擅长乞求,晚一点睡觉啦,买他喜欢的玩具啦,多吃点糖果啦等等。但是他意识到,他那些耍赖手段在这儿无法奏效。我越发爱他六岁的智慧了。

"我爱你,爸爸。"他流着泪说。

我弯下腰,把他从椅子上举到我的胸口,紧紧抱住他。"我也爱你,儿子。"

霍勒斯的母船,马莱卡斯,和我想象中的完全不一样。我已经习惯于看到电影中的飞船,外壳上附着各种各样的东西。但是这艘飞船有一个完全光滑的表面。它的一端是一个长方形的块状物,另一端是一个与飞船轴线垂直的圆盘,被两根管状支柱连接在一起。整个船身是浅绿色的。我分辨不出哪一端是船首。事实上,我无法从外表判断它的长度;它的表面没有任何我熟悉的东西,连窗户都没有。整艘船可能只有几米长,也可能长达几公里。

"它有多大?"我问霍勒斯。她处于失重状态,飘浮在我的旁边。

"大约一公里长。"她说,"那个块状部分是推进模块,支柱是

———————
① 1磅约为453克。

船员居住区——一根是弗林纳人的,另一根住着吕特人。另一端的圆盘是公共区域。"

"再次感谢你带上我。"我说。我的手由于激动颤抖着。八十年代时曾经短暂地讨论过某天要送一个古生物学家到火星,我梦想着那就是我。但是显然他们需要的是一个无脊椎古生物学家。没有人真的相信脊椎动物曾在那个红色星球上生存过。如果就像霍勒斯说的,火星曾经有过一个生态系统,它可能只仅仅存在了几亿年,过多的空气流失到太空之后它就结束了。

有一个名叫"许个愿"的慈善组织想设法满足患上致命疾病的孩子的临终愿望。我不知道是否存在类似的为成年病人服务的组织。而且,老实说,给了我这样的机会之后,我并不知道我会许什么愿。但是现在我完全满足了。这就是我的愿望。

飞船在监视屏上逐渐变大。霍勒斯说它被屏蔽了一年多,防止地球上的人看到。但现在已经没有必要这么做了。

我希望能看到窗户,希望在我现在乘坐的小飞船和马莱卡斯上都能看到。但明显地,它们两个都没有。外部世界的图像被传送到一面墙般大小的监视屏上。我走到离它很近的地方,却没有看到像素、扫描线及闪烁亮点之类的东西。屏幕就起着现实世界中玻璃窗的功能。事实上,它在某些方面比玻璃窗强得多:表面永远不会有刺眼的东西,还能将景物放大来个特写镜头,提供不同视角,或者显示任何你需要的信息。或许,有时模拟就是胜过现实。

我们越飞越近。终于我能看到飞船的绿色外壳上有些符号:一些文字,是用黄色的颜料写成的。文字有两行:第一行是几何符号:三角形、正方形和圆,其中一些周围还围绕着点。另一行字体看上去有点像阿拉伯文字。我在霍勒斯的投影仪上看到过和第一行相同的标记,所以我猜那就是弗林纳人的文字,而剩下的那一行就是吕特人的了。"写的是什么?"我问道。

"此头冲上。"霍勒斯说。

我大张着嘴看着她。

"对不起。"她说,"开个小玩笑。写的是飞船的名字。"

"噢。"我说,"马莱卡斯,是吗? 它是什么意思?"

"复仇野兽之大屠杀。"霍勒斯说。

我使劲咽了口唾沫。霍勒斯的眼柄做着 S 形动作。"对不起。"她说道,"我无法控制自己。它的意思是'星际旅行者',或是类似的词。"

"好像没什么特色。"我说,希望不会冒犯她。

霍勒斯的眼柄分开到了极限位置,"它是由一个委员会决定的。"

我笑了笑,跟我们博物馆探索馆的名字一样。我向飞船望去。当我的注意力被其他事分散时,它的一侧已经出现了一个开口。我不知道它是否像瞳孔般张开的,还是有个舱门向旁边滑去。开口里面充满黄白色的灯光,我能看到里头还停着三艘登陆船。

我们的飞船继续接近。

"星星在哪儿?"我问道。

霍勒斯看着我。

"我以为能在太空中看到星星。"

"噢,"她说,"太阳光和地球反射光将它们盖住了。"她用自己的语言唱了几句,星星随即出现在幕墙上。"计算机提高了每颗恒星的亮度,这样就能看见了。"她用她的左臂指着,"看到那个 Z 字形了吗? 那就是仙后座。中央恒星的下方是 Mu 和 Eta

Cassiopeae,我曾经到过的两个世界。"被提到的恒星的周围突然出现计算机生成的圈。"看到它们下面那一团恒星了吗?"另一个圈出现了,"那是仙女座。"

"真漂亮。"我说。

但是很快,马莱卡斯占据了整个视野。几乎所有的行动都是自动完成的。除了间或发出几声如歌声般的命令,霍勒斯几乎没做什么,我们便进入了母船。

我们固定在开口远端的一个停靠站之后,母船外壳上的开口"叮当"一声关闭了。霍勒斯的六条腿在飞船壁上蹬了一下,向舱门缓缓飞去。我想模仿她的方法,但是飘得离墙壁太远了,手脚碰不到任何东西。

霍勒斯意识到了我的困境,她的眼柄又开始做着大笑的动作。她调整着在空中的姿态,伸出一只手给我。我抓住了它。那是一只真正的,有血有肉的手,我没有感觉到任何静电刺痛。她的三条腿又蹬了一下舱壁,我们俩都向舱门飞去。舱门在我们靠近时自动打开了。

三个弗林纳人和两个吕特人正等着我们。弗林纳人之间很容易区分——他们每个人的躯干上都缠着不同颜色的布,但是吕特人看上去都长得一模一样。

我花了三天时间在船上到处游荡。所有照明都是间接的,看不到固定的灯泡或是灯管之类东西。舱壁和几乎所有设备都是蓝绿色的。我猜可能是因为这个与天空近似的颜色能同时被弗林纳人和吕特人接受。他们把它涂在一切地方,就像人类对于米色的态度一样。我只去过吕特人的住所一次,那儿弥漫着一种我不喜欢的发霉的味道。我的大部分时间花在公共舱内。那儿有两个同轴的离心机在不间断地旋转以模拟重力。外圈的那个模拟长蛇星座第二-Ⅲ上的环境,里头那个则模拟孔雀星座第四-Ⅱ。四位来自地球的乘客分别是:我、精神分裂的女人凯瑟、古老中国的稻农朱和银背大猩猩胡恩——它喜欢看地球的壮丽景色。地球像一个壮观的经过打磨的纳石球,马莱卡斯开始其旅程时,它慢慢地从我们身后消失了。当然,大猩猩根本不懂它看到的东西。

不到一天时间,我们便越过了月亮的轨道。我和我的旅伴们现在已经到了太空中一个地球上的人从未到过的地方——但是我们仅仅完成了小于一百亿分之一的航程。

我不断试着与朱交谈。刚开始他对我很警惕——后来他告诉我我是他遇到的第一个西方人——但是我还是凭借会说汉语的特长将他软化了,尽管交谈中有时我仍然有听不懂的地方。我,作为一个科学家,想前往猎户座一等星附近还是可以理解的,但是一个老农也想去相同的地方却让人有点费解。朱确实已经很老了,他自己都说不准他是哪一年生的。即使有人说他是十九世纪末出生的,我想我都可以接受。

"我是去,"朱说,"寻找启示。"他的声音低沉而又缓慢,"我在寻找般若,纯洁的、没有任何保留的知识。"他用那双湿润的眼睛注视着我。"旦达特,"——那个与他在一起的弗林纳人的名字——"说宇宙已经消亡和重生过好几次了。所以我觉得人也应该在死亡与再生中循环,直到获得启示为止。"

"这么说,是宗教把你带到这儿来的?"我问道。

"是所有的一切。"朱简单地回答了一句。

我笑了,"希望这次旅行是值得的。"

"我相信它会的。"朱说,脸上带着安详的表情。

"你确信这安全吗?"我对霍勒斯说。我们正朝装着深冻装置的舱室飘去。

她的眼柄泛着波纹。"你正在以一个你应该称为不要命的速度向一个具有无限力量的实体飞去——你却担心冬眠过程是否安全?"

我大笑,"好吧,如果你这么认为——"

"它是安全的,别担心。"

"当我们到了猎户座一等星,别忘记叫醒我。"

霍勒斯装出一本正经的样子,"我会记在小纸条上的。"

苏珊·杰瑞克现在已经六十四岁了。她静静地坐在爱丽舍家中的书房内。十年前汤姆离开了她和里奇。当然,如果他待在地球上的话,他可能已经死了十年了。然而,他现在应该还活着:被冰冻在外星人的飞船上,处于生命的暂停状态,四百三十年之后才会被唤醒。

这一切苏珊都懂。但是每当她想起这整件事情,她依然会头疼。然而今天是个值得庆祝而不是头痛的日子,今天是理查德·布莱恩·杰瑞克十六岁的生日。

苏珊已经满足了他最大的心愿——交驾驶学校的学费,然后在他拿到驾照后,给他买辆新车。保险赔偿金足够他们花了,买车对于他们来说算不了什么。大加拿大寿险公司开始时妄想拒付赔偿金;他们说,汤姆·杰瑞克并没有真的死掉。但是当媒体披露了这个故事之后,大加拿大寿险公司受到了强烈谴责。后来公司的总裁公开道歉,亲自把五十万元的支票送到苏珊和她儿子手上。

生日总是个特殊的日子,但是苏珊和迪克——谁能想到里奇长大之后会愿意被叫作迪克?——在一个月之后还会有个庆祝。迪克的生日从未获得过苏珊全身心的共鸣，因为她不清楚他到底是哪天出生的。但一个月之后，在七月，就是里奇被收养十六周年纪念日，苏珊真正重视的是这一天。

迪克从学校回到家里时——他刚刚在诺斯威高中读完十年级——苏珊又给了他两件礼物。第一件是他父亲记录与霍勒斯相处经历的笔记。第二件是汤姆给他儿子制作的录像带。苏珊已经将录像带转制成了DVD。

"嘿。"迪克说。他现在又高又壮，苏珊为他感到非常骄傲，"我一直不知道爸爸还做了盘录像带。"

"他让我在十年之后才把它交给你。"苏珊说，她稍稍耸了耸肩，"我想他可能是希望等你长大到能看懂它。"

迪克拿起盒子，在手里掂了掂分量，似乎这么做可以破解它的秘密。"我们现在能看吗？"他说。

苏珊笑了。"当然。"他们去了起居室，迪克把盘放进DVD机中。

两人随后坐在沙发上，看着汤姆憔悴的、被疾病蹂躏的样子再次出现在生活中。

迪克看过一些那时候汤姆的照片，它们都被苏珊珍藏在一本剪报中，里面都是媒体拍摄的霍勒斯拜访地球和随后汤姆踏上旅程的照片。但是他从未如此仔细地看过癌症对他父亲所造成的摧残。图像出现时，苏珊注意到他往后缩了一下。

但很快，里奇的全部注意力都集中到了画面上，他认真倾听着每一个词。

最后，他们拭去眼里的泪水，为了那个他们永远爱着的人所流的泪水。

第三十四章

无边的黑暗。

随后是一阵热,舔遍我的全身。这是地狱吗? 这是——

不是。当然不是。我的头疼得要裂开,但我的意识正逐渐恢复。

一个响亮的咔哒声,随后——

随后深冻柜的盖子滑到一边。为吕特人量身定做的椭圆形棺材被缓慢地降到地板上。霍勒斯骑在它上面,她的六条腿紧紧抠住它,以防她自己飘走。她的前腿弯曲着,眼柄向下看着我。

"该""起""床""了,""我""的""朋""友。"她说。

我知道在这种情况下一个人该说些什么;我看到过汗·诺恩·辛问的是什么话。"多久了?"我问道。"四个多世纪。"霍勒斯回答道,"现在是地球年2432。"

就这么简单,我想。四百多年过去了,我却毫无感觉。就这么简单。

他们很明智地将深冻柜建在离心机的范围之外。我怀疑现在我是否能支持自己的体重。霍勒斯向我伸出她的右手,我伸出左手握住。我无名指上的金戒指看上去并没有被冰冻和时间改变。霍勒斯将我拉出黑色陶瓷棺材,随后她放开攀住棺材的六条腿,我们一起飘在空中。

"飞船已经停止减速。"她说,"我们到了曾经是猎户座一等星的地方。"

我全身赤裸着。不知为什么,一个外星人看到我这个样子会让我觉得尴尬。但是我的衣服已经在等我了。我很快穿上一件蓝色衬衫,一条褐色裤子,它们是我以前挖化石时的工作服。

我的眼睛在聚焦方面还有些困难,嘴里也发干。霍勒斯一定预料到了。她给我准备了饮用水,水装在一个透明的球形杯中。弗林纳人从来不喝冰水,这正适合我现在的口味——我现在最不需要的就是冰的东西。

"我要做个身体检查吗?"把水挤入嘴里后,我问道。

"不用。"霍勒斯说,"它是自动完成的;你的健康一直被密切关注着。你——"她突然停顿了,我相信她是想说我很好,但我们都知道那不是事实,"你的状况和深冻以前一样。"

"我的头很疼。"霍勒斯以一种奇怪的方式动了动她的腿。我马上便意识到这是她在失重状态下跳跃的表现。"你会在一天之内经历各种不适。这很正常。"

"不知道地球怎么样了?"我说。

霍勒斯冲着最近的屏幕发出一阵歌声命令。过了一会儿,一个放大的景象出现了:一个黄色的盘子,直径大约为手臂的四分之一,"你们的太阳。"她说,随后指着一个较暗的物体,它的直径大约为太阳的六分之一,"那是木星。"她停顿了一下,"在这么远的距离上,很难用可见光来显示地球,但是如果你观察射电图像的话,你会发现地球要比你们的太阳高好几个频度。"

"是吗?"我说,"在这么长时间后,我们仍然有无线电广播?"这真是太棒了。它意味着——

霍勒斯沉默了一会儿,或许她对于我的兴奋感到迷惑不解。"我不知道。地球在我们后面429光年。现在到达这儿的光线只不过告诉了我们离开那儿不久之后发生的事。"

我伤心地点点头。她当然是对的。我的心开始怦怦直跳,我的视线也变得更加模糊。刚开始我还以为是唤醒过程中出了问题,但是事实并非如此。

我太震惊了。我没有料到现在的感觉。

我还活着。

我盯着那个小小的黄色圆盘,随后又低下头来看着环绕着我无名指的戒指。是的,我还活着。但是我亲爱的苏珊却死了。她死了。

我不知道在我离开之后她生活得怎么样。我希望她活得很快乐。

还有里奇,我的儿子,我的好儿子。

我看过一个电视节目,节目里有个医生说第一位长生不老的人可能已经出生了。或许里奇还活着,已经——什么?——438岁了。

但是我觉得这种可能性很小,更有可能的是,里奇长成了一个他自己希望成为的男子汉,他工作,恋爱,然后现在……

现在他已经走了。

我的儿子。我几乎可以肯定我活得比他更久。一个父亲不应该是那样的。

我感到眼里充满了泪水—— 一个小时之前还是冰的泪水;由于没有重力,泪水积在泪腺附近。我把它们擦去了。

霍勒斯知道人类的泪水代表的意义，但是她没有问我为什么哭泣。她自己的孩子，皮尔顿和卡苏德，现在肯定也已经死了。她耐心地飘浮在我的身边。

我不知道里奇是否有儿子，是否有孙子，以及重孙；想到我可能已经有了十五代或是更远的后代令我震惊。或许杰瑞克这个姓仍旧在延续。

我不知道安大略皇家博物馆是否依然存在，他们是否重新开放了天文馆，或者是否因为太空旅行变得便宜易行，已经彻底消解了天文馆存在的必要性。

我不知道加拿大是否依然存在，我爱这个伟大的国家。

当然，我更关心的是人类是否依然存在，我们是否逃过了德瑞克方程最后一项的毒刺，没有用核战毁灭自己。在我离开以前，我们拥有核武器大致有五十年的历史。我们能在八倍长的时间里避免使用它们吗？

或许……

Epsilon Indi 上的居民选择了它。

还有 Tau Ceti。

还有 Mu Cassiopeae A。

还有 Eta Cassiopeae A。

还有 Sigma Draconis。

甚至是 Groombridge 1618 上那些变态、那些傲慢的混蛋，那些将猎户座一等星炸掉的人。

如果我是对的，他们都上传进了一个虚拟的世界，一个计算机生成的天堂。

现在，经过四个世纪的科技发展，人类也应该拥有了相同的能力。

或许他们已经这么做了。

我看着霍勒斯飘浮在半空。真的霍勒斯，不是幻影。我有血有肉的朋友。

或许人类还从 Mu Cassiopeae A 的居民那儿得到了启示。他们可能已经炸掉了月亮，给地球戴上了如土星所拥有的那种陨石环，尽管我们的月亮比 Cassiopeae 的小得多，对于地壳的引力也较小。我们也可能已经在地质稳定的地方建起了警示性建筑。

我又自由地飘浮在空中，远离任何舱壁；我总是会不由自主这么干。霍勒斯设法飘到我身边，抓住了我的手。

我希望我们还没有上传。我希望人类仍旧是有血有肉的生物体。

但是无法确认这一点。

在四个多世纪之后，那个实体还会在那儿等着我们吗？

是的。

或许它没有一直待在那个地方。或许它计算了我们需要多少时间才能到达，并在此期间去了其他地方处理各种杂务。当马莱卡斯以非常接近光速的速度航行时，它前方的光线都偏移进了不可见的紫外区。所以那个实体可能把在此期间的大部分时间都花在了其他地方。

而且，它或许并不是真的上帝。它或许只是某些非常高级的生命形式，代表了某个非常古老但是完全自然的种族。或者，它可能是一台机器，由一大群微小的技术实体组成。并没有理由显示为什么先进的技术就不能以生物体的外表出现。但是这么思考下去什么时候才是头呢？某个东西——某人为这个宇宙确定了基本常数。

在三亿七千五百万年间,某人至少干预了我们三个世界的进程。三亿七千五百万年大约是两百年——智慧生物种族在拥有无线电广播后继续以肉体形式存在的时间——的两百万倍。

而且,某人还拯救了地球、孔雀星座第四-Ⅱ和长蛇星座第二-Ⅲ,使它们免遭到巨大恒星爆炸的摧毁。他在短时间内吸收了相当于银河系内所有其他恒星散发出的能量,在此过程中还能避免受到伤害。

你怎么定义上帝?他或她必须是无所不知的?全能的?吕特人说这些定义只不过是些抽象概念,而且可能难以达到。难道上帝一定要被定义在科学的范畴之外?

我一直都认为没有东西能脱离科学的范畴。

现在我依然这么认为。

思考到什么时候才是头?

就是这儿。对于我而言,答案已经摆在了面前。你怎么定义上帝?

就像这样。我所能理解的上帝比那个难以理解的有趣得多,与我们的联系也更密切。

我飘浮在一座幕墙前,霍勒斯在我的左边,还有六个弗林纳人在她那一侧,我的右面有一串吕特人。我们都在看着他,看着它,看着那个实体。它实际上有十五亿公里宽——与木星轨道直径相近。它是如此之黑,甚至连马莱卡斯为了减速而对准这个方向长达两个多世纪的聚变尾气发出的亮光都不能被反射回来。

这个实体继续遮挡着猎户座一等星——或是它所剩下的东西——直到我们来到它跟前。然后它滚到一边,六条肢像轮辐一样运动着,露出它背后巨大的粉红色星云和星云中央一个小小的脉冲星——猎户座一等星的遗骸。

但是我觉得那只是一个确认我们到来的姿态。我再次希望飞船有真实的窗户:或许它能看到我们向它招手,而且会友好地回应,以优雅的姿态挥舞着它那黑色的肢。

这令人发狂:我离可能是上帝的东西近在咫尺,而它却对我的存在视而不见,就好像当初它任凭癌症在我体内发展一样。曾经有一次我试着和上帝交谈却没有收到任何回答。但是现在,为了拜访它,我们已经航行了这么远的距离,远远超过任何地球人、弗林纳人或者吕特人所达到过的距离;哪怕仅仅出于礼貌,它也应该和我们打声招呼。

但是这个实体并没有想要交流的举动。或者,至少我;或是朱,来自古老中国的我的旅伴;或是凯瑟,患有精神分裂症的女人;甚或是胡恩,那只银背大猩猩,都无法听懂。弗林纳人似乎也无法与其联系。

但是吕特人——

吕特人,凭借他们完全不同的意识、不同的视角、不同的思维方式——

还有他们从未动摇过的信仰……

很明显,吕特人正与那个实体进行心灵感应。在经过多年尝试与上帝交谈之后,现在,上帝终于以一种只有他们能理解的方式回应了。吕特人并不能描绘他们被告知了什么,就像他们虽然了解但却无法描绘生命存在的意义一样。但是不管怎样,他们开始在吕特人的离心机中制造起了某种东西。

在那件东西完成以前,马莱卡斯上的弗林纳医生,莱布鲁克,根据它的基本形态,确认了它到底是什么:一个巨大的人造子宫。

吕特人从他们中最年长的那个人,一个名叫卡特本的妇女身上,随后从最年长的弗林纳人,一个名叫基达丝的工程师身上分别提取了基因样本,然后——

不,不是从我身上。我希望我有这份荣耀;这会给我带来最后的完美。

他们从朱身上提取了人类的样本,那位古老中国的稻农。

四十六条人类染色体。

三十二条弗林纳人染色体。

五十四条吕特人染色体……他们自己却数不清楚。

吕特人取了一个弗林纳人的细胞,从细胞核中抽离所有的DNA。随后他们小心翼翼地往那个细胞中注射了那个由卡特本、基达丝和朱的染色体构成的倍数体。他们的染色体已经分裂太多次了,它们末端的着丝点已经完全消失。最后,这个含有来自不同种族的一百三十二条染色体的细胞被小心翼翼地放进了人造子宫之中,子宫中充满了嘌呤碱和嘧啶碱。

然后,令人震惊的事发生了——令我的心狂跳不止、令霍勒斯的眼柄分开到极限的事发生了。一道强光突然闪过。马莱卡斯上的传感器显示那个黑色实体的正中央射出了一束粒子流,正好穿过人造子宫。

透过一个放大扫描仪看去,子宫内发生的相互作用是前所未见的。

来自三个世界的染色体似乎在互相搜寻,连接成了一条条长链。有些长链是由一根吕特人的染色体连接两根弗林纳人的染色体。霍勒斯曾经说过他们那儿相应的先天痴呆症以及没有着丝点的染色体如何能连接在一起;那看上去是一种天生的,却又无用的功能。但是现在……

其他的链条则由一根人类的染色体分别接起了一条弗林纳人的和一条吕特人的染色体。还有些则是由两条人类的染色体接在了一条吕特人的两端。有些链条只有两条染色体：大多是一条人类的和一条弗林纳人的。还有六条吕特人的染色体仍然保持着它们原来的状态。

显然，现在DNA链的功能变得更强大了，不像以前，没有了着丝点之后，它们只能死亡或是触发肿瘤。没有着丝点的染色体终于等到了它们命运中迟迟未至的下一个阶段。现在，多个世界上的智慧生物终于真正走到了一起，他们体内的染色体带着他们跃升到了这个境界。

我也终于明白了癌症为什么会存在——为什么上帝会需要那些已经没有了着丝点却还能不断分裂的细胞？在单独某一种智慧生物体内，癌症只不过是个不幸的副产品。就像卡纳曾经说过的，包括癌症在内的某些配置，虽然看上去不受欢迎，但它们可能蕴含着某种特别重要的功用。现在，我终于了解了这个功用：连接染色体，融合不同的种族，从而汇聚出新的生命——一种能制造出新生命的潜在生物功能。

我给这些染色体长链起名为"超染色体"。

随后它们开始像普通染色体般发挥作用：它们开始分裂，从头到尾将自己分成了两半；每个半条从营养汤中加入对应的碱基——胞核嘧啶配上鸟嘌呤，胸腺嘧啶配上腺嘌呤——补上另外一半，从而完成一次复制过程。

超染色体第一次复制时发生了令人意想不到的事：长链变短了。大段垃圾DNA在复制过程中被踢了出来。所以，虽然超染色体拥有的、活跃的DNA数量是普通染色体的三倍，但是由于剔除了垃圾DNA,它们反而变得更加紧凑,长度也更小。超染色体并没有挑战理论上的生物细胞极限。事实上,它们只是在同一空间内压缩了更多的信息。

随后,在超染色体完成复制时,它们所处的细胞也开始分裂,产生了两个子细胞。随后,这两个细胞又分裂了。

随后是更多的分裂。

不断分裂。

在寒武纪中期以前,一个受精卵分裂不可能超过十次。这一基本限制严重地制约了生物体的复杂程度。

后来寒武纪大爆炸发生了,生命突然间变得复杂了很多。

但是限制依然存在。一个胎儿就只能长那么大——地球人、吕特人和弗林纳人的婴儿都处于五公斤的数量级上。体型巨大的婴儿需要大得不可思议的产道来配合;虽然较大的身体能配上较大的脑袋,但是这多出来的脑容量几乎全被用在了控制庞大的身体上。鲸有可能,只是有可能和人拥有同等的智慧,但是它绝对不会比人更聪明。很明显,生命已经达到了可能的最复杂阶段。

但是超染色体推动着胎儿在人造子宫内继续长大。我们以为它在某个阶段会自动停止。一个弗林纳人可能会遭遇到一条双倍长的染色体;一个地球人也会碰到三条第二十一染色体。但是像超染色体这样的组合,这个疯狂的组合,实在是太不一般了,远远超越了任何限制。大多数怀孕——无论是吕特人的、地球人的还是弗林纳人的—— 一旦胎儿出现异常,就会在早期终结,孕妇甚至觉察不到自己怀过孕。

但是我们的胎儿,我们的不可思议的三合体,却没有。

所有三个种族中,个体生成——胎儿的发育过程——似乎重复了整个群体生成——生物的进化史。人类的胎儿发育过程中会出现鳃、尾巴和其他一些明显的进化遗迹。这个胎儿也在经历着不同的阶段，变幻着各种形态。眼前的景象令人难以置信——就像亲眼看着寒武纪大爆炸发生在你眼前。它已经尝试了一百多种身体形态，随后将它们放弃了。辐射对称、四象对称，还有中轴线对称；呼吸口、鳃、肺，还有一些我们认不出的东西。尾巴和一些不知名的附属肢，加上眼睛和眼柄，分段的和连续的躯干等等。

没人知道为什么胎儿会重现整个进化史，但是它肯定不会是整个进化过程的真实再现——这一点很明显，因为某些胎儿的形态在化石中没有对应物。但是现在，它的目的已经清楚了：DNA肯定含有某种最优化方程，它经过计算各种变形之后才会选定最适合的表达形态。我们不但看到了各种地球、长蛇星座第二和Delta Pavonian上的各种解答方案，还看到了一些将这三者综合起来的解答。

终于，四个月之后，胎儿似乎选定了一种解答。它的形态看上去和我们三个种族有本质上的不同。它的身体呈马蹄形，上面包裹着一层不知是什么材料，六条肢从这层材料上长出来。它有一个内部骨架，透过它透明的身体材料可以清楚地看到它。骨架是由一团毛糙的材料，而不是光滑的骨头组成的。

我们给胎儿起了个名字。我们叫她蔚布黛尔，是弗林纳语中"和平"的意思。

她是另一个我不能看到她长大成人的孩子。

但是，就像我的儿子里奇一样，我确信有人会收养她，疼爱她，将她抚育成人。她的养父母如果不是马莱卡斯的船员，就是旋转在舱外太空中那个巨大的黑色实体。

上帝就是一位程序员。

物理学原理和基本常数就是源代码。

宇宙就是应用程序,到目前为止,它已经运行了一百三十九亿年了。

那些过早地获得了上传能力并放弃肉身的种族是程序中的漏洞,一个设计上的缺陷,一个不受欢迎的插曲。但是,最后,通过认真调整,程序员已经填上了漏洞。

蔚布黛尔是什么?

蔚布黛尔是输出结果。所有一切努力的意义所在。

我希望她一切都好。

死亡是古老的行进,是一台驱动进化的引擎。一个生命结束,另一个诞生了。

我再次进入了深冻,在十一个月的时间里死亡暂时停止了脚步。但是当蔚布黛尔就要呱呱坠地时,霍勒斯再次将我唤醒了。我们俩都知道这已经是最后一次了。

吕特人宣布今天就是大家一直在期待的那一天。婴儿已经长成并将从人造子宫内取出。"她可能继承了我们身上最好的部分。"卡纳说。他是我碰到的第一个吕特人——那已经是好几个世纪以前的事了。

霍勒斯的躯干上下跳动着。她的一张嘴里发出了"阿",另一张发出了"门"。

因为刚刚从深冻状态下解除,我仍然感到头晕眼花,但我还是欣喜地看着蔚布黛尔从子宫中移了出来。伴随着她来到宇宙的是一阵啼哭,就像我刚出生时一样,像数以亿计在我之前或之后出生的人一样。

霍勒斯和我花了几个小时，就这么静静地看着她。她看上去这么怪，她奇异的身体已经有我的一半大了。

"我想知道她的寿命有多长。"我对我的弗林纳朋友说。这可能是一个不合时宜的问题，但是它就是这么突然蹦进了我的脑子。

"谁""知""道。"她回答道，"缺乏着丝点并不能阻碍她的生长。她的细胞可能会无限制地复制下去，而且——"

她停住了。

"而且它们会的。"她思考了一阵子之后说，"它们会的。那个实体——"她指着幕墙上中心位置处那个黑色物体，"在上一轮大爆炸和大坍塌中幸免。我想，蔚布黛尔能够度过下一轮，并成为紧接着这一个宇宙的下一个宇宙的上帝。"

这是一个太过大胆的想法，尽管霍勒斯有可能是对的。但我不可能活着看到这一天了。

蔚布黛尔正在特意为她而建的、里头只有一张婴儿床的产房内透过玻璃窗向外张望。我拍了拍窗子，就像我的世界上无数父母都曾做过的那样。我拍了拍窗子，又挥了挥手。

蔚布黛尔察觉到了，向我挥了挥她短粗丰满的肢。或许现任上帝从来没有注意过我的存在，甚至当我来到他的鼻子底下，他仍然对我视而不见。但这位未来的上帝注意到了我，至少这一次，在这个时刻。

在这一时刻，我感觉不到任何疼痛。

但是很快，痛苦又回来了。它越来越强，而我却越来越弱。

没有多少时间了。

我给里奇写了一封长信，万一出现了奇迹他还活着呢？霍勒斯替我把信发给了地球。它需要将近半个千年才能到达。在信中我告诉了我儿子我在这儿的所见所闻,跟他说了我有多么爱他。

随后我要求霍勒斯帮我最后一次忙,给我最后一次关怀,像一个老朋友那样。我要求她帮我解脱。除了我的药和止痛片,我只带了很少的东西上飞船。但是我带上了一本生物学小册子,里面的信息足够让马莱卡斯的医生合成一些可以让我没有痛苦迅速死亡的东西。

霍勒斯亲自将药物注入我的体内。之后,她坐在我的床边,抓住我一只干瘪的手。她的泡状皮肤是我最后感觉到的东西。

我告诉霍勒斯写下我的遗言并把它发往地球,让里奇,或是其他任何生活在那儿的人可以听到我的话。就像我以前想过的,或是他,或是我的N世孙,可以把它加入到那本描写人类第一次与外星人接触的书中。

我对于我最后想说的话感到惊奇。"你知道吗?"我对霍勒斯说,她的眼柄在前后摇动,"我还记得我是怎样第一次迷上化石的。"

霍勒斯倾听着。

"我在一个海滩上,"我说,"玩着一堆石头。我惊奇地发现它们中间藏着一块贝壳化石。虽然我没有刻意地找,我还是找到了我潜意识里一直在寻找的东西。"疼痛在慢慢地消失,一切都在悄悄溜走。我握紧了霍勒斯的手,"我想我是个幸运儿。"我说,感到周围是那么宁静,"现在我又找到了第二块。"

Robert J. Sawyer
Creative Chronology

罗伯特·索耶创作年表